Los Efectos y las Consecuencias de las Drogas y el Alcohol

By

Matilde Rosa

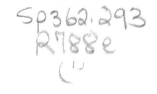

This book is a work of fiction. Places, events, and situations in this story are purely fictional. Any resemblance to actual persons, living or dead, is coincidental.

ISBN: 1-4033-9899-2 (e-book)
ISBN: 1-4033-9900-X (Paperback)

Library of Congress Control Number: 2002096207

This book is printed on acid free paper.

Printed in the United States of America
Bloomington, IN

1stBooks - rev. 06/24/03

BIOGRAFÍA
MATILDE GUERRERO DE ROSA

Matilde Guerrero nació en San Sebastián, Puerto Rico, a temprana edad se intereso en ayudar a los muchachos jóvenes que participaran en diferentes organizaciones en la comunidad.

Organizó la primera liga Atlética Policiaca en Barrio Obrero Santurce, Puerto Rico.

También organizó el coro de la iglesia Inmaculado Corazón. Más tarde preparó la congregración de las hijas de María y las Aspirantes, congregración de muchachas jóvenes. Dio clases de doctrina y ayuda a diferente actividades en la iglesia.

Cuándo vivia en Brooklyn, apenas tenia 13 años se dio cuenta que hacia falta una iglesia hispana en la vencidad. Con la ayuda de unos cuántos muchachos jóvenes empezaron a preparar actividades para recaudar fondos para hacer una capilla católica hispana. Entre las acividades hicimos un reinado que fué un éxito, con la ayuda de las familias, jóvenes, amigos y un sacerdote logramos hacer la iglesia que hoy día se encuentra en la calle Vernon ave en Brooklyn.

Matilde se caso jóvencita tuvo dos (2) hijos Thomas J. Rosa y Virginia Rosa de Close.

Después de haber organizado estas actividades se mudo para la ciudad de Newark, New Jersey.

Cuándo llega a Newark siquió la misma rutina que tenia en Brooklyn.

En la Catedral del Sagrado Corazón en Newark, fundo y fué creadora del primer grupo de madres auxiliares una organización de damas para las actividades de la iglesia.

Fundadora y creadora de la primera tropa de niños escuchas en la iglesia del Perpetuo Socorro fué miembra del consejo parroquial, organizó cinco (5) reinados y dio clases de catesismo.

Fué miembra y presidente del anuario del Desfile Estatal Puertorriqueño en Newark, miembra del Board of Trustee of Focus Inc. Fué comisionada del Control de Renta en la alcaldía de Newark por cuatro años consecutivos. Selecionada Relaciones Pública del Desfile Estatal Puertorriqueño del Estado de New Jersey. Trabajo como asistente de maestra del Departamento de Educación en

Newark. Curso estudios y graduada de la Universidad Kean College en Sociología y Sicología.

Certificados profesionales de las siquientes instituciones:

Professional education Evaluation Technique (I C.D.) New York.

Certicado en Theorias and Practicas State Department of Health Estado de New Jersey.

Vocational Counselor for Newark Comprehensive Employment Training.

Es notaria Pública.

Se especializó en evaluaciones en Droga y Alcohol, con cinco (5) años de estudios en diferentes Universidades Essex County College, Jersey City University, Montclair State College, Rutgers University.

Práctico el internado en la agencia Cura, trabajando con los adictos y los alcohólics.

Venticinco (25) años de experiencia trabajando con los adictos y los presos con la agencia Work Oriented Rehabilitation Instituted.

LOS EFECTOS Y CONSECUENCIAS
DE LAS DROGAS Y EL ALCOHOL

CAMBIOS SICOLÓGICOS Y SOCIALES CAUSADOS POR EL USO DE COCAÍNA:

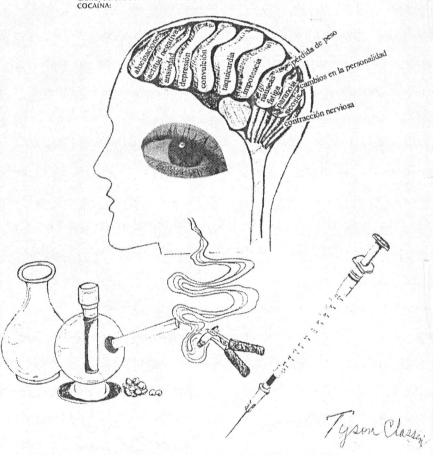

EL CONTENIDO

PREFACIO

Éste libro enfoca la forma más sencilla y consista del resultado del abuso de las drogas y el alcohol. Los tratamientos de recuperación através de las terapías alternativas con el objectivo de ayudar al cliente. Éste libro le puede ser de gran utilidad a las personas que necesitan rehabilitarse

Recordamos a las personas que dejan de usar las drogas y el alcohol. He presentado la información de una manera clara sincilla y simple.

El objectivo principal de éste libro es analizar el problema de las adicciones como las drogas alcohol, depresantes, tranquilizantes, de distintas perpectivas, describiendo el funcionamiento de sus diferentes agencias de rehabilitación para ayudar al cliente. El cliente tiene que asumir la responsabilidad de su salud, buscar el tratamiento más adecuado para el. Ciertos capítulos ofrece una clara visión de las consecuencias y los efectos de las drogas. El elemento común a las técnicas terapéuticas están escritas en la más simple creencia de la curación del cliente. Esto trasmite al enfermo a un mensaje de alivio al proceso de la curación.

Si eres capaz de jugar con las drogas y el alcohol, porqué no eres capaz de jugar para tener una vida saludable, enfrentar el problema y así sabras lo que tinenes que hacer. Quizás tu ambiente está lleno de dificultades, problemas y complejos. Eres un ser humano que puedes llegar a grandes cosas en tu vida si te las propones. Pero usando droga o alcohol, solamente llegaras al hospital o a una cárcel. Lo que tienes que hacer es vivir una vida sana, llena de sosiego, de paz y tranquilidad sin el uso de las drogas o el alcohol. Darte mérito, busca ayuda.

INTRODUCIÓN

Estamos viviendo en una sociedad negativa. Los seres humanos que formamos ésta sociedad estamos perdiendo la livertad, la dignidad y el amor a nuestro padre celestial.

Buscando la idea de escapar de estas incertidumbres negativas que están acabando con nuestro genero humano y especialmente con la juventud que seran nuestros hombres y mujeres del mañana, Hay que establecer ciertas relaciones seguras y sanas, mas íntimas con nosotros mismos y con Dios. Hacer un esfuerzo y ayudar a nuestros niños, jóvenes, mujeres, hombres en el peligro de las drogas y el alcohol. El amor incondicional es el que puede sanar las almas dolorosas y triste. Curar las heridas y sequir una vida mejor. Los adictos, alcohólicos, jóvenes, hombres y mujeres son personas de buenas familias que tienen ciertos valores pero esos valores han llegado a un vacio por una equivocaciòn en sus vidas, por no haber tenido el valor de aguantar el dolor interno que los ha llevado al abismo de las drogas y el alcohol.

Hay que salir de este abismo, tener livertad, ser libre, porque cada persona es responsable de sus actos y sus echos. Tomar una desición positiva hacia un futuro mejor. Hay que tener paz mental para poder caminar por el cendero de la luz brillante, buscar a Dios, tener fé para las cosas porque teniendo fé todo en la vida se puede resolver. Enseñarle a los hijos éste patrón de religión, fé esperanza, generosidad y amor. No al odio ni a la venganza, egoísmo, orgullo, dinero, mentira hipócrecia, al uso de drogas y alcohol. La estructura de una familia con valores, sentimientos responsabilidad, respeto es la existencia verdadera de la vida, es el patrón que un jóven puede aprender para un futuro brillante. El alcohol y las drogas no llevan a nadie a nada bueno. Lo único que le puede pasar es coger una enfermedad, o una prisión, destruirte la vida para siempre. No dejes que esto te suceda. Si puedes ayudar a alquien que éste en problemas de drogas o alcohol o que este en pasos malos haslo Dios te lo pagará.

El alcohol es una enfermedad progresiva con muchas complicaciones spicológicas, fisiológicas y social. Mostrando un desorden crónico que se manifiesta a través del uso contínuo de las bebidas alcohólicas y del uso de drogas. De tal manera interfiere con la salud, la vida social y económica. La solución a éste problema cada día se hace mayor, radica en la educación y la rehabilitación de una vigilancia y observación diaria del cliente. El alcohólismo y las drogas afecta al mundo que lo rodea, la familia, las amistades, los amigos, padres, hijos, esposas y el trabajo.

El alcoholismo y las drogas son enfermedades progresivas pero se pueden controlar. Hay muchos tratamientos exitosos y que son muy buenos. Personas de diferentes edades, nacionalidades clases sociales tienen problemas con las drogas y el alcohol. Busca ayuda lo antes posible si tienes problemas con éstas sustancias.

Lewis Garley, Executive Director
Work Oriented Rehabilitation Instituted Inc.

PROLÓGO

El propósito de presentar este libro corresponde a la necesidad cada día más importante para nuestra juventud, padres de familia, amigos, amistades y todos los que estén interesados en tener conocimientos más amplios acerca de las drogas, alcohol y los cigarrillos, los efectos y las concecuencais de todas éstas sustancias. Tener al alcance un libro con todo el material informativo que es inispensable para adquirir el conocimiento basíco de los efectos que producen las drogas.

He seleccionado aquéllos puntos que considero más necesario para que tengas un buen conocimiento. Urge el contacto directo entre padres hijos, amigos, hombres, mujeres jóvenes a los padres de familia y la comunidad y a todas aquellas personas que lean este libro.

Las informaciones que he consignado en este libro no agota el tema, ofrece un conjunto de información relacionado con el problema de las drogas el alcohol, los cigarrillos los efectos y las consecuencias. Los factores que determinan el riesgo y las recomendaciones para prevenir el problema de las drogas.

Comunicar la noticia que se puede actuar para alejar a los jóvenes y a los niños del abismo de las adiciones, por medio de una educación equilibrada en un hogar calído y afectuoso.

Hay factores que entorpecen la labor de los padres, contra los valores en que éstos tratan de cultivar en los hijos. Los padres de ésta nueva era enfrentan dificultades y peligros que no exístian en otras épocas. La comunicación, el amor, los trasmisión de la fé y de los valores.

Abrir un dialogo auténtico con sus hijos, respetando su personalidad, asi se pueden crear las bases de una pedagogía entre los padres y los hijos, que le ayudara a su hijo a no caer en las drogas.

DEDICACIÓN A LOS JÓVENES

Este libro esta dedicado a todos los jóvenes de todas las nacionalidades.

A tí jóven, que constituyes una de nuestras mayores preocupaciones hoy día porqué de tí dependen las iniciativas que ayudaran a un futuro mejor. Este libro tiene toda la información necesaria para orientarte con relación al peligro que representa el abuso de las drogas y el alcohol.

Léelo cuidadosamente, en esta publicación expongo los datos de mayor importancia científica sobre las substancias nocivas al organismo, como la mariguana, cocaína, heroína, crack, opiatos narcóticos, afetaminas, barbitúricos, alucinógenos, sustancias volatiles, fencyclidina, esteróides estimulantes, inhalantes, nicotina, alcohol, cafeina, cemento plástico, pega y otros artículos que se encuentran en el hogar.

Es conveniente que conóscas cuales son estas sustancias, sus efectos y las consecuencias de su uso. Sólo así podras ser portavoz de estas ideas y difundirlas con tus amigos, cambatir el uso indebido de las drogas para poder edificar una comunidad mentalmente saludable, y ayudar a prevenir la adicción a las drogas, el alcohol y los cigarrillos a todos los jóvenes que tanto daño esta causando. Esta es nuestra tarea tuya y nuestra. Los sentimientos son las emociones que determinan el estado de ánimo no depender del raciocinio.

Por la autora
Matilde Guerrero de Rosa

DEDICATORIA A LOS CUATRO NIETOS

Ésta dedicatoria es para mis cuatro nietos que están en tiernas edades.

Jason Grentus

Yarimar Rosa

Solimar Rosa

Marika Wood

Que no olviden las raíz de donde proceden y que

Sigan adelante el buen trabajo que han realizado hasta

el presente, preparandóse para un buen futuro.

Que Dios los bendiga.

AGRADECIMIENTO

La autora de éste libro desea expresar las más sinceras gracias por la portación que donaron a éste
libro las siquientes personas.
Tayson Classen, estudiante de artes (portada de este libro)
Lurdes Guerrero, representante de medicinas New Jersey
Harold Rocca, Grace and Jordan Graphic, Kearney, New Jersey
Lewis Garley, Director Ejecutivo Work Oriented Rehabilitation Inc.

LA ADICCIÓN

La adicción es un proceso que controla la mente, hacen cosas que no están de acuerdo con los valores personales, conducen a ser compulsivo y obsesivos, altera el estado de ánimo, tiene efectos negativos mentales, emocionales y espirituales. La adicción se puede desarrollar cuándo hay problemas cuándo hay un vacio en el alma, un espacio que no se puede llenar. La abstensión, en ciertas circunstancias de la vida se presentan ciertos factores que los lleva a la adicción tales como reacciones al sistema nervioso, inquietud, agitación, aceleración del pulso, temblores y reacciones de pánico. El engaño de la persona es la negacion, el desplazamiento con pensamientos negativos. La persona pierde la fuerza de voluntad, y la adicción es lo primordial para ellos. La preocupación principal es la adicción el adicto no tiene una luz interna que refleje el cristal exterior. Esto quiere decir que la negación y la destorsión, el engaño, la deshonestidad la confusión y la mentiras no llevan a nadie a nada bueno.

El adicto usa como mecanismo las defensas, como la familia que participan en esta negación escondiendo la adicción. Viven en un sistema basado en la negación y la mentira al pasar el tiempo según va aumentando la adicción la persona es más energética para asegurarse de éstas señales fuera de conciencia. La persona se aleja de todas las actividades sociales y familiares, la personalidad de la persona cambia completamnte. La negación y el engaño los lleva a la distorcionar la realidad desconfian de los demás personas. El adicto tiene ciertas caracterésticas tales como la manipulación deshonestidad y la mentira. El adicto no se da cuenta de lo que piensa, lo que dice, lo que hace y lo que siente, no son honestos con ellos mismos, menos van a ser con las demas personas.

El adicto cuándo ésta bajo las influencias de la droga, pierde el control, en ese momento puede matar y también pueden robar. Ésta es la causa por la cúal la mayor parte de los hogares se rompen, ellos gastan el dinero en la droga mientras que la familia no tiene que comer. La esposa se cansa de ésta situación y tiene que acudir a los servicios públicos. El adicto le roba las cosas a la esposa especialmente las prendas cuándo no tiene el dinero para comprar la droga. La adicción es una enfermedad que ha tocado a muchas

1

personas, familias, pobres y ricos, sin distinción de sexo, religión color, edad, raza, educados o no educados y especialmente a nuestra juventud. En la sociedad hay poco interes acerca de la adicción hacia la juventud. Los adictos son seres humanos que caen en el engaño de los vendedores de droga, son los ignorantes los que caen en la trampa. Ellos tienen el derecho de ser tratados con dignidad, porque estos son los seres que son debiles. Muchas personas creen que los adictos disfrutan de lo que hacen, ellos llegan a un punto que odian la adicción porque no se pueden curar de la adicción.

El proceso de rehabilitación es duro y costoso, la persona tiene que tener mucha fuerza de voluntad y el deseo de curarse. El cliente tiene que estar en un centro de rehabilitación por muchos meses después que termina la rehabilitación tiene que continuar las terapías y asistir a las reuniones semanal. Hay muchas personas que quieren curarse pero cuándo llega a un centro de rehabilitación tienen que esperar que halla cupo disponible. Si no hay espacio vacio se ponen en lista de espera, aveces la lista de espera es de meses, en ese tiempo el cliente sique usando droga y cada día se pone peor. Muchos de mis clientes van preso y después los mandan a rehabilitarse por obligación de la corte. Han habido casos que se quitan la vida con una sobre dosis de droga.

La droga ha sido una plaga que continúa matando gente de todas las edades, la droga es fácil de consequeir pero difícil de curar porque requiere mucho tiempo de tratamiento. Los adictos son son víctimas que no tienen fuerza de voluntad para dejar el hábito de usar droga. Muchos de mis clientes se han curado de las drogas porque los han cogidos preso y cuándo salen tienen que hir obligatoriomente a rehabilitarse, es cuándo se dan cuenta del daño que ellos mismo se han echo. Juan unos de mis clientes odiaba la adicción tenia rabia con el mismo porque no podia curarse pronto, es una enfermedad para los restos de su vida. Se echan más de diez años para una persona se pueda curar de la adicción. La adicción a las drogas, alcohol y los cigarrillos han innundado las comunidades. Las carceles están llenas de adictos por causa de las drogas y el alcohol. En el 1960 hubieron más de 33, 000 mil arestos por droga más que ningún otro crimen. Estos arrestos han sido en las ciudades grandes como New York, Los Angeles y New Jersey. Según las estadísticas las drogas han llegado aun punto alarmante.

La mayor parte de los adictos que han cumplido su termino en la cárcel cuándo salen si no van ha rehabilitarse regresan de nuevo a la cárcel por el mismo delito. Un 75 por ciento de los presos son por adicción a las drogas o por traficar la droga y otros por el vicio del alcohol. El gobierno gasta billones de dólares al año en los tratamientos de rehabilitación de droga y alcohol. Miles de niños están expuesto a las drogas durante el embarazo de la madre. Estos niños que han nacido con droga en el sistema pasan de miles al año. Darle tratamiento a un niño que halla nacido con droga en el sistema cuesta mucho dinero, las madres no buscan ayuda a tiempo. La droga ha cambiado el estilo de vida de los pobres y de los usuarios. El sistema de bienestar público y el problema de las jovencitas embarazadas el gobierno ha tomado esto en cuenta. No sólo el problema de la droga, las jovencita embarazadas también tiene el problema del sida la cúal le ha costado al gobierno millones de dolares en analísis y tratamiento.

Todas las personas que usan droga o alcohol necesitan tratamientos, terapías, consejería. Una cuarta parte de los que entran en tratamiento se pueden curar dependiendo de la persona. El gobierno ha reconocido que por culpa de las drogas y el alcohol hay tantos crimenes, robos, desempleos, jovencitas embarazadas, niños enfermos, alto costo de salud y el bienestar público ha aumentado. La cocaína tiene 20, 000.00 millones de adictos, si la droga se llegara a ligalizar seria el problema más difícil de resolver porque se necesitan más fondos para la prevención y tratamientos a una escala según la epidemia. La droga ha sido una plaga que continua matando gente de todas las edades.

LAS DROGAS

Las drogas son sustancias químicas naturales sintéticas que afectan la mente el cuerpo y la conducta. Es una sustancia que al ingerirla cambia el funcionamiento del cuerpo. Todo lo que ingiere el cuerpo lo altera de una forma u otra. Cuándo se abusa de las drogas éstas sustancias ocasionan problemas legales, apuros financieros, dificultades sociales y el aumento de las drogas aumenta más. Cada año en los hospitales tratan miles de personas relacionadas con las drogas y el alcohol. El abuso de las drogas resulta en un hábito caro. Más de un millón de personas son arrestadas todos los años con ofensas relacionadas con las sustancias ilegales. Hay personas que tienen problemas en vez de resolver el problema de la mejor manera posible usan drogas o alcohol como solución del problema entonces el problema se empeora. Los problemas de las drogas traen enferme-dades, pierden la resistencia y destruyen la salud. Hay drogas que producen desinteres personal, aumenta la tolerancia cuándo la persona necesita más drogas. El riesgo que tienes es de usar la droga otra vez, esto puede causar una sobredosis, esto seria fatal. El uso constante de esta droga induce a la dependencia física y psicológica, el robar es la única forma de mantener el vicio que es tan costoso.

La posesión de drogas ilegales son de alta multas y prisión. Para el adrogadicto las drogas es lo más importante para el es primero que la familia y las amistades. Hay mucha gente que creen que hay rasones para abusar de las drogas muchos lo hacen para alevantar el ánimo para divertirse evitar responsabilidades, formar parte de un grupo y escaparse de la realidad. Hay cinco clase de drogas básicas de las que abusan diariamente.

1. Estimulantes
2. Sedantes
3. Alucinógenos
4. Narcóticos
5. Mariguana

Hay ciertas realidades de la droga. Muchas personas han experimentado las drogas solamente una vez y no han vuelto a úsarlas porque saben el riesgo que tienen. Otros la tratan por primera vez y continuan usandóla. La mayoria de las personas tienen sus primeras drogas através de un traficante (pusher). Los jóvenes en sus primeros experimentos de droga es por medio de un amigo. El que usa droga no tiene control de lo hace, lo que piensa y lo que pasa. El abuso de las drogas dan enfermedades, le espera un hospital o una prisión, tienen una dependencia, es un hábito costoso. Ha muchas personas que las drogas y el alcohol le ha costado la vida. Ahora que tienes un entendimiento amplio sobre las consecuencias y los efectos de las drogas después de leer este libro, sabes lo que tienes que hacer. No usar drogas ni alcohol en grandes cantidades.

La mariguana ha aumentado en los ultimos años un setenta y cinco por ciento (75) que en los años anteriores. Para los que ahora fuman mariguana el peligro es mucho mayor que en los años pasados. Los estudios señalan la existencia de enfermedades crónicas de los pulmones. La mariguana contiene agentes conocidos productores de cáncer como el cigarrillo, porque el fumador de mariguna procura lo más posible por inhalar el humo en los pulmones. La mariguana afecta la función de la memoria, destorciona la capacidad de la percepción, obstaculiza el juicio y reduce la capacidad motora, incluyendo la aceleración de los latidos del corazón, aumenta la presión arterial.

Estos cambios son un riesgo para la salud. Más importantr es la creciente que se ha convertido en un mercado negro. La cámara de comercio de Estados Unidos dice que la venta de drogas anuales es de miles de dólares. El uso de estupefaciente en el trabajo le cuesta a la industria y a las impresas norteaméricana miles de dólares al año en pérdidas de productividad y accidentes. Las carceles estan sobresaturadas con los adictos. Usar droga no es legal estas en contra las leyes del país. Un producto o sustancia que se use para reducir el estado de ánimo de una persona, sustancias tales como gasolina pega, aerosole son ejemplos de muchas drogas que pueden cambiar los sentimientos la percepción y la conducta de la persona.

La adicción a las drogas el alcohol y los cigarrillos han inundado las comunidades en todas parte del continente. En el año 1960, hubieron 33, 000 mil arrestos por droga más que ningún otro crimen. La mayor parte de las personas que estan en las carceles son por causa de las drogas.

Los arrestos han sido en las ciudades grandes cómo New York, California, New Jersey, Chicago y otros paises del continente. Según las estadísticas el problema de las drogas ha llegado hasta los suburbios miles de casos diarios de delicuentes han sido arrestados por crimenes cuándo éstas personas están bajo las influencias de las drogas. El gobierno gasta billones de dólares al año en los tratamientos de droga y alcohol. Miles de niños están expuesto a las drogas y al alcohol durante el embarzo de la madre. Niños que han nacido con el crack, pasan de miles al año. Darle tratamiento a un niño que ha nacido con la droga en el sistema del cuerpo cuesta mucho dinero.

El alcohol es una droga ilícita, es ilegal usar una droga con propósito para el cual no se creo, un ejemplo seria usar pastillas para dormir para estar en una nota alta (high.) En Gran Bretaña se utilizo la administración de dosis fijas controladas de heroína para los consumidores que son crónicos. En Europa al igual que Estados Unidos en el año 1994, se presento un gran número de adictos a los apíaceos. En el 1914, los Estados Unidos significó una forma de cómo enfrentar el problema completamente opuesto a la de Inglaterra, permitiendo que los médicos privados mantuvieran con heroína a los adictos de esta droga, porque muchos de ellos habían adquirido la dependencia en el curso de un tratamiento médico para aliviar el dolor.

Los americanos están preocupados como nunca por los peligros que representa el abuso de droga y alcohol. Las encuestas de opinión pública han señalado la intolerancia general al uso de las drogas por parte de los menores de edad. Los americanos están preparando adaptar una firme posición frente al uso ilegal de las drogas entre los jóvenes. El abuso de las drogas ilegales han destruido familias. Las drogas han infiltrado nuestras comunidades, escuelas, lugares de trabajo Universidades, colegios, suburbios y la comunidad en general. El público ha dicho "basta ya" se están uniéndose para hacerle frente al abuso de las drogas, alcohol y cigarrillos entre la juventud. Las drogas ilícitas son aquellas cuya fabricación de venta y compra son con fines de venderla están prohibida por la ley. Las drogas que se expanden con recetas médicas son aquellas que se ha determinado que son inocuas eficases y legales sólo con recetas médicas por ejemplo la morfina y el valium. Las drogas han cambiado el estilo de vida de los que usa drogas. El problema de las jóvencitas embarazadas a temprana edad han tenido que recurrir al sistema del bienestar público. El gobierno ha tomado esto en cuenta. La cocaína tiene 21, 000 millones de adictos. Si las drogas se llegaran a ligalizar el problema sería difícil de resover, porque se necesitarian más fondos para la prevención, tratamientos, rehabilitación a una escala según la epidemia.

LA MARIGUANA Y SUS EFECTOS

Las siquientes partes del cuerpo son afectadas por uso de la mariguana.

OJOS= El fumar mariguana con otras medicinas reduce la presión en los ojos, y la esfera ocular para el tratamiento de la glaucoma, enfermedad que causar cequera. Hay evidencia de que el fumador de mariguana le causa dependencia sicológica.

CEREBRO= Fumar mariguana ha sido comprobado en numerosas ocasiones por varias investigaciones científica señalada que se deterioran las destrezas necesarias para conducir automóviles o operar maquinarias. La mariguana retarda la abilidad de ejecutar tareas en secuencias o coordinadas, se ven gravemente afectadas, aumentando así el riesgo de tener un accidente. Hay evidencias recientes que muestran cambios significativos en las células, lo cual puede indicar que hay daños en las areas dónde se llevan a cabo los procesos más cumplidos en el cerebro. Si se deja de fumar antes de que haga daño a las células nerviosas éstas se podrían recupera y el cerebro volvería a funcionar normalmente. Sin embargo, si se ha usado la droga por mucho tiempo en dosis excesivas la persona recobrara las células nerviosas, pero no volvería a ser la misma.

SISTEMA INMUNOLÓGICO= Estudios revelan que fumar fuertemente mariguana afecta el sistema inmunológico, es decir, la habilidad para formar células blancas para la defensa del cuerpo contra las enfermedades.

CORAZÓN= Hay evidencias de que fumar mariguana aumenta el ritmo cardíaco casi un 50 por ciento. Las personas que han fumado mariguana sienten dolor en el pecho, la cual se debe a que el corazón esta recibiendo poco volumen de sangre. Para las personas que padecen del corazón esto podria ser fatal.

ESTÓMAGO= Se ha encontrado que la mariguana controla las nauseas y los vómitos en los pacientes de cáncer al someterse al tratamiento de quimoterapía. Ciertos estudios se están realizando através del gobierno federal para investigar más la habilidad de controlar las náuseas con el (thc). Se ha descubierto que el humo de la mariguana contiene ingredientes que causan cáncer del humo del tabaco.

PULMONES= Se alega que la mariguana puede afectar los pulmones porqué los que la usan tienden a fumar sin filtro, aspirando muy hondo y mateniedo el humo en los pulmones por más tiempo, exponiendo así el tegido pulmonar por un tiempo prolongado.

La aspiración repetida del humo de la mariguana inflan los pulmones afectan su función.

Los estudios nos indican que se demostró que fumar 5 cigarrillos de mariguana por semanas es más peligroso para los pulmones que fumar 6 cajetillas de cigarrillos de tabaco por semana.

Estudios echos en animales demostraron que la mariguana causó inflamación extensa en los pulmones, lo que ocurrió entre 3 meses y un años de uso.

EL SISTEMA INMUNOLÓGICO: Algunos estudios revelan que el fumar fuertemente mariguana afecta el sistema inmunológico, es decir la habilidad para formar células blancas, básicas para la defensa del cuerpo contra las enfermedades. No obstante, otros estudios revelan que las implicaciones de esto continúan en duda.

ÓRGANOS REPRODUCTIVOS= Estudios echos en hombres adultos indican que los fumadores crónicos de mariguana tienen un nivel menos de testoterona, hormona principal masculina que los que no la usan y que la abstinecia en el uso de mariguana hace que la condición regrese al estado normal. Otros estudios señalan que la cantidad de esperma en hombres jóvenes va disminuyendo a medida que el uso de la mariguana aumenta. Otros estudios dicen que la parte de la esperma de fumadores crónicos es deficiente y sin función. Los investigadores dicen que los hombres con infertilidad y una función endocrina dificiente deben de evitar de fumar mariguana. La mariguana puede afectar las hormonas de crecimiento de las glandulas pituitarias, esto quiere decir que la mariguana causa daño durante la adolesciencia.

EN LA MUJER= Los efectos de la mariguana en los órganos reproductivos de la mujer es poca.

Los estudios en las mujeres de edad reproductiva están prohibidos debido a los riesgos que existen. En estos estudios recientes sobre el uso de la mariguana y la función endocrina femenina usando 26 mujeres que habian fumado mariguana por 6 meses, mostro que

9

tenían ciclos menstruales defectivos tres veces más frecuente que un grupo que no usaban mariguana.

Mostraron una falta de habilidad para ovular o al menos un período de ovulación más corto.

Quiere decir que el uso regular de la mariguana reduce la fertilidad de la mujer.

Ciertos estudios indican que el nivel reducido de estrógeno (hormoma principal de la mujer) y la progesterona, otra hormona reproductiva, además de hormonas de crecimiento de las glándulas pituitorias, disminuye el período de ovulación, esto indica y sugiere que el uso fuerte de mariguana en los jóvenes que están en el desarrollo debe ser evitado.

CROMOSONAS= A nivel de material cromosónico no se han informado daños, pero hay posibilidades de algún daño en éstos. Los estudios en mujeres embarazadas están limitados debido a los posible riesgos al fetos. Según los analísis en los laboratorios muestran que éstas que han sido tratadas con el THC tienen mayor probalidad de abortar los fetos que sin el tratamiento.

Científicos creen que la mariguana la penetra en la placenta y intoxica el embrión.

El uso de mariguana al igual que otra droga durante el embarazo es un riesgo muy peligroso para el niñor sy la madre es un riesgo innecesario.

LA GANJA= Es otro preparado de la cannabis que se obtiene de los extremos flóridos y las hojas de la planta hembra. Se utiliza en mezcla para fumar, se usa en bebidas y en los dulces.

Ésta tiene un contenido menos que el hashis y tiene menos THC.

EL THC= Sintético que se puede obtener en el comercio, es más fuerte que el hashis según los científicos. Esto es una materia muy viscosa parecida a la melaza. Es insoluble en agua y se mezcla para la inyección con un soluente. No absorbiéndose se toma por vía vocal, se puede descomponer con el tiempo, hay que mantenerlo sellado bajo nitrógeno y estar en una temperatura inferior a la del miedo ambiente.

La mariguana de la variedad cannibis sativa en climas tropicales como en Vietnam es fácil de obtener a través de la población local.

COCAÍNA

La cocaína se extrae del arbusto de coca, la cual crece mayormente en las montañas de los Andes Bolivia y Perú. Es un alcaloide de la familia de la nicotina cafeína y la morfina. Después de un complicado proceso la cocaína llega a la calle la mayoría de las veces. Es un polvo blanco fino y cristalino, se conoce como sal hidroclorhídrica. Este polvo de cocaína se suele mesclar con otras substancias similares como el talco, maicena, anfetaminas, quinina, ácido básico, estrinina de ahí es que su pureza es entre 5 y 50 por ciento. Muy ocasionalmente puede consequirse con una cantidad de un 80 por ciento. De todas las drogas la cocaína es posiblemente el estimulante más fuerte del sistema nervioso central. Comprime los vasos sanquíneos aumentado la presión de la sangre y el ritmo cardíaco.

Cade vez que se utiliza la cocaína se experimenta una compulsión por utilizarla nuevamente.

En pruebas con monos se le ha dado cocaína para usarla a su antojo, ellos han aumentando su uso progresivamente hasta llegar a dosis letales sin ser capaces de detenerse. La cocaína se puede utilizar inhalándola por las fosas nasales, fumada en su presentación como base libre (free base) por inyección intravenosa o fumándola en forma de cristales (crack). El crack tan poderoso como el "speed ball" puede contener hasta un 90 por ciento de heroína. Su nombre proviene del ruido que hace cuándo se mezcla con el alcohol y se enciende para fumarse en una pequeñas probetas de cristal que es su método de uso más común auque lo usan machacándola con picadura de mariguana o tabaco y fumándosela después. Su efecto comienza a sentirse en unos segundos y su acción puede durar de 20 a 30 minutos. Su adicción se alcanza en muy poco tiempo.

Inhalación: El polvo es colocado en una superficie dura, un espejo se divide en hileras con una navaja hipodérmicas. Su efecto es inmediato (15) segundos y dura unos minutos. Intravenoso: la cocaína que se vende en la calle es soluble en agua y se puede inyectar con una aguja hipodérmica en las venas, su efecto es inmediato.

La Euforia: Al estimular químicamente la produccíon de dopamina, la cocaína "engaña" al cerebro haciéndole sentir que ha recibido aumento y placer, como sucede con la exitación sexual o con los alimentos. Muchos de los que acostumbran usar la droga prefieren ésta a la comida o a la hora de dormir, o compartir este momento con sus amigos. Los efectos de duración de la cocaína pueden variar desde 30 minutos hasta dos horas, dependiendo de la pureza y la cantidad administrada, el nivel de tolerancia de la persona. El uso crónico de la cocaína bloquea la habilidad de las células para liberar la dopamina esto produce que el usuario sea incapaz de sentir placer sin antes recibir el estímulo de la droga. Después del uso crónico pequeñas dosis de droga pueden despertar reacciones severas de dopamina. Como resultado surgen convulciones o comportamiento sicótico, el cerebro es incapaz de controlar la liberación de dopamina.

Inrregularidad en el rítmo cardíaco. Con cualquier forma de uso la cocaína aumenta el rítmo cardíaco, sobrevive ataques cardíacos o la muerte súbita puede suceder.

Fallo Respiratorio: Cualquier forma de uso de la droga puede causar la constrición de los vasos sanquíneos. En cualquier momento puede liberarse de los coágulos que entran en la corriente sanquínea y produce un ataque del corazón, puedes tener derrames, daños a los pulmones.

Endocarditis: Las bacterias que entran a la corriente sanquínea por vía de agujas contaminadas pueden llegar al corazón y infectar las válvulas del corazón. Esa endocarditis bacterial es fatal en más de un 50% de los casos.

Hepatitis: El virus de la hepatitis también puede entrar a la corriente sanquínea vía las agujas contaminadas. La hepatitis causa inflamación del hígado, la piel se torna amarillenta al igual que los ojos, produce repetidamente daña al hígado y los riñones.

Daños Fisicos: Destrucción de la mucosa nasal, al inhalar cocaína se inrrita la mucosa nasal ésta se rompe y sangra, eventualmente puede perforar el tabique nasal.

Bronquitis: Al inhalar cocaína se irrita el tracto respiratorio. Si la irritación es leve produce tos.

Le puede dar infecciones, hemorrágias, bronquitis, puedes tener obstracción del tracto respiratorio.

Combulciones: El uso de base intravenosa produce una estimulación fuerte y explosiva que puede causar convulciones y puede causar la muerte. Debido al desconocimiento sobre los efectos dañinos de ésta droga en el organismo y en la conducta. Se han generalizado unos mitos en torno a la misma. Hasta hace poco tiempo se califico la cocaína como una droga inofensica, no adicta y de uso puramente recreacional. De ésta manera se llego a llamar el 'Champán de las Drogas' la droga del glamour y otros nombres a la verdadera naturaleza de esta droga. Hoy día se sabe que la cocaína afecta las sustancias neurotrasmisora del cerebro, principalmente la dopamina bloqueando su conducción y manteniendo una continua estimulación en los centros de placer. Esto causa euforia, pasados los efectos el restablecimiento de ésta conducción de impulso es lenta, por lo que la persona experimenta una depresión que puede ir desde leve hasta muy severa de acuerdo al patrón de uso. Conjuntamente con la depresión la cocaína puede ocasionar paranoia, sentimientos de profunda tristeza y en algunos casos agresividad y mal humor esto ocasiona pérdida del apetito. Los efectos de la fuerte euforia acelera el corazón, altera la presión sanquínea y da sensación de hormiquero, se van haciendo más fuerte con diferentes concentraciones y rutas de administración. Con la aspiración de cocaína los efectos tardan más en aparecer mientras que son más intensos en la inyección y con el crack es una presentación nueva de la base de cocaína cuyo uso resulta ser mucho más dañino que la cocaína regular (sal hidroclorida) de hecho puede ser mortal.

Si usted usa cocaína no se sorprenda sí:
tienes un ataque de aplopejía o páraliss
Tienes un ataque cardíaco
Desarrolla dolor en el corazón
Éstas deprimido
Tienes bronquitis severa
Desarrolla una tos crónica
No puedes dormir bién
Desarrolla hipertensión
Tienes ansiedad.

Los efectos de la cocaína son muy poderosos cuándo ésta se usa una y otra vez. Usted corre el peligro de riesgo de sufrir cualquiera de éstas peligrosas y aveces fatales complicaciones.

Si usted piensa usar cocaína vale la pena que lo piense dos veces porque después de los buenos momentos vienen los malos momentos. Por muchos años los indios de los Andes mascabán estas hojas para obtener las sustancias tonificantes. Estas hojas contienen 70 por ciento de la cocaína. Los indios mascabán de 35 a 60 gramos de estas hojas al día. Luego los indios se enteraron que podían extraerse de la hoja y humearse o inyectarse para producir una reacción eufórica. En un tiempo la cocaína se utilizó como anestético local pero ya perdió la utilidad médica por otros elementos sintéticos más eficaces. La cocaína actúa directamente sobre los centros del cerebro.

La cocaína es la droga preferida de las personas con problemas psicológicos. La inyección como cualquier otra droga presenta el peligro adicional de infectarse con el virus del sida, si la persona comparte la aguja con otra persona que este infectada.

La cocaína actúa directamente sobre los "centros del cerebro". Estos centros son estructuras cerebrales que al estimularse producen un intenso deseo de experimentar que una sustancia química del cerebro llamada dopamina permanesca activa por un período mayor que lo normal estimula un fuerte deseo de usar la droga otra vez. El usuario siente una sensación de inquietud y ansiedad, la droga puede producir paranoia.

Los usuarios experimentaron depresiones en muchos casos, vuelven a usarla para aliviar una depresión, también necesitan mayores cantidades con mayor frecuencia para generar el mismo nivel de estímulo. Otra forma de la droga es la pasta de la coca, es un producto crudo usado mayormente en Sudamérica, es peligroso porque contiene queroseno que causa daños a los pulmones. Los efectos de la droga en menos de unos minutos alcanza el punto máximo en un intervalo de 15 minutos y desaparece en una hora. El usuario se siente enérgetico, alerta, sin apetito, la persona esta nervioso, esta droga es clasificada como nárcotico. Hay imitaciones de cocaína, la creciente demanda de la droga, su precio elevado y la limitación de oferta de esta droga han llevado al empleo difundido de drogas substituidas que se asemejan a la cocaína y que pueden tener efectos estimulantes. Las imitaciones de la coca contienen ingredientes que son legales y que también aparecen como impureza de la droga que se vende en al calle. Entre las sustancias que utilizan para cortar o diluir la droga figuran artículos del hogar cómo la harina bicarbonato de soda, polvo de talco y azúcar. También se venden como substitutos anestésico locales cómo la cafeína y otros productos químicos.

La coca se demesticó en el Perú más de siete (7) siglos atrás. Es la planta sagrada de los andinos. En el Perú usan la coca no la cocaína. Hoy día esto es un negocio de millones de dólares. En los 100 años de la cocaína trece (13) familias colombianas viviendo en Estados Unidos y en Florida eran los que controlaban el imperio peruano de la droga, todos fueron encarcelados. Un gramo de cocaína que costaba $100 dólares fué reducido a 50.00 dólares en la calle. En el siglo 18 la cocaína fué usada como un nutriente. Muchas personas la usaron como remedio casero para el dolor. Se vendía en las farmacias como tónico, jarabe, elixir, en pastillas para el dolor de la garganta, también se uso como anestesia. Años más tarde empezarón a importar la droga. Thomas Edison, fué un admirador de un vino que traían de Francia que contenia sustancias de la cocaína. Sigmud Frued, experimentó con unos analísis de cocaína y descubrió un viaje.

El doctor Kelly en Vietnam descubrió que la cocaína se podia usar como anestesia para las operaciones de los ojos. En el 1889 un paciente murió de una sobre dosis de cocaína.

La cocaína fué usada en los refrescos de la coca cola, la cual fué retirada del mercado en el 1903.

A principios del año 1909 la droga desaparecio por un tiempo, pero regreso de nuevo en una nueva forma, usar las uñas y las agujas para inyectarse. El último informe anual del año 2001 sobre el problema de las drogas en los Estados Unidos y en la Unión Europea un mayor aumento entre los consumidores de cocaína era de un 22 por ciento de incremento en el 1999. En los países bajos aumento un 23 por ciento. En España en los últimos años (1999) los jóvenes entre las edades de 15 a 22 años han usado droga, especialmente cannabis sustancia ilegal es la más consumida en la población española.

ALCOHOL

Desde los tiempos neolitícos se conoce el alcohol, desde los principios del mundo según el Viejo testamento en el Génesis Noa planto una viña, bebió del vino y se embriagó. El alcohol es una de las drogas más antiguas del mundo, es la droga que más se usa, millones de personas consumen alcohol. Nos inmaginamos que en todas partes del mundo han usado alcohol, ya sea en una ocasión u otra. Algunos documentos del viejo mundo está incluido el alcohol. En Mesopotania en el siglo 300 a.dec. está incluido el alcohol.

El vino lo usaban en ceremonias rituales, algunas civilizaciones adoraban el Dios del Vino.

Los Romanos en aquella época adoraban el Dios del vino que era Bacchus. Los griegos adoraban a Dionysis, los Egipcios adoraban Osiris. Esta era la leyenda del Dios del vino.

Para la edad media el vino y el alcohol estaban en todas partes, en las actividades y especialmente en las fiestas. Através del tiempo el líquido volátil que su nombre químico es etanol, se uso en grandes cantidades, debido al abuso del alcohol ha sido objeto de un intenso estudio. En el siglo 16 se uso el alcohol como medicina.

Todo pueblo civilizado o no civilizado de una manera u otra han producido el alcohol junto con otras sustancias. Un ejemplo de esto fueron las tribus agrícolas fermentaban bebidas alcohólicas. Otro ejemplo lo fué la conquista de México los españoles encontraron terreno sembrado de vino. Hasta el presente en México se continua usando el Maquey para la fabricación del Tequila. En el siglo 16 los colonistas trajeron el alcohol a América y los misioneros españoles trajeron el vino. Más tarde empezaron las destilerias a producir el alcohol. En el tiempo de las colonias tomar era una cosa familiar. En el 1965, los americanos consumieron grandes cantidades de alcohol, con el el aumento de la imigración este patrón familiar fué desapareciendo y las tavernas fueron los sitios de socialización y de reuniones para los políticos.

Para fines del 1920 el congreso pasó una enmienda la número18 que era ilegal manufacturar bebidas alcohòlicas. A fines del 1930 empezó los Alcohólicos Anónimos, este concilio National de Alcoholismo nació en la Universidad Yale, bajo la dirción y los esfuerzos de E.M.Jellineh fundador de los estudios de alcohol. En el 1985, habían miles de miembros de los A.A. Esto despertó a los agentes del gobierno como un patrón de salud y una enfermedad progresiva.

Los Estados Unidos es el segundo país del mundo que tiene un porcentaje alto de alcohol.

Francia es el país que tiene el porcentaje más alto de alcohol. Países que tienen bajo nivel de alcoholísmo son Arabia, Italia, China, Israel, Portugal. La acción del alcohol en el cuerpo es de suma importancia más que las otras drogas. Se reacionan los efectos en la cantidad del alcohol adquirido. Su acción directa sobre el cerebro actua como depresor no como estimulante. El alcohol causa desorganización mental cuando se toman grandes cantidades.

Los aspectos del alcohol relacionado con la violencia han aumentado en los últimos años debido a que el alcohol está presente en todas partes en proporciones significativas en los eventos violentos y agresivos. Según los estudios el alcohol tiene un enlace con todos los eventos y especialmente en las familias. Los experimentos en el sistema neural, el mecanismo que envuelve la serotina de la memoria es afectada por el alcohol.

Las explicaciones del comportamiento cuándo una personas está intoxicada es aceverar la norma de cómo la persona toma. Cuándo el ambiente familiar surge un problema de alcohólismo por uno o varios miembros se afecta todo el grupo familiar a causa del abuso del alcohol. Este problema va desarrollándose poco a poco hasta que

17

llega a una étapa crítica dónde prevale la desorganización familiar, si no se busca ayuda a tiempo tendran grandes problemas.

El hombre es el provedor de la familia el que brinda el sostén económico. Cuándo el hombre tiene problemas con el alcohol se olvida que tiene una familia y el dinero lo usa para comprar el alcohol. Cómo padre se espera que el hombre demuestre afecto a sus hijos, los comprenda y comparta con ellos en su tiempo libre. Su función de impartir diciplina se espera que sea la figura de autoridad. Los niños pueden ser usados en las disputas de sus padres. La madre tiende a rechazar al hijo que se parece más al padre, mientras que el padre tiende a rechazar al hijo que se parece a la madre.

Como esposo se espera que sea un compañero para su cónyuque que comparta actividades sociales y recreativas. Cuándo el hombre es alcohólico se ve afectado gravemente, su capacidad para tener relaciones sexuales disminuye, también la comunicación es afectada, la esposa lo rechaza y llega el enfriamiento de sus relaciones. Una de las cosas importante del hombre es el de ser el jefe de la familia, es el que determina el status ecónomico y social al igual que participar en la toma de deciciones. El hombre que se convierte en alcohólico va dejando las funciones las cuales debera de asumir la esposa. Cuándo la mujer presenta el problema de alcohólismo el hombre suele ser menos tolerante. Demanda constantemente que ella cambie su patrón de conducta, si no lo logra decide abandonar el hogar. La madre asumira la responsabilidad del hogar, el cuidado de los niños, la educación, la disciplina, la atención, el cariño, la comprensión para los hijos.

Cuándo la madre es alcohólica surgen problemas en el hogar. La imagen que representa la mujer alcohólica es distorcionada. Esta imagen es negativa para el desarrollo de los hijos en el hogar. Se puede decir que en el hogar está pasando por una crisis y desorden que afecta al esposo y a los hijos incluyendo a todos los miembros de la familia. Los efectos de una cantidad administrativa de cualquier clase de droga depende del peso y el estado físico de la persona. Los efectos son en la concentración del alcohol en la sangre. Con una cantidad de 0.10 la persona pierde el equilibrio o sea la persona esta bajo las influencias del alcohol. La reacción del alcohol es según el peso de la persona y por la ruta que llega a la sangre, con la rápidez que se desplace y de acuerdo al tamaño de la persona.

La ruta que sique el alchol al ingerirse llega a la sangre por la via intestinal con una parada en el estómago, pasa a la corriente sanquinea através de las paredes del estómago, la mayor parte pasa al intestino delgado. Al tomar cualquier licor con el estómago vacio el alcohol se absorbe más rápido. El alcohol deprime el sistema reticular, la parte del cerebro que alerta la corteza cerebral afecta los vasos sanquinios y los riñones, la piel se pone fria, pero el tomador se siente caliente, las temperaturas del cuerpo no suben sino que bajan. El calor interno es llevado por la sangre a la piel donde se disipa la dilatación de los capilares que producen enrojecimiento del rostro.

El exceso de alcohol lo que el hígado no puede transformar sique corriendo en la sangre. El hígdo elimina siete (7) gramos de alcohol por hora. Los síntomas son fatiga, bloquea la percepción mental, la lengua se pone pesada, le da mucha sed, la persona se siente cansado. El alcohol produce cirrosis, enfermedad que destruye las células del hígado, también si se usa con otras drogas tiene efectos graves, el alcohol es un veneno que se le pone al cuerpo.

El hábito del alcohol es una compulsión social y sicológica. Como hemos visto el hombre y la la mujer tienen en la sociedad ciertas responsabilidades establecidas de la misma manera se espera que lleven acabo funciones las cuales comparten conjuntamente, Entre estas se encuentran las siquientes:

1. Ser un buen modelo de indentidad sexual para los hijos
2. Proporcionar un clima de confianza en el hogar
3. Desarrollar un sistema de cooperación versus un sistema de competencia entre la familia para Proveer el crecimiento personal de sus miembros.
4. Manejar los conflictos para que la familia sea fuente de gratificación a cada uno de sus miembros.

La familia es una institución preciosa, la cual llevada por un sendero positivo, creativo y amoroso puede obtener un sín número de metas y de logros en todos sus componentes. Esto sucedería si el hombre y la mujer están concientes de todos sus responsabilidades y llevan un patrón de conducta y unos valores que rijan su vida positiva, que puedan trasmitir a sus hijos para formar individuos responsables conscientes y útiles a la sociedad. Si por lo contrario en la familia existe un problema de drogas o alcoholísmo por cualquiera de sus miembros esto impide que las actividades y actitudes se desarrollen de tal manera que esta institución no sea lo que la sociedad espera de ellos. Los estudios nos indica que la mayor parte de las persona violadas tienen problemas de alcohol. De acuerdo a los estudios echos los trangresores enseñan una relación entre el alcohol y la violencia. Se estima que el envolvimiento criminal en los eventos los criminales enseñan un patrón entre el criminal y el uso de alcohol y droga. Un 65 por ciento de las personas arrestadas han sido por abuso de droga o alcohol.

Todo pueblo civilizado o no civilizado han producido algunas formas de alcohol en conjunto con otras sustancias exóticas. Un ejemplo de esto lo fueron las tribus agrícolas que fermentaban bebidas alcohólicas. Los exploradores posteriores extendieron el mundo de los tiempos de Plino hallaron evidencias de alcohol. Díaz de Castillo, compañero de Córtez en la conquista de México encontraron plantas de la cual hacian el vino. En México se continua haciendo el vino y el tequila de la pulpa de maguey después de doscientos años. James Cook navegó por los mares y encontro que los Polinesos tomaban una bebida que era fermentada parecida a la cerveza. Sgún la teoría del científico alemán Justus Von Liebig el famoso químico de la fisiológia experimentos hechos demostró que la droga se combina en el cuerpo con el oxígeno y se trasforma en bióxido de carbono y agua, estos cambios son llamados oxidación que van acompañados de energía.

Las grasas, proteínas que por su difícil digestión están más tiempo en el estómago junto con el alcohol, se absorbe más despacio en el estómago inrrita al píloro la válvula que va entre el estómago y el intestino delgado, ésta válvula se encierra impide el paso al intestino delgado. El bióxido de carbono acelera el paso del alcohol al intestino que es co2o, al tomar cualquier licor.

Con el estómago vacío el alcohol se absorbe más rápido. El alcohol depende de quién lo toma las circunstancias, los efectos que tendra la persona, no se puede predecir con certeza, pero los efectos que producen ejercen en el cerebro, deprime el sistema reticular activador la parte del cerebro, la corteza cerebral y la porción del pensamiento. El alcohol afecta los vasos sanquíneos y los riñones. En la edad media el alcohol estaba en todas partes, en las actividades desde un nacimiento, bodas, bautismos, y otras actividades de la familia. Después de un tiempo el alcohol se uso cómo medicina, era un antiséptico y un anastésico. En el siglo diez (10) el doctor Rhasez, deribo del lenguaje Árabico al-kol. El alcohol fué popular desde el siglo 16 hasta el presente. El alcohol llegó América con los exploradores y los colonistas en el año 1620. Los españoles misioneros trajeron las uvas al nuevo mundo antes de que los Estados Unidos fuera una nación. Los Dutch abrieron la primera disteleria en Staten Island en 1640. Los colonistas en Massachusetts le dieron mucha importancia a la cerveza. El alcohol es conocido por muchos como un estimulante, pero no es así, en realidad es una sustancia deprimente. La persona se siente animáda porque quita el efecto del freno de las restriciones. Una persona que pueda tolerar el alcohol en cantidades moderadas no tiene efectos perjudiciales. En cambio si el beber se convierte en exceso puede tener efectos desastrosos. Los placeres del alcohol constituyen uno de sus mejores peligros, crea una atmósfera fácil reducida a tensiones pero su uso excesivo afecta la voluntad y el control de la persona.

La cerveza contiene menos alcohol que el vino, en el proceso de fermentación es detenido antes de que todo el azúcar haya sido transformado en alcohol. Se hacen varios tipo de cerveza utilizando clases y cantidades diversas de cereales y tratandólos en forma diferentes.

La ginebra, agua ardiente, wisky, son bebidas que pueden contener 50-100 por ciento de alcohol. Después que la pasta de grano ha sido fermentada se calienta hasta hervir permitiendo que el alcohol y las sustancias químicas que contienen aroma se destilan. El alcohol tiene un punto de ebullición más bajo que el agua, de modo que el alcohol sale por destilación primero. El alcohol es una grasa de 100 gramos líquidos esto es 500 calorias. La concentración del alcohol de etilo en los productos comerciales esta indicada por el termino de prueba (proof). En el 1970, pasaron una ley federal que se le podia dar a cada soldado una pinta de brandy. En Jamaica el alcohol llegó a ser la cotesta de los sedientes de la nueva era. Desde New Ingland traían la molasa para producir el run, y desde entonces el run ha sido tan popular. Así es que mirando la historia en todas partes del mundo se ha consumido el alcohol.

Los americanos en el 1965, consumieron 800, mil litros de alcohol, 1, 172 litros de cerveza, 17 litros de wisky por cada hombre o mujer mayor de 16 año de edad. La acción del alcohol sobre el cuerpo humano explica su importancia, más que las otras drogas, se puede explicar los efectos como se relaciona los efectos con la cantidad de alcohol consumida. Su acción directa es sobre el cerebro, actua como depresor, no como estimulante, es como la cafeína o la anfetamina que retarda los mecanismos del cerebrales, según la dosis es la acción que causa desorganización mental, perdida del control, dificultad al hablar y al andar, le da mucho sueño.

Las leyes de quiar embriagado:

Las últimas leyes en el año 2001, aplicadas en el Estado de New Jersey para las personas que.

Conducen un vehículo bajo las influencias del alcohol son las siquientes.

Primera ofensa una multa de $250.00 podrias tener encarcelamiento por 30 días, suspensión de la licencia por seis meses. Tendras que cojer clases para conducir. Un recargo de $1, 000.00 por año a la prima del aseguro de carro por un periodo de tres año. Un cargo de $500.00 para rehabilitar la licencia, un cargo de $80.00 para el Departamento de Medidas contra el abuso del alcohol. Un cargo de $50.00 para el Fondo de Compensación de Víctimas de Crímenes Violentos.

Segunda Ofensa:

Una multa de $500.00, encarcelamiento de 18 horas y un máximo de 90 días. Suspensión de la licencia por dos años, 30 días de servicio comunitario. Un recargo de $100.00 depositado para combatir el problema de conducir en estado de embriaquez. Un recargo de $1, 000.00 por año al seguro de carro por un periodo de tres años. Un recargo de $75.00 para el programa la seguridad de la comunidad.

Tercera Ofensa:

Una multa de $1, 000.00, encarcelamiento por 180 días, suspensión de la licencia por 10 años.

Detención como interno en un programa de rehabilitación de alcohol. Un recargo de $100.00 depositado en un fondo del estado para combatir el problema de conducir en estado de embriaquez. Un recargo de $1, 500.00 por año sobre la prima del aseguro de carro por tres años.

$50.00 para rehabilitar la licencia. $80.00 pago al Departamento de Medidas contra el Abuso del Alcohol. $75.00 para el programa de

Seguridad en la Comunidad. $50.00 para el Fondo de Compensación de Víctimas del crímen y violencia.

BARBITÚRICOS

Los barbitúricos son derivados hipnóticos y sedativos de ácido barbitúrico. El primer barbitúrico hipnótico fué emitido en el año 1903 bajo el nombre veronal, su base fué barbital, la cual es usada todavía. En el 1912 vino el luminal un fenobarbital y luego de su aparición más de 250 derivados de ácido barbitúricos ha sido sintetizados, de los cuales sólo 50 están en uso médico.

Los derivados de los barbitúricos actúan como depresivos del sistema nervioso central, el cual es profundamente sensitivo a su acción. En dosis pequeñas son efectivos para aliviar tensión y ansiedad como los tranquilizantes, no causan somnolencia excesiva. En dosis mayores se pierde su actividad selectiva mientras que su acción depresiva se riega a todas las partes del sistema nervioso central y la espina dorsal causando mareos.

Además de producir sedación o sueño, ciertos derivados de barbitúricos son útiles como anticonvulcivos en epilepsia cómo analgésicos cuando el dolor impide el sueño, auque el dolor severo no pueden inducir el sueño y pueden producir excitación y como anestésico en pre-operativos o anestésicos para cirugía menor.

Los barbitúricos se eliminan por el hígado y el riñón a varias velocidades. Por este criterio se dividen en tres categorias. Barbitúricos de acción larga, los cuales se mueven lentamente através de la sangre al cerebro y son lento en pasar por el hígado. Los barbitúricos de acción intermedia los cuales tienen un impulso más rápido y no dura tanto tiempo porque son metabolizados más rápido, así tienen dificultad en dormirse, pero una vez dormidos se pueden despertar. Barbitúricos de acción rápida, los cuales hacen efectos en apróximad-amente diez minutos al ser administrados en forma entravenosa produciendo hipnosis por 15 minutos asi son útiles en inducir rápidamente anestésicos de vapor como óxido nitroso.

CATEGORIAS DE BARBITURICOS.
1. Acción larga: alurate, venoral, Dial y Luminal.
2. Acción corta Inmediata: Amytal, Butesol, Phanodorn, Medomin Ortal, Nembutal, Ipral.
3. Acción corta: Pentonal.

Según las dosis aumentan los efectos.
1. Sedación: Acción deprimente en el cerebro.

2. Desinhibición: Depreción en la corteza cerebral.
3. 3.Alivia: Estado de ansiedad.
4. Ataxia: Pérdidad de control motor.
5. Hipnosis.
6. Sueño profundo.
7. Anestesia.
8. Parálisis de centros vitale baja presión sanquínea.
9. Muerte.

Tolerancia, se desarrolla luego del uso prolongado, el grado de eliminaciòn aumenta, necesitando una dosis mayor para adquirir el efecto original. A mayor tolerancia, aumenta la dosis letal,

La cual es 10 veces mayor. Produce envenenamiento, fallos respiratorios, puede estar en un estado de coma, complicaciones naúseas, ansiedad, nerviosismo, confución mental, euforia, puede producir la muerte. El síndrome de abstinencia es más peligroso que la heroína. Los síntomas son temblores, episodios epilépticos y paranoides.

Matilde Rosa

LAS ANFETAMINAS

La droga conocida como anfetamina fué sintetizada primeramente en el 1887, pero sus usos no se notaron hasta el 1927, cuándo su efectividad para aumentar la presión sanquínea se descubrió los efectos para agradar los pasajes nasales y bronquiales y para estimular el sistema nervioso central.

La droga se vendió en el 1932, bajo el nombre de benzendrina. En el 1935, su efectividad como estimulante llevó a los médicos a probarla con resultados excelentes, contra una enfermedad rara llamada narcolepsia en las cuales sus víctimas se duermen repentinamente. Para fines del año 1971 por lo menos 31 preparaciones de anfetaminicos incluyendo anfetamina sedativa tranquilizantes y anfetamina-analgésica estabán distribuidos por 15 compañias farmacéuticas.

Después de la introducción de las anfetaminas en la prácticas médicas el número de condiciones que se presento se multiplicaron además de las cantidades que se consequían. Por un tiempo los inhaladores y otras preparaciones se vendían sin recetas médicas. El abuso de los inhaladores se hizo popular entre los que usaban anfetaminas oralmente en cantidades excesivas y en los que se inyectaban. El reconocimiento de los efectos de esta droga trajo una limitación de su uso médico y reducción correspondiente en la disponibilidad de productos que la contenían. El uso médico de las anfetaminas ahora está limitado a la norcolepsia contra el apetito en casos de obesidad desordenes de comportamiento en niños y depresión. A pesar de la reciente evaluación de las anfetaminas con su parecido a la cocaína en efectos tanto cómo potencia para la dependencia se mantienen en amplia distribución en el mercado ilícito.

Las anfetaminas producen una sensación de alerta y mantienen a la persona despierta. Le puede dar al individuo una sensación de elevación de lo moral. Al igual que con muchas otras droga el abuso de las anfetaminas puede producir daños, tanto al individuo según aumenta la facilidad de concentración y permiten realizar mayor cantidad de trabajo. Al individuo pueden producirle una sensación de irritabilidad tensión, excitación, temblores y hasta sensación de pánico alucinaciones en algunos casos acompañados de confusión

26

mental. La persona se torna nervioso, no duerme deja de alimentarse por falta de apetito, pierde mucho peso en poco tiempo.

Cuando la persona está sometida a un esfuerzo físico grande y toma anfetaminas para mantenerse activo, puede finalmente caer en sensación de fatiga, lo cual es una defensa natural del organismo para advertir al cuerpo que necesita descanso. Los estudiantes con frecuencia usan esta droga para mantenerse despiertos la noche antes de un exámen, pero éste uso ha resultado contraproducente, la confusión mental y el agotamiento físico que se producen, finalmente les impiden hacer un buen trabajo en el exámen. Cuándo la afetamina es usada por largos años para mantenerse despierto el agotamiento severo de energía física puede resultar en una gran debilidad.

a medida que el efecto de la droga desaparece. Las personas que consumen grandes cantidades de anfetaminas por largo tiempo pueden contraer psicosi, sentir cosas que no existen, dificultad en oir ver y sentir, tienen creencias irracionales, malos pensamientos, se sienten acorralados. Las personas que se encuentran en este estado de tensión extrema presentan a menudo un comportamiento extraño y a veces violento. Estos síntomas desaparecen por lo común cuándo se deja de usar la droga.

?Producen Dependencia las Anfetaminas? Ciertamente sí, algunas personas declaran una dependencia psicológica, el sentimiento de la droga es esencial para su funcionamiento normal. Estas personas continúan tomando frecuentemente la droga para evitar la depresión que sufren cuando desaparecen los efectos de la droga. Además las personas que cosumen regularmente anfetaminas pueden adquirir tolerancia, la necesidad de consumir dosis mayores para obtener el mismo efecto inicial. La persona cuándo deja de usar la droga experimenta fatiga, largos períodos de sueños, irritabilidad, hambre y depresión. La duración y gravedad de la depresión parece depender de la cantidad de anfetaminas que haya usado y del tiempo que ha usado la droga.

Hay recetas médicas tales como las píldoras de dieta y los descongestionantes. Más reciente se han fábricado nuevas drogas llamadas "act alike" de efecto analógos, para evitar las nuevas leyes estatales que prohíben las imitaciones, pero no se asemejan físicamente a ninguna droga vendida con o sin receta médica, se venden en la calle como estimulantes (spedd y uppers). Apesar de no ser tan potentes como las anfetaminas. Con frecuencia se venden a los jóvenes a quienes se dice que son legales, seguras e inocuas. Ésta es la razón por la cual son de objeto de un abuso creciente. Algunos de los efectos negativos de estas drogas, especialmente cuándo se consumen en grandes cantidades son analógas a los efectos de las anfetaminas. Entre esos efectos pueden citarse la ansiedad, desazón, debilidad, intenso dolor de cabeza, dificultad en la respiración y taquicardia (pulsaciones del corazón).

Hay varios informes de un aumento en la presión sanquínea conducente a hemorragias cerebrales o puede causar la muerte. A menudo en una emergencia los casos de dosis excesivas de imitaciones de droga son identificados incorrectamente por los médicos y los centros del control envenenamiento. Esto puede presentar problemas en la determinación del tratamiento apropiado. El uso de las anfetaminas requieren una regulación adecuada de la dosis adaptada a cada individuo y a su necesidad. Por lo tanto solamente deberan de ser usados bajo receta médica y siquiendo cuidadosamente las instruciones del farmacéutico. Bajo la supervisión adecuada el uso de las anfetaminas es seguro y efectivo. La ley federal prohibe la venta al público de estos medicamentos sin recetas médicas.

Al igual que con muchas otras drogas el abuso de las anfetaminas puede producir daños tanto al individuo como a la sociedad. Al individuo puede producirle una sensación de tensión excitación, temblores y hasta sensación de pánico, alucinaciones, confusión mental. La persona se torna nerviosa no puede dormir. La droga conocida como anfetamina fué sintetizada en el 1887 pero sus usos no se notaron hasta el 1927, cuándo su efectividad aumento la presión en los pacientes. Se descubrió sus efectos para agradar los pasajes nasales y bronquiales para estimular el sistema central.

Los efectos físico de las anfetaminas:

Las anfetanminas aceleran el ritmo cardíaco pulmonar, aumenta la presión de la sangre, dilatan las pupílas y reduce el apetito, tendras sequedad en la boca, sudores, dolores de cabeza, pérdida de coordinación. Una inyección de anfetamina crea un aumento en la presión que puede producir la muerte. Las anfetaminas se utilizan para tratar la narcolepsia un desorden raro por episodios de sueños y función mental. Ésta droga se usa para el tratamiento de niños con obesidad.

La anfetamina producen una sensación de alerta, mantiene a la persona despierta aumenta la facilidad de concentración y permite realizar mayor cantidades de trabajo, produce una sensación de elevación de la moral. Cuándo la persona se acostubra a la administración de dosis excesivas de afetaminas se produce un estado psicotico que parece esquizofrénico. Además de los efecto físicos la persona que cosume esta droga manifiesta un sentimiento de desazó, ansiedad y malhumor. Con dosis elevadas la persona puede mostrarse excitada y locaz, experimenta un falso sentido de confianza y poder en si mismo. Las anfetaminas comprenden tres drogas que son la anfetamina, la dextroanfetamina, y la mentanfetamina. Se conocen en la calle con los nombres de spedd, uppers bennies, cristal, cruces blancas, dexies. En su forma pura son cristales amarillentos que se fábrican como comprimidos o capsúlas. Los adictos aspiran los cristales por la nariz o preparan una solución para inyectarse que es muy peligrosa.

HEROÍNA

La heroína es una sustancia derivada de la morfina que fué descubierta en el año 1898.

Es un polvo blanco cristalino en su estado químicamente puro. Se mezcla para su uso con otras substancias el azúcar de leche, manito, quinina y talco. Varía su aspecto y por consiquiente disminuye su potenica inicial. Se puede usar oral y nasal, pero regularmente se administra en inyecciones siendo la vía intravenosa la más empleada por el adicto. Su manufactura es completamente ilegal y es llevada a cabo en laboratorios clandestinos como producto del crimen organizado. Son muchas las manos por las que pasa el producto hasta llegar a su destino final.

Dependencia física:

Cuándo una persona usa y abusa de la heroína, drogas, narcóticos, demanda dosis cada vez mayores para consequir los mismos efectos que cuándo comenzó la tolerancia de la droga y se convierte en adicto. El individuo que depende físicamente de la heroína intoxica su organismo de tal manera que si la suspende abruptalmente puede ocurrir un colapso grave y morir, inclusive por sobredosis al tratar de compensar la dosis que necesita. Si el adicto suspende la droga desarrollá una serie de síntomas de gran severidad. El síndrome de abstinencia es cuándo la persona empieza a sudar, siente temblores, escalofríos, diarreas, vòmitos, calambres abdominales, dolores de los huesos, contracción y dolor en los músculos. También notara secreción nasal puede elevarse la presión arterial y su aceleración después de las cuatro horas y llegar al máximo dentro de 24 a 36 horas de la última dosis. Los niños de madres adictas sufren el síndrome de abstinencia neonal al nacer. Los tratamientos modernos en los cuales intervienen múltiples medicamentos ayudan al adicto a soportar está étapa de rompimiento o de retiro que puede durar dos o tres semanas dependiendo de la condición de la persona. La metadona que puede usarse por mayor tiempo tanto para desentoxicar como para estabilizar al paciente. Existe otro tipo de dependencia asociada al uso de la heroína y otros narcóticos, la psicológia emocional el adicto llega a sentir un deseo ferviente por la droga le es imprecindible como escape para no enfrentarse a los problemas y a la realidad de la vida.

La heroína, es una de las drogas narcóticas más peligrosa y con mayor potencial adictivo. Es derivada de la morfina y el opio. La heroína produce tolerancia con gran rápidez ocasionando una gran dependencia física en corto tiempo. El individuo pronto siente la necesidad de aumentar las dosis para obtener los mismos efectos produciéndole el ciclo de adicción. Esto es el inicio de la étapa de romper el vicio, en la cual el individuo puede ser ayudado con un tratamiento médico.

La dependencia producida por la heroína resulta ser más difícil psicológicamente que emocional.

Ésto se refiere al deseo ferviente y compulsivo por la droga. El martilleo según los describen los usuarios es la sensación de que no puede puede vivir sin la droga. Ésto requiere tratamiento terapéutico

31

intensivo. La heroína puede producir la muerte, sea directamente por sobredosis o indirectamente por enfermedades ocasionadas por el uso de jerinquillas, produce hepatits, tétano infecciones y el síndrome Inmuno Deficiencia adquerida. La mayoria de los preparativos callejeros de ésta droga son diluidos y preparados con otras sustancias que son peligrosas como la quinina el azúcar y el kerosene.

Los peligros de ésta droga es de acuerdo a la cantidad de droga que se use y de la forma que se consume. Grandes cantidades produce la muerte. Los diferentes tratamientos de psicoterapía están basados en un proceso intelectual opuesto a la experiencia del usuario. La psicoanalítica tradicional se concentran en la experiencias de la niñez y el pasado de la persona. Hay otras terapías basadas en los conceptos de Geltat, en la que se busca una composición del comportamiento y se buscan medios de enfrentar la situación. Hay tratamientos de grupos conducidos por el terapéutao por los adictos para abrir canales de comunicación. Los síntomas de retirada son intranquilidad, diarrhea, calambres, escalofríos, sudor y náuseas, goteo de nariz y los ojos. La intensidad de estos síntomas de ansiedad y insomnio duran unos cuántos meses.

Al final del año 1982, se hicieron encuestas en las comunidades y se reveló que dos (2) millones de personas habían consumido drogas en los Estados Unidos. De está cantidad de personas tres cuartas partes (3/4) eran jóvenes entre las edades de 15 a 25 años de edad. Las drogas que más problema causaron fueron los alucinógenos, el LSD (polvo de angel) sustancias que son producidas en laboratorios clandestinos del mismo país donde se fábrican. Para medir el consumo de droga comenzaron a realizarse estudios epidemilógicos anuales a los estudiantes de la enseñanza media en todos los Estados Unidos desde el año 1975. Esto se hizo evidente cuándo un grupo de indígenas Navajos fueron acudados de violar el código de salud y seguridad en el Estado de California que prohibe la posesión no autorizada del peyote y especialmente a los grupos que usan ésta droga en rituos religiosos.

Estamos preocupados por el peligro que representa el uso de droga y alcohol a nuestra juventud.

Entre las naciones industrializadas los Estados Unidos tiene el porcentaje más alto de adolescentes que consumen drogas. Un cuarente (40) por ciento de los niños de quinto grado han consumido droga. El consumo de droga y alcohol se inicia como reacción a la presión de amigos o compañeros de clase. El primer uso de droga puede ser tan peligroso una vez que se ha comenzado a consumir drogas o alcohol después sique una secuencia del uso. Éstas drogas alteran las sensaciones, el estado de ánimo, la conciencia, distorciona los sentidos del oído, el olfato el gusto y las sensaciones visuales, perjudica la percepción la concentración, el juicio produce cambios en la capacidad cognoscitivo (pensamiento) y las funciones motoras.

Las drogas producen problemas físicos y psicológicos. Las drogas tienen un efecto inmediato en el cerebro en las que produce sensaciones de placer y dependencia física. Las drogas análogas mediante la modificación de la estructura química de ciertas drogas para producir drogas análogas los químicos clandestinos han logrado crear las que se llaman sustancias químicas similares a las drogas medicinales, pero han sufrido alteraciones que las convierte en compuestos diferentes y que figuran en la lista de sustancias controladas. Las encuestas de opinión pública señalaron la intolerancia del uso de droga y alcohol por parte de los jóvenes de septimo grado. En la última encuesta que se hizo en las escuelas públicas se reportó que 3, 300 estudiantes habían usado droga.

Free Base: Es una droga en forma de cocaína que se fuma, es producida mediante un proceso químico, en este proceso la droga se purifica extrayéndole la sal y otras sustancias que se usan para la mezcla. El producto final es insoluble en agua y la única manera de usarla es fumandóla.

El uso de free base es sumamente peligroso, la sustancia llega al cerebro en uno minutos.

Ésta droga produce una rápida excitación, deja al usuario con deseo de usar la droga otra vez.

Los jóvenes que usan opiaceos los investigadores han encontrado que ellos intentan de evitar situaciones que los llevaría adquirir capacidades propias de su salud. La sociopatía en una forma antisocial de comportars, no respetan las normas sociales. La depresión la ansiedad emergen como resultado o como mecánismo de defensa bajo esa autoestima.

Los estudios en programas de tratamientos a los consumidores crónicos de opiaceos demostraron tener una preocupaciòn excesiva. Entre los estudiantes universitarios los hombres tienen mayor disposición a consumir opiaceos que las mujeres. Ambos sexos consumen drogas con el deseo de experimentar modificaciones en su mente y búsqueda de los efectos de la droga. Desde el 1970 hay necesidades de servicios de salud por el incremento de los usuarios. Surgen diferentes modalidades de servicios y diversos sitios de tratamientos. Dentro de esos servicios se encuentran las clinicas, unidades para el primer contacto, instituciones especializadas que pueden dar atención al cliente. En las unidades de destoxificación el médico vigila el desarrollo del sindrome de abstenencia para cualquier tipo de crisis que se pueda desarrollar. También hay instituciones hospitalarias dónde se modifica el patrón de vida del consumidor crónico. Motivándolo dejar el vicio de las drogas, recibira psicotera-píay terapía ocupacional y recreativa.

Los pacientes que no necesitan supervisión diaria participan en otros programas como actividades terapéuticas y educativas, psicoterapía individual y en grupos. Hay étapas de transición para los pacientes que han estado en un programa de internación y han sido dados de alta, pasando a un retorno a la comunidad. Las terapías de realidad el cliente se enfrentan a la verdad y a las responsabilidades de su vida, que debe de cumplir para saifacer sus necesidades. Las modifica-ciones son necesarias para su comportamiento a medidas que las metas se van cumpliendo, esto se refiere al deseo ferviente y compulsivo por la droga, el "martillo" según ellos lo llaman, la sensación de que no puede vivir sin la droga. Otros opiatos vienen en diferentes formas entre ellos están las capsúlas, comprimidos, jarabes y los supositorios.

Algunos de los motivos al uso de la heroína son:
1. Problemas familiares
2. Falta de información en la sociedad, tanto educativa y vocacional

Los peligros de ésta droga es de acuerdo a la cantidad de droga que se usa y de la forma que se consume. Grandes cantidades producen la muerte. Las diferentes clases de tratamientos de psicoterapía están basados en un proceso intelectual opuesto a la experiencia del usuario.

La psiconalítica tradicional se concentran en la experiencia de la niñez y el pasado de la persona para poder definir el problema del cliente.

ÉXTASIS

La última encuesta hecha recientemente del éxtasis fué en Diciembre del año 2001, por el Departamento de Salud y Servicios Humanos de los Estados Unidos, indicaron que el uso de la droga éxtasis continúan siendo un peligro para la juventud. Ésta droga es un estimulante en forma de pastillas. Es una droga ilegal, se está usando en las discotecas entre los jóvenes es la droga más popular del año 2002. La droga tiene dependencia, es codiciada por los adolescentes por su efecto eufórico.

Las personas que han usado ésta droga éxtasis dicen que los desinhibes y hace que sus sentimientos sean más agudos al experimentar sensaciones. Al estar en un estado alterado muchos son inducidos a tener relaciones sexuales con personas extrañas sin el uso de preservativos, algunas muchachas han sido violadas. Las encuestas fueron hechas a 44, 000 estudiantes de 425 escuelas públicas y privadas en los Estados Unidos. Se encontró que el uso de éxtasis ha aumentado desde el año 1998 entre los jóvenes estadounidenses.

Los investigadores indican que muchos jóvenes que han usado la droga unas cuántas veces están biendo los resultados de los efectos que produce la droga. Los estudiantes entrevistados dijerón que la droga es fácil de consequir. Ésta droga ha sido usada más entre los muchachos de la raza negra. El uso de ésta droga es muy peligrosa para nuestra juventud.

DANTURA

La dantura es una planta solanacea de la familia de la papa, berengena, tomate, tabaco, petuina y otras plantas más. De ésta clase de plantas hay 2, 300 especies. Ésta planta tiene propiedades alucinógenas, sus hojas y el tallo pueden provocar intoxicaciones.

En Europa la atropa belladona fué utilizada en tiempos remotos y en la actualiadad sirve de base de varias drogas frecuentes. Ésta planta viene de Eurasia donde hay diversas especies de plantas que tienen alcaloide escopolamina. La dantura que crece en los Andes tiene de 30 a 40 por ciento de alcaloide, la misma planta proviene del Hawaii y Inglaterra.

El efecto de la planta dantura es cansancio, alucinaciones, sueño profundo que puede perder la conciencia o la mente. En el continente Africano en la zona de Transval una tribus limitada al consumo de esta planta dantura la usan en ritos de iniciación en la fertilidad de los jóvenes y sus antepasados.

En el Perú las plantas alucinógenas son utilizadas para la medicina popular. En las zonas boscosas del norte se prepara una bebida la ayahuasca para reconocer la persona o el agente responsible del brujo que alquien sufre. Otra tribu Peruana los amahuaca usan la planta para las costumbres peculari de los animales que le interesan cazar. La dantura inoxia ha sido usada por los indígenas de Nuevo México como anestésico permitiendo que el curandero realize operaciones sin que el paciente sienta dolor porque permanece dormido.

LOS DEPRIMENTES Y LOS TRANQUILIZANTES

Los médicos recetan valium, librium por la exigencia y los síntomas del paciente. La preocupación del paciente es suprimir las depresiones o calmar las angustias y temores, usando los tranquilizantes como defensores. El uso médico alivia la ansiedad, relaja los músculos.

Se usan en inyecciones o tomarla. Los efectos son latidos del corazón, baja la presión sanquinea confusión, pérdida de coordinación, cambios en la personalidad, agotamiento del organismo que obliga al paciente a pedir mayores dosis cada vez que pasa el efecto.

Para ciertas personas es fácil caer en la adicción, con una visita al doctor para que le receten tranquilizantes para ciertos trastornos de nervios. Es una responsabilidad del doctor advertir el peligro y negarse a proporciones nuevas recetas para evitar la acostumbre de algunas personas que usan grandes dosis cuándo tienen un problema, una frustración o una inquietud.

Las personas que usan tranquilizantes, deprimentes, estimulantes tienen que tener mucho cuidado con estas drogas porque tienen dependencia. El abuso de estas drogas se toman por propiedad de eliminar inhibiciones y permitir al usuario escapar a la presión de la realidad o sea una serie de placer negativo.

Estas drogas, por su parte se toman para inducir euforia y animar al usuario. Los deprimentes que más se usan son heroína, morfina, metadona, barbitúricos y el alcohol. Entre los estimulantes estan la cocaína y las anfetaminas. Todas éstas sustancias son peligrosas cuándo se abusan de ellas. Recuerde sequir las instrucciones del doctor para no depender de ellas. Las depresiones son enfermedades que afectan todo el sistema del cuerpo. Hay que hir al doctor para usar medicamentos apropiados para cualquier enfermedad. Las enfermedades tienen que ser atendidas a tiempo porque pueden tener muy malos resultados.

DROGAS DE DISENO

Las drogas ilícitas son un polvo blanco parecido a la heroína, esta droga se defina en función de sus fórmulas químicas. Para eludir esas restriciones legales, las químicas clandestinas modifican la estructura molecular de ciertas drogas prohibidas para conducir sustancias analógas que se conocen como drogas de diseños. Estas drogas pueden ser mucho más fuerte que las sustancias originales que les sirven de modo.

Las sustancias analógas a los narcóticos pueden provocar sintómas semejantes a los que se observan en el mal de parkinson, produce temblores incontrolados, babeo, dificultad al habla paralísis y daños cerebrales. Las sustancias analógas, anfetaminas, mentafetamina ocasionan naúseas, visión borrosa y da desmayos.

Entre los efectos psicológicos se incluyen ansiedad, depresión y paranoia. Una sola dosis basta para ocasionar daños cerebrales. Las sustancias analógas y la fenciclidina provocan fantasia alucinaciones, perturbaciones de la percepciòn.

Estas drogas de diseños son la heroína sintética polvo blanco parecido a la heroína.

Se pueden inhalar por las fosas nasales o se pueden inyectar. Es un narcótico analógo.

La meperidina se conoce con los nombres de MT. TP. M.P.P.P. PEPAR, los analógos de la anfetamina, metanfetamina son alucinógenos, se conocen con los nombres de MDMS, STP PMA.

DOM, TMA, DOB, estos vienen en comprimidos y en capsúlas se pueden injerir o se pueden usar en inyecciones. La fenciclidina, PCPM, alucinógenos, se conocen por los nombres de PCP, PCE, TCP, se fuman, se pueden inyectar o se pueden usar oralmente. Todas éstas drogas son muy peligrosas cuándo se abusan de ellas.

INHALANTES

Los inhalantes son propductos químicos respirables que producen vapores psicoactivos que alteran la mente. La gente no consideran los inhalantes como una droga, ésta droga fué utilizada como disolvente, aerosoles, algunos anestésicos y otros productos químicos como lo es la goma utilizada en la fabricación de aviones, la acetona que quita el esmalte de uñas, los fluidos de encendedores de cigarrillos y la gasolina. Los aerosoles utilizados como inhalantes son las pinturas, los agentes de recubrimiento artículos de la cocina, los atomizadores del cabello y otros productos atomizadores. Entre los anestésicos ésta el halotano y el óxido nitroso que es un gas exilarante, el nitrio amílico y el nitrio butílicio, estos inhalantes son susceptibles de abuso. El nitrio amilico es un líquido claro amarillento que se vende en un envase sellado cubierto de tela cuándo se rompe el envase produce un chasquillo de ahí es el nombre que se le da "snapper' o popper chasqueador. Éste nitrito bulítico se envasa enbotellas pequeñas y se vende con distintos nombres tales como "lacker room" está droga produce un estado de intoxicación que dura varios minutos.

Los efectos inmediatos son desenso en la presión sanquínea, un aumento del ritmo cardíaco enrojecimiento de la cara y el cuello, dolores de cabeza. ? Quienes abusan de ésta droga ?

Los jóvenes de las edades de 8 a 17 años. Son susceptibles de usar porque se pueden obtener fácilmente y son más baratos que las demás drogas. Los niños involuntariamente hacen mal uso de estos productos inhalantes que amenudo se encuentran en el hogar. Los padres tienen que asegurarse de éstas sustancias al igual que las medicinas que se mantengan fuera del alcanze de los niños. Los inhalantes actúan de la siquiente manera, producen efectos analógos que retardan las funciones corporales. Con gran cantidades altas pueden sentirse con menos control pueden perder el sentido.

Los efectos negativos más inmediatos son náuseas, escalofríos, tos, sangran por la nariz, siempre están cansados, mal aliento en la boca, falta de coordinación, pérdida del apetito, reduce el ritmo cardíaco y pulmonar. La magnitud, la experiencia y la responsabilidad de la persona depende de la cantidad que inhale, si el producto se consume repetidas veces la intoxicación dura varias horas.

Al respirar profundamente los vapores utilizados en grandes cantidades la persona pierde el contacto del ambiente que lo rodea, tiene pérdida del control de un comportamiento violento y puede causarle al muerte. Estos inhalantes producen naúseas y vómitos, si la persona esta consiente cuándo ocurre esto vómitos puede producir la muerte por aspiración. Al respirar por la nariz cantidades altas y concentradas de disolventes y areosoles puede ocurrir una insuficiencia cardíaca y puede producir una muerte instantania. La aspiración por la nariz puede producir la muerte la primera vez que se practique. Las consecuencias elevadas de inhalantes la ocasiona de ordinario una concentración elevada de sus vapores en una bolsa de paper, se aumenta el riesgo de un asxifie. Incluso al utilizar aerosoles o productos vólatiles para fines legítimos es decir pinturas es aconsejable hacerlo en una habitación ventilada o al aire libre.

Los peligros a largo plazo:

El consumo a largo plazo puede ocasionar pérdida del peso, desequilibrio, electrolitco y fatiga.

Si se usan por largo tiempo producen daños permanentes al sistema nervioso, lo que indica una gran redución de las capacidades físicas y mentales.

El consumo de ciertos inhalantes ocasionan daños a los riñones, higado, sangre y la médula de los huesos. La mayoría de los inhalantes cuándo se consumen regularmente tienden a producir tolerancia, es decir la persona necesita una porción cada vez mayor para obtener el mismo efecto.

? Que pasa cuándo se consume con otras drogas ? ?Cómo todos los casos cuándo se consumen drogas más de una vez se multiplica el riesgo. El consumo de inhalantes mientras se usen otra drogas refrenan las funciones corporales al igual a los tranquilizantes, píldoras par dormir o se usa alcohol en grandes cantidades aumenta el riesgo de muertes por sobre dosis de drogas.

De acuerdo al instituto de drogas y alcohol los padres deben de estar alerta a las siquientes señas.

1. Ojos colorados
2. La nariz le corre
3. Ampollas en la boca
4. Naúseas
5. Pírdidas del apetito

6. Ansiedad
7. Pintura en la ropa
8. Manchas en el cuerpo

Las señas de retiro son temblores en las manos, dolores de cabeza y sudores.

LA METADONA

La metadona se desarrolla en los laboratorios por doctores que se especializan en enfermedades metabólicas. La adicción es un vicio, es falta de fuerza de voluntad de la persona. Los doctores trabajan buscando el remedio de algunos pacientes que habían tenido reacción a la morfina.

Trataron la metadona que es un narcótico sintético que fué echo por los alemanes después de la segunda Guerra Mundial.

La heroína y la metadona producen dependencia física, tienen síntomas de supresíon de la droga.

Algunos usan la metadona para evitar la inyección hipodérmica. La metadona no es costosa es más barata que otras sustancias. En el 1965, se empezo a usar la metadona. En el 1970 habían en New York 40 centros de distribución con un total de 3, 496 clientes.

El mantenimiento:

El tratamiento comienza con un período de seis (6) meses en un hospital o un centro de rehabilitación. El paciente deja de usar la heroína y empieza con el tratamiento de la metadona.

En los Estados Unidos va decreciendo el mantenimiento de metadona. Una de las modificaciones de la metadona es que el número de delitos se ha reducido. La taza de encarcelamientos bajo un 26 por ciento. Otro logro es que el cliente puede trabajar. El incremento de los que consiquieron trabajo fué de un 36 por ciento. Al suspenderse la administración intravenosa por la metadona las complicaciones de enfermedades fueron la hepatitis y el hígado.

En Estados Unidos el sexo masculino y los adictos de raza blanca fueron menos númerosos en aquéllos de mantenimiento de metadona. Los resultados se pueden ver en los primeros meses cuándo el tratamiento es por un año, el comportamiento del cliente se ven nuevos patrones de conducta. Tres factores importantes es la abstinencia del consumo de droga a una sustancia determinada, integración en una actividad productiva sea por trabajo, estudios o entrenamiento de trabajo. Cuándo el cliente llega para un tratamiento se le hace una evalución de las capacidades y debilidades de la persona. Se encontro que un 60 por ciento de los casos se mantuvieron en un ciclo de período. La metadona es una droga sintética, no produce el mismo estado de intoxicación de las drogas ilegales, la metadona evita el deseo de usar drogas.

?Como opera el tratamiento de metadona?

La metadona, una droga sintética fábricada, no produce el mismo estado de intoxicación que las drogas ilegales. Al usar ésta droga evita la retirada y el deseo intenso de usar otras drogas fuertes. Es un tratamiento eficaz para la dependencia de los opiatos y el ciclo de dependencia de las drogas ilegales como la cocaína, heroína, mariguana, y otras drogas que son peligrosas.

Cuando el paciente está recibiendo la metadona en el tratamiento no se sienten inclinados a buscar o comprar drogas ilegales en la calle. Los pacientes que participan en el programa de mantenimiento con metadona también recibe asesoramiento, educación, para ayudarlos alcanzar la meta de una vida libre de drogas.

SUSTANCIAS VOLÁTILES

La práctica de inhalar distintas substancias llamadas volátiles se ha generalizado bastante en los últimos tiempos sobre todo entre la juventud. Nos preocupa el problema más que nada por las edades en que los jóvenes comienzan a experimentar con drogas. Todos los produtos considerados tóxicos deberán tenerse siempre fuera del alcance de los niños y los adolescentes.

Se debe ofrecer orientación correcta a los hijos sobre el uso de ésta droga. Los padres deben proveer actividades de interés para los niños con el fin de que utilicen constructivamente el tiempo libre. Es muy importante despertar la conciencia de los adolescentes, éstar pendiente a los lugares dónde van, saber los lugares dónde se vende la droga, o si estos productos son vendidos a los menores de edad. Esto sería indictivo de que a estos productos quizás se les este dando un uso incorrecto. Es la responsabilidad del comerciante no facilitar substancias tóxicas o volátiles a menores de edad, y si se las venden a personas adultas es necesario explicarles las complicaciones que pueden surgir cuándo se usan drogas.

Los padres, maestros, amigos, en fin aquellos adultos que en mayor o menor grado entren en contacto con niños o adolescentes, deberían estar siempre pendientes de su comportamiento para detectar cualquier síntoma que sea indicativo de que algo anormal está sucediendo. La inhalación crónica de éstas sustancias tóxicas aleja al niño de la escuela, la familia, y los buenos amigos.

Existen en el mercado gran cantidad de productos tóxicos que al inhalarse producen serias lesiones a las personas que práctican esta modalidad cuándo lo convierten en uso cotidiano y lo peor es la práctica que ha crecido entre los niños y los adolescentes debido a la facilidad con que muchos de estos productos tóxicos se pueden adquirir. La siquiente lista de sustancias son las más comunes.

1. Tenuidad (thinner)
2. Desodorantes
3. Pinturas para zapatos
4. Esmalte y pinturas de aceite
5. Productos de limpieza del hogar en areosoles (spray)
6. Gas
7. Lacas del pelo

8. Acetona
9. Pulidores
10. Éter
11. Cemento plástico.

Si apreciamos una situación en la que el niño o el adolescente presenta algunas de las siquientes señales las cuales además son comunes a otras drogas o cualquier otro síntoma de enfermedad es el momento para percatarnos de lo que esta sucediendo.

1. Pérdida de interes en la apariencia
2. Comportamiento rara como si estuvieras en el aire
3. Percepción del tiempo, espacio alterado
4. Llagas en la nariz
5. Olor fuerte en la ropa a sustancias químicas
6. Tos continua
7. Descubrir en sus pertenencias pinturas seca en la ropa o en el cuerpo. Es importante ahondar para confirmar nuestras observaciones algunas de las señales mencionadas. Si alguna de éstas señales aparecen podemos decir que el niño o el adolescente ha experimentado con sustancias volátiles. Éstas sustancias volátiles las cuales son peligrosas de lo que la mayoría de las personas se pueden inmaginar. Estos efectos pueden llegar a presentarse en forma de intoxicación aguda manifestándose por medio de naúseas, vómitos dolor de cabeza, excitación, depresión mareos, y puede producir la muerte. Por ser desconcidos estos efectos los niños y los adolescentes experimentan con estas sustancias sin saber el problema que puede traer. Es imperativo proveer información a los niños y a los adolescentes sobre estas sustancias.

LOS ESTIMULANTES

Los estimulantes son drogas que afectan el sistema nervioso y aumenta la actividad física.

Se manifiesta por pérdida del apetito mantiene a la persona despierta por un largo tiempo.

El organismo se mantiene alerta mientras la droga esta en el sistema una vez que se acaba la reacción de la droga siente desmayo. Este estímulo de depresión es peligroso para el cuerpo.

Las anfetaminas la cocaína y la cafeína son drogas estimulantes. Éstas drogas pueden causar accidentes automobilístico cuándo se abusan de ellas, el sistema del cuerpo desarrolla tolerancia.

Hay tres (3) clases de drogas relacionada con los estimulantes, que son las anfetaminas dextroanfetamina y la metanfetamina. En su forma pura son cristales amarillentos que se fábrican como pastillas. Los usuarios de esta droga también aspiran los cristales por la nariz o preparan una solución y se inyectan. Los estimulantes conocidos en la calle llevan el nombre de upper estos aceleran el sistema nervioso. También están los siquientes estimulantes tienen los siquientes nombres en la calle cristal, dixies, bennies, speed, pep pils, white, cruces blancas. El uso médico son para controlar el apetito y el peso, depresiones, benignas, narcolepsia (un desarrollo del sueño y para la disfunción cerebral. Algunos efectos producidos por las anfetaminas son latidos en el corazón, presión sanquinea, pérdida del apetito sentimientos de alerta, alucinaciones, paranoia trastornos mentales y dolor de cabeza.

El peligro del Abuso: Sufre agotamiento, desarrolla tolerancia y dependencia psicológica, altas dosis producen problemas cardíacos infecciones y pueden producir la muerte. Algunas marcas comerciales son dexedrine, benzedrine, biphetamine, el uso de éstas drogas sin recetas médicas es ilegal. Personas que usan ésta droga por largo tiempo les causa nerviosismo, inquietud, temblores en las manos, las pupilas se dilatan. Estas drogas se administran por vía oral, se pueden injectarse para obtener efectos más rápidos. Los que usan esta droga experimentan un falso sentido de confianza y poder en si mismo. Pueden contraer psicosis, oir, ver, y sentir cosas que no existen (alucinaciones) tienen pensamientos o creencias irracionales, delirius, sentirse acoralado, paranoia tienen un comportamiento extraño y aveces violento.

Además de los efectos físicos, las personas que consumen estas drogas manifiestan un sentimiento de desazón, ansiedad y malhumor. Estos síntomas desaparecen cuándo dejan de usar la droga. Pero pueden experimentar fatiga, insomnio, hambre y depresión dependiendo de la cantidad que han usado y el tiempo que usan la droga. Drogas que son imitaciones a los estimulantes son drogas fábricadas en una forma que se parecen a las antetaminas, estas imitaciones de droga contienen distintas cantidades de cafeína, efedrina y fenilpropanalamina se encuentran sin recetas médicas, tales como las píldorasde dieta y los congestionantes.

Reciente se han fábricado nuevas drogas llamadas "ACT ALIKE" de efectos analógos, para evitar nuevas leyes estatales que prohiben las imitaciones. Se venden en la calle como estimulantes (speed, y uppers) estas pastillas en la calle son caras. Se venden más a los jóvenes y le dicen que son legales. Esta es la razón por la que son objectos de un abuso creciente. Los efectos de estas drogas de imitación cuando se consumen en grandes cantidades dan ansiedad dificultad en respirar taquicardia, depresión, hemorraragias cerebrales y producen la muerte. El mayor peligro es lo fácil que es obtener la droga en la calle.

LOS ALUCINÓGENOS

? Que son los alucinógenos ? Son drogas que afectan las percepciones, sensaciones, capacidad mental, conciencia, y las emociones de la persona. En esta categoría figuran drogas cómo la mescalina, psicocibina, que se extrae del cacto del peyote y otros cómo el LSD que son drogas ditéticas o fabricadas. El PCP se considera como un alucinógeno porqué tiene los mismo efectos.

Sin embargo, no encuadra fácilmente en ninguna categoría de drogas ya que reduce el dolor o actúa cómo estimulante.

? Que es el LSD ? Éste se fábrica del ácido lisérgico que se encuentra en el cornezuelo de un hongo que crece en el centeno de los cereales. Es inolor, incoloro, insaboro. El LSD se vende en la calle en forma de comprimidos, cápsulas o en forma líquida. Se puede inyectar o tomarla.

A menudo usan un papel absorbente como por ejemplo papel secane y se divide en pequeños rectángulos los cuales representa una dosis.

? Que es la Mascalina ? La mascalina proviene del cacto peyote, auque no es tan potente cómo el LSD, sus efectos son análogos. Se vende en forma de comprimidos o cápsulas.

? Cuales son algunas de las otras drogas psicodélicas ? La psilocibina, que proviene de ciertos hongos, se vende en forma de comprimidos o cápsulas. Pueden comerse los propios hongos frescos o secos. El DMT es otra droga psicodélica que actúa como el LSD. Sus efectos comienzan inmediatamente y duran de 30 a 60 minutos.

? Cuales son los efectos de las drogas psicodélicas como el LSD ? Los efectos de ésta droga son imposible de preveer. Dependen de la cantidad consumida la personalidad del que la consume, el estado de ánimo, las espectativas el ambiente que se consume la droga. De ordinario, el adrogadicto siente los primeros efectos de la droga en 30 minutos después de haberla tomado. Entre los efectos físicos figuran los siquientes, dilatación de las pupilas, elevación de la temperatura de cuerpo, aumento la tasa de pulsaciones del corazón y presión sanquínea, sudores, pérdida de apetito, insomnio, sequedad en la boca, temblores sensaciones y los sentimientos cambian. La persona que consume ésta droga puede sentir varias emociones diferentes a la vez o cambiar rápidamente de una emoción a otra. Cambia el sentido tiempo y la conciencia de sí mismo en el individuo. Las sensaciones pueden parecer que se entremezclan dando al adicto el sentimiento de oir sonidos o ver colores. Todos estos cambios pueden causar temor y pánico.

? Que son los malos viajes ? (alucinaciones)

Es común sufrir reacciones psicológicas adversas al LSD y drogas ánalogas. Las sensaciones de temor pueden durar o ser aterradoras. La persona que consume éstas drogas puede experimentar pánico, confución, sospecha, ansiedad, sentimientos de incapacidad, pérdida del control. El consumo de un alucinógeno cómo lo es ésta droga la persona experimenta problemas mentales algo que la persona no tenian anterior, ocurren problemas retrospectivos, la persona experimenta los efectos de la droga sin tomarla.

? Cuales son los efecto de un consumo intenso de la droga ? Las investigaciones han demostrado cambios en el LSD, pero éstos no se hallan presente en todos los casos. Los consumidores asiduos presentan síntomas de daño orgánico en el cerebro, cómo la pérdida de la memoria y la capacidad de atención, confución mental, dificultad en pensar en forma abstraca. Estos síntomas pueden ser intenso o sutiles. Tales cambios mentales son permanentes aunque dejes de usar la droga.

L.S.D.

EL L.S.D, se fábrica del ácido lisérgico que se encuentra en el cornezuelo de un hongo que crece en el centeno de los cereales. El L.S.D. fué descubierto en el 1938 y es uno de los productos químicos más potente que cambia el estado de ánimo de la persona. El L.S.D. se vende en la calle en forma de comprimidos, cápsulas o en forma líquida. Ésta droga se puede inyectar.

A veces se añade al papel absorbente decante y se divide en pequeños rectángulos decorados cada uno representa una dosis. Los efectos de la droga psicodélica son imposible de preveer depende de la cantidad consumida, la personalidad de la persona que la consume, el estado de ánimo, las espectativas del ambiente que se consume la droga. De ordinario el adrogadicto siente los primeros efectos de la droga a los 30 minutos de haberlo consumido. Entre los efectos físicos figuran los siquientes dilatación de las púpilas, elevación de la temperatura del cuerpo, aumenta las pulsaciones del corazón, aumenta la presión sanquinea, tiene sudores, pérdida del ápetito tiene insomnio, le da sequedes en la garganta y le dan temblores.

? Que son los Viajes ? (alucinaciones)

Es común sufrir reacciones psicológicas adversas al LSD y las drogas análogas. Las sensaciones de temor pueden durar o ser aterradas, la persona que consume la droga puede experimentar pánico, cofusión, sospecha, ansiedad, sentimientos de incapacidad y pérdida del control.

A veces, el consumo de un alucinógeno como el LSD puede descubrir problemas mentales o emotivos que antes no los conocía el adicto. Puden ocurrir reacciones retrospectivas en las que la persona experimenta los efectos de la droga sin haber usado la droga.

Los peligros del LSD.

El viaje como comúnmente se ha llamdo a este conjunto de reacciones que causan los alucinógenos en el organismo es agradable para el usuario. Con frecuencia la alteración en las sensaciones y sentido produce una sensación de terror de tal magnitud que induce a reacciones violentas, por ejemplo saltar por una ventana, lanzarse a la calle en medio del tráfico.

Muchos de estos arrebatos han resultados fatales y han sido con frecuencia clasificados como suicidio. Cada vez son más frecuentes los casos de psicosi, un desorden mental severo que envuelve generalmente una desorganización total de la personalidad inducida por el uso de la droga. Algunos son de corta duración pero en otros casos el efecto es duradero. Se puede producir una reacción psicótica, mucho tiempo después de haber ingerido la droga.

El usuario advierte la sensación de que puede volar, flotar o que puede pararse frente a un carro en movimientos sin ser afectado. Algunos estudios recientes indican que el LSD puede producir ciertos cambios en las cromosonas (cuerpo que cargan los genes hereditarios).

Los efectos de un consumidor intenso de la droga, las investigaciones han demostrado algunos cambios en las funciones mentales de los consumidores del LSD, pero ésto no se halla presente en todos los caso. Los consumidores asiduos presentan síntomas de daños órganicos en el cerebro como la pérdida de la memoria y la capacidad de atención, confusión mental y la dificultad en pensar en forma abstraca, estos cambios pueden ser intensos. Estos cambios mentales pueden ser permanentes.

El LSD, está clasificado como alucinógeno el usuario se da cuenta que éstas experiencias son subjetivas de la droga. La mayoría de los usuarios tienen fantasía de ensueño no es posible dormirse mientras éstas bajo las influencias de la droga. El usuario no pierde la consiencia podra estar ausente del reconocimiento lógico normal de las relaciones causales. Las nociones del pasado los colores, sonidos, resultan ser más fuerte si el viajero cierra los ojos percibe torbellinos de colores. La sinestecia de los sentidos se registran con frecuencias durante el viaje, esto sería oir sonidos o ver colores rojo. Se produce una distorción en la percepción de tiempo y espacio.

La despersonalización, salirse de uno mismo el usuario asiste a su propio funeral esto son las las reacciones de pánico. La persona tiene una confusión en el mundo externo. El LSD y otras drogas alucinógenas no son afrodisíacas (aumenta el impulso sexual). En algunos viajes se sienten omnipotente y en muchos casos se quitan la vida.

Reacciones Psicotoxicas:

El viajero tiene reacciones paranoides aguda, confusiones peligrosas, reacciones prolongadas.

Tiene reacciones aguda recurrentes, un estado crónico de ansiedad, un estado psicótico reacciones antisocial, un desenso en materia de ambición, el sentimiento de que la vida no vale nada y que todo es un juego. Los efectos fisiológicos con una dosis corriente tiene 100 microgramos la tolerancia que dura pocos días, tiene un efecto en el nervio simpático central consistente en una dilatación y una parálisis, aumenta la temperatura y la presión arterial, afecta el azúcar en la sangre. Con certeza no se sabe y no hay una explicación como el LSD logra tener estos efectos tan severos. Algunos científicos creen que ejerce un efecto directo sobre las células del cerebro.

En el año 858, y durante el siglo 18 se registraron casos de envenenamiento por el activo del cornezuelo en los países de Paris, Aquitania, Bretaña, Sajonia, Luxemburgo, Silesia y otras partes de Rusia y europa. La gente ignoraban la enfermedad, la historia se limito a reseñar la tragedia de cientos de miles de personas muertas por causa de la droga. En el 1965, en los Estados Unidos cuatro millones de americanos usaron el LSD. Éstas epídemias fueron causadas por el hongo del centeno que se encontraba en el trigo y en la avena, las escases de alimentos en ese tiempo en ciertos países fué la causa de tantas muertes. Este cornezuelo fué ligado con la harina que producia estos efectos. El LSD provoca rapturas en las cromosonas del hombre. Esta sustanica es una de las drogas más peligrosa que una persona puede usar. Cuándo se usa por mucho tiempo y en grandes cantidades la persona nunca recupera la memoria, queda hecho un vegetal. En el 1965 cuatro millones de estadounidenses usaron ésta droga.

PSILSOCYBE

Los hongos de México son del genero psilocybe, estos hongos también se encuentran en ciertas partes de América del Norte y en ciertas partes de América Central, en el Sur y en ciertas partes de Europa. México y Guatemala han utilizado estos hongos que son alucinógenos. También hay otras clases de hongo llamados San Isidroque que son alucinógenos, nombre que le dieron los indios Oxaca, su nombre científico es stropilaria. Éste hongo crece en diferentes lugares en los terrenos húmedos, y bosques de pino. La cabeza es color paja pálido cuándo ésta fresco, o seco es verdoso o amarilloso y su pulpa es color azul. Éste hongo tan especial fué llamado por los aztecas Teonanacatal, la carne de Dios, utilizado en ceremonias sagradas, durante el proceso de la ceremonia se comían de dos (2) a veinte (20) hongos en su forma natural.

Ciertos autores afirmaron que estos rituos sagrados eran en todo mesoamérica durante varios siglos. En el 1656 un grupo de misioneros atacó por medio de escritas denunciarón éste tipo de ritual que tuvieran que usar este tipo de hongo. Francisco Hernandez, médico personal del rey de España en sus relatos sostuvo la malignidad de estos hongos alucinógenos, descubriendo los síntomas de agresividad y locura. Los conquistadores en conjunto con la iglesia lograron ocultar el culto de los hongos que fué difícil para los botánicos y antropológos estudiar el aspecto de la cosmovisión indígena hasta los recientes años. Hay dos tipos religiosos que usan el hongo en los ritos religiosos, entre ellos estan los Mozateros, Mixtecos, Zapateros en Oaxa, Nahuass y los Tarascos de Michoacan.

Una señora de nombre Sabina en México usaba éste hongo psilsocybe con fines de curación por medio de la ingestión del hongo lograba ciertas curaciones. Fué conocida en los años 1970, la visitaron personas de todas partes del mundo, especialmente los hippis en la busquéda para lograr experiencias mistícas através de la intoxicación de estos hongos. Al ponerse al descubrimiento del público fué sacada de sus rituales religiosos, conviertiéndose en un objeto comercial. EL DR. Wasson participó personalmente en una ceremonia junto con la sra Sabino, la cual relató sus experiencias como la visión en forma geométrica de colores maravillosos.

Un año más tarde el DR Wasson en conjunto con otros grupos de etnológos franceses recorrio algunas regiones de México tales como Popocatepel, Tenango, el valle Itsmo de Tehuantepec donde encontraron una gran variedad de hongos alucinógenos. Esto comprueba que los Nahua usaron este tipo de hongo. Entre los hongos figuran psilocybe, aztecorum y el psilocybe wassonou asi como lo habia escrito el investigador Teofilo Herrera.

El núcleo de sus moléculas de la serotonina neuroharmona trasmisora de los impulsos nerviosos en el tegido cerebral, aumento del pulso, temblores, exitación, pérdida de la noción, euforia alegría, sensación del placer, alteraciones en la percepción de las distancias, duplicación de objetos, sensaciones de dolor y alucinaciones de color. A los 60 minutos tienes visión de colores cuándo cierra los ojos, lagrimeos, bostezos, problema al hablar, luego se siente fatiga, risa incontrolada, dificultad para respirar, poco apetito. Después de las doce (12) horas vuelve a la normalidad.

M. D. A.

M.D.A. fué estudiado por primera vez en el año 1932 por Gordon Allen quién encontro el incremento de las sensaciones que producía ésta droga.

Comparándola con la mascalina. Los resultados eran más placenteros porqué no aparecian trastornos en la percepción, pero si se incluye entre los alucinógenos.

Ésta droga se intentó para suprimir el apetito. A los pacientes se le administró ésta droga experimentando efectos desagradables en el sistema nervioso central.

Ésta sustancia ha sido usada por aquellos que buscaban la alteración mental.

Los usuarios la llamn la "droga del amor" porque les provoca una sensación de bienestar.

Estos efectos vienen acompañados por distorción de la percepción visual y auditiva.

Las vias de administración son diversas, vienen en comprimidos o en cápsulas, se puede injectar.

DOM

Ésta es una sustancia que fué sintetizada en el 1964 por el doctor Alexander Shulgin en América.

Cuándo investigaba unos productos derivados de las anfetaminas para el laboratorio Dow Chemical Company. Ésta droga es mucho más potente que la mascalina y menos que el L.S.D.

Al usar ésta droga, rápido produce una tolerancia, se puede usar oral, en cápsulas o tabletas. El efecto que tiene te da un estado de ánimo, le puede dar tristeza o alegría.

Produce alucinaciones visuales, distorción en la percepciòn del tiempo, despersonalizaciòn cambio al estado de ánimo, alteraciones en las sensaciones relativas al cuerpo, pensasamientos y sentimientos emocionales, reaciones físicas, aumenta la temperatura y la presión alteral, dilatación de las pupilas, sequedad en la garganta, naúseas y traspiración abundante. Los usuarios que usan ésta por primera vez tienen reaciones de pánico, la dosis puede durar de ocho a 12 horas.

DISOLVENTES

? Cómo se considera en la sociedad los disolventes la pega, y el cemento plástico?.

Auque el hábito de inhalar pega, cemento plástico y otros líquidos volátiles no es ni se considera un crimen o infracción a la ley es nocivo a la salud.

Los efectos que producen:

Es muy fácil obtener ésta pega o los disolventes químicos mencionados, es más o menos igual al alcohol y las drogas. En adición a éstos produce alucinaciones doble visión y otros problemas de percepción. La forma usual de realizar ésta práctica es vaciar la pega o el cemento y otros compuestos en una bolsa o en un pañuelo y inhalar el vapor.

? Qué daño puede causar ?

Algunos médicos han informado que el hábito continuo de inhalar pega, disolventes, cemento plástico suele causar daños permanentes al corazón, al sistema nervioso, higado, riñones, la sangre le puede causar ciertos tipos de anemia.

? Quienes lo usan ?

Usualmente los niños de las edades 11, 12, 13, 14, son los que huelen éstos compuestos químicos.

Una combinación de razones como sentimientos de inferioridad, frustaciones, insuficiente comunicación entre los padres. Otras personas son los que llevan a los niños a usar químicas drogas, alcohol y cigarrillos. Otra práctica es añadir sustancias que hace intolerante la inhalación.

Prácticas para controlar el uso:

Se han firmado leyes para regular la venta de los compuestos químicos mencionados. Se han firmado leyes para condenar el uso de la pega entre los menores de edad. La práctica más recomendable es observar si su hijo tiene ciertos comportamientos que denote que pueden iniciarse la práctica de inhalar ésta sustancia nocivas y ofrecerle ayuda lo antes posible.

LA CAFEÍNA

La cafeína es la droga más popular del mundo entero. Es una sustancia blanca, amarga parecida al cristal que se encuentra en el café, te, cacao y en la cola. También se encuentra en algunos productos tales como la aspirina en remedios para la tos de los refriados que se venden sin receta médica. También se encuentran en las bebidas refrescantes, píldoras de dieta y en otras drogas que se encuentran en la calle.

? Cuales son sus efectos?

Al igual que ocurre con todas las drogas, los efectos varían según la cantidad ingerida que se use.

Dos tazas de café contiene 150 miligramos de cafeína, los efectos comienzan en cuestión de 15 minutos. Puede aumentar el metabolismo, la temperatura del cuerpo y la presión sanquía de la persona. Entre otros efectos figuran una producción mayor de la orina, niveles altos de azúcar en la sangre, temblores en las manos, pérdida del apetito y sueños retrasados. Con dosis muy elevadas pueden ocurrir naúseas diarrhea, insomnio, dolores de cabeza, temblores y convulciones.

Han habido casos de envenenamiento de cafeína que han causado convulciones, dificiencia respiratoria. Auque es casi imposible que se produsca la muerte por tomar café o té. Se ha comprobado de casos de muerte con el abuso de comprimidos a base de cafeína.

? Produce dependencia la cafeína ?

La tolerancia a la cafeína o sea la cantidad de dosis mayores para obtener el mismo efecto puede producirse en el consumo de 500 miligramos, ejemplo cuatro tazas de café al día. Un bebedor regular de café o cualquier otro producto que contenga cafeína que halla experimentado tolerancia también puede sentir un deseo intenso por los efectos de la droga y especialmente para ponerse en forma por las mañanas. Algunos investigadores han encontrado un síndrome parecido al de la retirada entre las personas que dejan repentinamente el uso de la cafeína. Los síntomas son dolores de cabeza, irritabilidad, cambios en el estado de ánimo.

El riesgo de una mujer para desarrollar incontinencia puede incrementar si toma más de cuatro tazas de café al día. Ciertos estudios indican que las mujeres que consumieron mucha cafeína son más propensas a sufrir las consecuencias del debilitamiento de los músculos vesiculares una causa de la condición urinaria. La cafeína es un estimulante pertenece a la familia de compuestos llamados xantinas. El té y el cacao contienen otros derivados de la xantina. La teofilina y la teobromina además de la cafeína todas estas sustancias ejercen fundamentalmente sobre el sistema nervioso. El mismo efecto se puede producir pero la acción de la cafeína es la más fuerte.

El café es lo más estimulante de todas las bebidas.

La hoja del café contienen en realidad más cafeína que los granos, una cantidad de café es consumida en todo el mundo entero. Es una bebida caliente agradable y no causa de sus cualidades estimulantes. La cafeína es una sustancia venenosa, se han hecho estudios y experimentos con animales para probar el daño que puede hacer. Sí 400 miligramos de cafeína entran a sistema del cuerpo podria ser fatal para la persona. Los efectos del café son agradables y deseables, muchos de nosotros lo tomamos con mucho gusto y confiamos en el, pero es perjudicial cuándo la persona abusa.

Su gusto y aroma es agradable para los debedores de ésta bebida. El café produce desvelo.

Es una bebida que estimula el cerebro en pocas cantidades, cinco tazas de café con crema y azúcar contienen 500 calorías.

DESTOXIFICACIÓN

Para la destoxificación, la persona puede solicitar servicios profesionales en el tratamiento del abuso de droga o alcohol. Los profesionales en esta materia son los que pueden hacer una evaluación inicial y puede recomendar una agencia de tratamiento que satifaga las necesidades del cliente y para la cual el cliente sea elegible. Los tratamientos pueden consistir en varios componentes, dependiendo de la situación de la persona. Tal evaluación inicial del caso puede ser hecha por diferentes agencias, inclyuendo programas de tratamiento ambulatorio (no residencial), que pueda referir al cliente a un centro de rehabilitación.

Las personas que tienen una adicción crónica pueden sufrir síntomas graves al dejar de usar la droga. Su primer paso de tratamiento es una unidad o un hospital de destoxificación refieren al cliente a un centro de rehabilitación, auque aveces tienen que esperar hasta que halla sitio disponible. Algunos de los clientes se sienten mejor después de la destoxificación y cambian de parecer, no quieren hir a rehabilitación se creen que ya están curados y que ellos por sí sólo pueden hacerlo sin las terapías y la ayuda de un profesional o un consejero. Otros entran a rehabilitación para estabilizarse no para dejar el vicio permanente sino para controlar el vicio.

Muchos alcohólicos y adrogadictos se encuentran en una ruleta giratoria de destoxificación repetida. La adicción es una enfermedad para los restos de su vida y cuando el tratamiento no ha sido comprensivo, la persona sobría vuelve de nuevo a un ambiente de droga y alcohol con sus amigos de la perdición. Esta persona necesita un largo plazo de rehabilitación y recuperación, le sera más difícil recuperarse. Otras personas logran un gran éxito a través de la participación de los Alcohólicos Anónimos sin un tratamiento intensivo formal. Es recomendable primero la destoxificación médica. Los pacientes pueden ser tratados en programas ambulatorios por lo menos 10 horas semanal. Estos programas consisten en consejería individual o en grupos por par de meses.

Personas que han sufrido los efectos deteriorante de la adicción le es más conveniente una estancia en un programa de rehabilitación residencial interno. El lazo de tiempo puede durar seis (6) meses o un año. Muchas agencias de rehabilitación no requieren que los individuos que sean adictos crónicos se sometan a la destoxificación médica primero. El programa de tratamiento ambulatorio intensivo sería otra alternativa para el cliente.

Pacientes que no tienen seguro médicos enfrentan limitaciones sobre el lugar de tratamiento y una larga espera. Es importante saber que ciertos centros de rehabilitación reservan plazas para los indígena (los que no pueden pagar) compañias de aseguro y otros pagadores bajo el plan médico controlan el cuidado determinado y aprobado con anterioridad.

La rehabilitación es el inicio del proceso de recuperación es el cuidado continuo a largo plazo.

Personas que actualmente estan libre de drogas y alcohol pueden tener una recaída antes de consequir una estabilidad. Si el cliente no esta listo y preparado para reintegrarse a la sociedad y no ha encontrado donde vivir.

Puede solicitar una casa de transición (half way house) son casas de transición en la comunidad residenciales terapéuticas intermedias entre la rehabilitación intensa y la vida independiente de la persona. También se encuentran las instituciones de cuidado a largo plazos tales como el Salvation Army, tienen residencias, ofrecen consejería y tienen algunos programas vocacionales. A mediado del tiempo la adicción llega a controlar la vida de la familia, una situación llamada dependencia mútua. El mejor sitio donde hir son los Alcohólicos Anónimos y los Nárcoticos Anónimos que son fraternidades para la familia de los adictos y los alcohólicos en recuperación.

ADOLESCENCIA

La adolescencia en los jóvenes es un período vulnerable, el tiempo más dificil de los jóvenes es la transformación de jóven adulto, es un pratrón de vida difícil. Esta étapa plantea una serie de problemas y contradiciones, desiluciones, deseparación, dándole un poco de apoyo y ánimo al jóven puede soportar cualquiera situación. Los padres deben de tomarse el tiempo de ser comprensivos con sus adolescentes, no hay que ser exigente ni realista, muchos padres confunden la tolerancia y la comprensión. Hay muchos adolescentes que pueden lograr bastante madurez sin tener que darle mucha ayuda, siempre y cuando no hallan problemas en la familia. La adolesciencia es un poco delicada, un jóven puede convertirse en un ser lleno de perplejias empiezan a romper barreras y pierden el control. Estos cambios comienzan en las glándulas y en los órganos genitales. Hay que recordar que la adolesciencia es algo más que el inicio de la actividad sexual. Durante este período se alcanza la madurez física en todos los apectos transformándose la persona de adolescente a una persona adulta.

En ésta étapa el jóven va aprendiendo nuevas situaciones tiene nuevos caminos que le brindan seguridad y nuevos horizontes. Hay que aprender ciertos conocimientos porque la adolesciencia comienza sin mucha identidad. Hay jóvenes que son inteligentes sanos que siquen los patranos de la familia, pero hay otros que usan ciertos trucos y tratan de pescar a sus padres en actividades incogentes. Cuándo el adolescente es lo suficiente maduro fisícamente y mental-mente es capaz de cuidarse por si sólo, puede cambiar ciertos moldes familiare declarar su individualidad, esto aveces tiene ciertas confuciones, siempre y cuándo el jóven sea una persona saludable con buena religión y una mente sana, podra llevarlo en una dirrección con su condición de adulto.

La étapa de la adolescencia es importante porque es el período de un cambio drástico de niño a dolescente, es un período de fantasía a esa edad los jóvenes son capaces de mantener una conversación que es importante para el futuro de ellos, porque hay muchos temas de que hablar llenos de anécdotas. A esa edad comienza dividirse en razón del género en la escuela, iglesia una junta de deportes donde se mezclan ambos sexos. Después de los 10 años se produce una conciencia clara de las diferencias biológicas y empieza el período de ciertos grupos, dónde se establece una condición de jerarquía y poder en relación al mismo sexo. Es un proceso en la que se establecen los criterios las normas de comportamiento. Los jóvenes tienden apoyarse a unos y a otros para reforzar su posición, casi siempre ellos están pendientes de los demás jòvenes para ver sus debilidades o admirar su poder.

Después de los 12 años cambían de amistad tienen relaciones más segura y cálidas. En el cambio inicial de la adolescencia es cuándo las chicas y los chicos necesitan a un buen amigo en que ellos puedan confiar, contarles sus secretos y sus penas es importante la calidad de las amistades que escogen en esa étapa, un mal amigo le puede dañar la vida para siempre. La puvertad se presenta generalmente en las glándula empiezan a trabajar con una intensidad a los 12 años de edad.

A los 15 la mayoría han crecido lo suficientemente físicamente pueden estar maduros y algunos son capaces de independizarse. La adolescencia no acaba a su debido tiempo, la sociedad carece de actividades para absorber a los jóvenes en una forma funcional, esto los prolonga a un período más largo de dependencia.

Mientras los jóvenes permanecen dependientes económicamente y emocionalmente no maduran sicològicamente del todo no pueden llegar a ser adultos. Un adulto debe de valerse por sí mismo con una educación un empleo y mantenerse por si sólo. Hay jóvenes de 18 años que siquen siendo dependientes y su adolesciencia se extiende por más tiempo. Un jóven de 16 años que abandona la escuela, abandona a sus padres y su familia, pero lleva los problemas que tiene a sus padres, lo que el jóven hace con esto es que quiere que los padres lo sigan apoyando, pero no quiere vivir con sus padres para no estar sujeto a las reglas del hogar. No quieren que le digan lo que tiene que hacer, pero si quieren que sigan preocupado y que aprueben todo lo que el haga. Muchos de los adolescentes se mantiene viviendo con la familia Pero algunos dasafían a los padres en el campo ideológico, protestan contra las restriciones impuestas en el hogar. La razón porque desafían las ideas de sus padres es porque las ideas de sus padres están elavorando las suyas propias. Hay que darle la oportunidad para que se expresen en forma dura y ruda provocan a sus padres que no deberán se ser demasiados estrictos, no están escuchando el mensaje de su hijo. Hay padres que castigan a sus hijos fuertemente forzando al dolescente dejar de discutir su problema sin tener alguna repuesta.

Un padre que toma en serio el dasafío se su hijo desde un principio tiene que aclarar que es el quién está en lo cierto ésta teniendo serias dificultadas. Un ejemplo si el jóven quiere discutir sobre las drogas dando a demostrar que tiene más conocimientos y el padre corta la conversaciòn y establece unas leyes, el padre le dice al hijo sí te cojo usando drogas te las vas a ver con migo en este caso el padre no le ésta dando una oportunidad al jóven de expresarse. Los padres que son sumamente fuertes con sus hijos obligan a los hijos actuar en vez de hablar y darle confianza.

Ser padre de adolescentes no es fácil hay que escuchar lo que en realidad quieren hablar. Comprender y escuchar no quiere decir que éstan de acuerdo o éstan aprobando lo que dicen ponga atención es una manera de demostrar confianza. Cuándo un padre deja que su hijo exprese lo que piensa y tiene razón sobre lo que habla, sí el padre le ha dado un buen ejemplo a su hijo con valores lógicos y con religión no tiene porque apurarse de su hijo. Sí al escuhar a su hijo el problema no tiene solución los padres tendrán que tomar ortras desiciones. Sí el hijo vive con los padres y goza del afecto y seguridad esto le proporciona a los padres un arma poderosa para obligar a sus hijos a estar bajos las reglas del hogar. Los adolescentes necesitan pertenecer a un grupo que poseen ciertas qualidades. Los adolescentes son vulnerables por eso hay que tener cuidado con los grupos tienden a ser contajiados. El consumo de droga comienza cómo experiencia de grupos, un adolescente confuso puede consequir droga con mucha facilidad para satisfacer sus aventuras de jóven. Los peligross de los adolescentes son abrumadores, pero sí lo ejemplos familiares fueron sanos los hijos sobreviven el torbellino de las tentaciones.

Es de suma importancia que el jóven establesca normas de buena conducta con los profesores en la escuela, las buenas relaciones entre el estudiante el profesor y los y los demás compañeros de clase facilita las cosas ya que el alumno puede tener confianza con el profesor y lo trata como si fuera su mejor amigo. Cuándo su hijo tiene problemas en las escuela los padres tienen que participar del problema. Los profesores utilizan métodos de enseñazas basados en la colaboración y cooperación en las cuales los niños inteligentes y no inteligentes con sus distintos talentos intercambian experiencias y conocimientos dependiendo uno del otro, contribuyen a mejorar la forma de vida de los que son rechazados.

Cuándo un niño sufre de aislamiento social un amigo o uno de sus compañeros de clase puede ayudarlo en la integración de un grupo. Los padres tienen que entender y recordar que la etapa de desarrollo es difícil, pero ellos cambian según el tiempo pasa. Todos los niños han tenido en su infancia buenos y malos momentos en relación con los grupos y amigos. Hay que tener un poco de paciencia con los hijos y recordar que están aprendiendo estrategias sociales que le sirvirán para el futuro de su vida. En esto tiempos que vivimos es difícil consequir buenos amigos, hay que estudiarlos conocerlos y saber quienes son sus padres para saber quienes son los amigos de su hijo. Los jóvenes atraviesan por una serie de relaciones para aprender de ellos mismos y de los demás. Algunos jóvenes usan droga para que se les ayude a las incertidumbres sexuales. Es raro el hijo que comparte su preocupaciones sexuales con su padre lo hacen con sus mejores amigos.

MARIGUANA

LA HOJA DE MARIGUANA.

? Que es la mariguana ?

La mariguana (yerba) es el nombre común de una droga fábricada con la planta cannabis.

El principal ingrediente psicoactivo que altera la mente, es el THC delta 9. De ésta planta hay 400 elementos químicos. Un porro es un cigarrillo de mariguana que se fábrica con las partículas secas de la planta. La cantidad de THC en la mariguana determina la intensidad de sus efectos.

La clase de planta, el clima, suelo, y la ápoca de recolección y otros factores determinan la potencia de la droga. La potencia actual de la mariguana es (10) veces superior a la mariguana que se usaba en el 1970. Ésta mariguana es mucho más potente, aumenta los efectos físicos y mentales tienes problemas de salud. El hashís se fábrica extrayendo la resina de las hojas y la flor de la planta, presionándola hasta formar planchas o láminas. De ordinario el haschís es más potente que la mariguana cruda y puede contener de cinco a diez veces más THC. Casi nunca se dispone del THC puro excepto para las investigaciones. Las sustancias vendidas en la calle con THC son de distintas calidades.

Los efectos inmediatos:

Entre los efectos figuran la aceleraciòn del corazón el pulso, enrojecimirnto de los ojos, sequedad en la boca y la garganta. No existen pruebas científicas que indiquen que la mariguana mejora la sensabilidad de oído, vista, y el tacto. Los estudios de los efectos mentales indican que la droga puede dañar o reducir la memoria a corto plazo, alterar el sentido, reduce la capacidad de hacer cosas que requieran concentración, dificultad en manejar un automóvil o operar una maquina.

Las reaciones adversas a la mariguana es la ansiedad que produce el pánico agudo.

Las personas afectadas describen ésta reacción como miedo extremo a perder el control que ocasiona pánico, los síntomas desaparecen a las pocas horas. La dependencia física psicológica es cuándo la persona consume mariguana regularmente y a largo plazo son dependientes de la droga.

Puede ser muy difícil limitar su consumo, pueden necesitar una mayor cantidad de la droga para sentir el mismo efecto. La droga se convierte en el aspecto más importante de su vida, las personas tienen problemas en el trabajo y en sus relaciones personales.

Los peligros para los jóvenes:

Una importante preocupación con la mariguana por sus efectos. Los jóvenes que están en étapas de crecimientos corren peligros con el uso de mariguana. Tan pronto comienzan a usar la droga más pronto experimentan con otras drogas más fuertes. El THC libera la circulación sanquínea que afecta la conducta de las hormonas. El usuario de mariguana describe una experiencia que se parece a la mirada de un lente móvil, una cámara, las cosas se hacen más grande o más pequeñas ésta reacción es conocida cómo fantasma goria. La mayoría de los usuarios tienen una sensación flotante de ligereza produce un fluír rápido de ideas, muchas de ellas son de carácter humorístico. En el 1996, hasta el presente la droga ha tenido un gran aumento entre los jóvenes de las edades del 13 hasta los 17 años. Los jóvenes no ven el peligro de las drogas y las consecuencias que pueden traer. Los jóvenes creen que usar droga no es malo auque sea una sola vez, se creen que usandóla unas cuantas veces nada le va a pasar, no es así están equivodados.

Una vez que la droga entre a la sangre del cuerpo es difícil desaserse de ella, notaran un cambio en las aptitudes, carácter, la personalidad cambia por completo. Ellos creen que pueden dejar de usar la droga de un momento a otro.

El usuario llega a un ciclo vicioso que quiere decir que la persona necesita de la droga para evitar sentirse mal. De acuerdo a los clientes con quién trabajo me informan que lo mejor que le puede pasar es cuándo los cogen preso van a la cárcel por un tiempo, cuándo salen tienen que hir obligatorio a un centro de rehabilitación referidos por el juez.

Si la persona no va a rehabilitarse vuelve de nuevo a usar droga y volvera otra vez a la cárcel.

Los que se rehabilitan pueden controlar la adicción que es tan peligrosa y progresiva.

La familia juega un paper muy importante en la rehabilitación de la persona. Sabemos que la adicción cuesta demasiado de mucho dinero mantener el vicio.

? Qué es estar quemado?

Es un término usado por los usuarios para describir el efecto de un consumo prolongado.

Las personas que usan droga por mucho tiempo experimentan torpezas en los movimientos y en la falta de atención. Estos usuarios de drogas llamados "quemados" la mayor parte del tiempo están inconcientes de sus alrededores, no saben lo que ésta pasando viven en otro mundo.

Los jóvenes cuándo comienzan a fumar mariguana pierden el interes en las cosas de la vida, no se sienten motivados para realizar sus deberes escolares. Los efectos de la droga pueden inferir con el aprendisaje, se reduce la capacidad mental, la comprensión de la lectura, las aptitudes verbales la abilidad para las matemáticas. Las investigaciones han demostrado que los estudiantes no recuerdan lo que habían estudiado. El ingrediente activo de la droga conocido como delta 9 es uno de los 80 cannaboides que se encuentran en la droga, estos son soluble en grasa que afecta los órganos que contienen grasa por ejemplo el cerebro, los testículos, y si es mujer afecta los ovarios.

El THC tiene una vida de cinco (5) días quiere decir que es retenida en el cuerpo por varios días después de haberse usado. La mariguana es un nombre méxicano-español de una planta conocida cáñamo indio, la planta es alargada, grande, prima hermana de la hiquéra y del lúpido. La planta se cultiva en la India tiene una fibra resistente utilizada para hacer textiles. Sin embargo, la planta se macho y la hembra crecen silvestre en la mayoría de los países del mundo en un clima seco o caloroso. La planta hecha una resina amarillosa pegajosa que cubre los racimos de la flor y las hojas superiores especialmente la planta hembra. En el África del norte la planta hembra produce una recina que al medio día las hojas brillan como si estuvieran cubiertas de rocío. En los climas fríos o húmedos produce menos recina. El clima es muy importante porque no es la planta que causa tanta controversia, es la recina que causa psicotoxina conocida THC, esto es lo que produce los efectos de la mariguana.

SIDA

? Que es el sida?

Es el nombre de inmunodeficiencia adquerida, una enfermedad que daña la capacidad del cuerpo para combatir las infecciones. Una persona con sida no puede combatir ciertas enfermedades.

La enfermedad del sida fué diánosticada por primera vez en el 1981. Ser positivo quiere decir que tienes el virus que causa el sida, si tienes cuidado y siques las instruciones del doctor puedes controlar el virus que no se desarrolle. Éste virus ataca las células del cuerpo que son las que protegen al cuerpo contra las infecciones. Éstas células son las DC 4 que son parte del sistema del cuerpo.

?Como se siente la persona? físicamente pueden lucir bién, pueden tener síntomas emocionales estar deprimido, tener ansiedad, pánico, tristeza, depresión, coraje, y otros síntomas más.

?Que debes de hacer?

Consultar a un médico lo antes posible, mantener un dieta saludable y valanciada. No usar ninguna clase de droga, alcohol o cigarrillos. Busca apoyo de otras personas, manténgase informado. Quizás puedes contárselo a alquién de confianza, si no tienes una persona de confianza búscate un consejero él te ayudar si tienes que tomar una decisión. El número de células de una persona saludable es 1, 000 cuándo el número bajo a 500 es considerable un tratamiento con un doctor. Sí tienes los siquientes síntomas consulta a un doctor.

1. Fiebre
2. Te sientes cansado
3. Sudores de noche
4. Pérdida del apetito
5. Diarrheas
6. Las glándulas inchadas

Sí es mujer las glándulas se inchan, tienes infecciones en la pelvis, infecciones vaginales.

Los estudios médicos indican que el uso de drogas antiretrovirales ayudan a mantener y retardar el desarrollo de los síntomas. Lo importante es retardar el proceso para que el virus no se desarrolle.

?Cómo trabaja el sistema?

La sangre tiene diferentes tipos de células o glóbulos que son responsables de combatir las enfermedades o lo gérmenes que son dañinos para el cuerpo. Una de las características del sida ha sido que la mayor parte de la gente han usado drogas, un 53 por ciento de los casos que se han analizados probaron que hay una relación con el uso de agujas y las drogas. Los hemofilios y las personas que han recibido transfución de sangre hay un 5 por ciento de los casos. Personas que comparten agujas hipodérmicas para inyectarse la droga, los homosexuales y los sexualmente activos, hombres bisexuales que tienen sexo con diferentes parejas, personas que han usado una sustancia coagulante producida por plasma humana donada o han recibido transfuciones de sangre por razones médicas o si uno de los padres tiene el sida es portador del virus.

El sida es sumamente contagioso, personas infectadas con el sida pueden lucir saludables.

El virus produce una deficiencia de células ayudantes.

El período de incubación puede pasar mucho tiempo antes de que aparescan los inicios del virus.

Se puede tardar de cinco meses a un año o quizás más tiempo antes de que la persona sienta los síntomas. Tú puedes contrar el sida si siques los siquientes pasos.

1. No compartas agujas de inyectarte
2. Abandonar las drogas, alcohol y los cigarrillos
3. Sequir medidas preventivas usando contraceptivos
4. Busca información sobre el sida
5. Si tienes dudas o síntomas busca a un médico inmediatamente
6. Ayude a otras personas que tienen el virus que se enteren del sida
7. Apoye los esfuerzos de investigación acerca del sida
8. El sida puede controlarse

Un millón de personas en los Estados Unidos están infectados con el virus del sida.

La mayoría de las personas infectadas tienen de 23 a 50 años de edad, éstas personas se ven saludables no dan indicios de que están enfermos con el virus. A fines del 1991, más de 250, mil personas habían sido diagnosticadas con el sida, 131mil han muerto a causas de la enfermedad. Muchas de éstas personas que tienen el virus no pueden creer que se le desarrolle el sida. El HIV es peligroso es grave es mortal. Si siques las reglas de precaución no tienes porque apurarte, aprende a cuidarte. La persona desarrolla el sida cuándo el sistema inmunológico está debilitado, porque no puede combatir las infecciones o la enfermedad.

Hay que recordar que el sida no descrimina, cualquier persona lo puede contraer. Puedes tener el virus en el cuerpo y no desarrollarse hasta 10 años más tarde aun cuándo no sientas los síntomas.

El virus daña las defensas del cuerpo solamente un exámen de sangre puedes saber si tienes el virus. Solamente un médico puede diagnosticar el sida. Hay personas infectadas en los 50 estado de la nación. Actualmente los analisís de sangre son 99 por ciento precisos. Después que una persona se infecte en pocas semanas el número de suficiente de anticuerpos se desarrollan y se puede detectar en la sangre. Sí la personas se contagió recientemente la prueba puede no demostrar que éstas infectado. Hasta el momento no hay ninguna vacuna para contrarrestar el virus, existen algunos medicamentos que ayudan a los síntomas de los pacientes que tienen sida. Ninguno de los medicamentos pueden prevenir la infección.

Tú puedes protegerte del virus con los siquientes pasos
1. No tengas relaciones sexuales sin protegerte, puedes infectarte con sólo una experiencia sexual.
2. Evita el contacto con la sangre, fluidos vaginales de otra persona
3. No te inyectes con agujas sucias
4. No compartas tus agujas con otra persona
5. Siempre use un condón latex para cualquier tipo de relación sexual, porque tu no sabes si tu pareja está infectada. Comparte esta información con tu familia y amigos.

Los departamentos de salud proporcionan materiales y programas educativos para todas las personas interesadas en tener mejor conocimiento sobre el sida.

Desde el 1981, los institutos nacionales de salud han asignado un prosupuesto de 190 millones para los analísis del sida. Los institutos Nacionales de Salud en conjunto con los médicos ciéntificos en todos los Estados Unidos están haciendo todo lo posible y un gran esfuerzo global para resolver el problema del sida. Los centros del Control de Enfermedad han enviados personas a trabajar a los diferentes comunidades locales para recopilar información necesaria sobre el sida. Los laboratorios hacen las pruebas de sangre y de los tegidos obtenidos de los pacientes con el sida o personas que hallan estado expuestas al virus. La administración de alcohol y abuso de droga, la salud mental están financiando las investigaciones para determinar los efectos de riesgos sobre el sida. En el 1996, dos millones y medio de personas fueron infectadas con el virus. En los países extranjeros el sida esta acabando con la gente. Algunos países los departamentos de salud tienen al público en alerta, uno de estos países lo es China. En Thilandia han muerto miles de personas con el sida. En Asía, se estima que un millón de personas están infectados con el virus. Uganda tiene un porcentaje alto de casos de sida. California, Estados Unidos, Puerto Rico, cada día aumenta el número de personas con el sida. En el Sur de África se han hecho examenes a 14 mil mujeres que están embarazdas y todas salieron positivas al virus, a pesar de que ellas no sabian del virus que llevan en la sangre. Los doctores sel sur de África estiman que 500 mil personas tienen el sida. Los doctores han predicado que un 50 por ciento de los africanos morirán de sida.

Las madres que sospechan que hayan expuestas al virus y están embarzadas deben de hacerce un exámen médico. A las personas que se le desarrolle el sida se debilitan severamente permitiendo que las enfermedades leves inofensivas se conviertan en condiciones mortales. Dos enfermedades comunes son la neumonía, una infección paracitaria de los pulmones, la otra es sarcoma de kapos una forma de cáncer que produce manchas rosadas. El virus puede atacar al sistema nervioso lesionando al cerebro y la médula espinal. Tienen pérdida de la memoria, apatía, inabilidad con otros problemas. Las esperanzas que hay para un futuro acerca del sida es que el extremo esfuerzo de las investigaciones que llevan acabo el gobierno estatal, federal, los médicos conducirán medidas preventivas para protegerse del sida. En la lucha contra el sida se han dados pasos gigantescos los científicos han encontrado que es el sida, es un virus llamado HTLV.

Los estudios sobre el virus continuan, según los estudios médicos se han encontrado pruebas en los anticuerpos, esto indica al doctor si la persona ha sido infectada con el virus. El virus no se trasmite por tocar a una persona, el virus se encuentra en todos los fluidos del cuerpo que son los siquientes.

1. Saliva

2. Orina
3. Fluidos vaginales
4. Leche materna
5. Semen
6. Sangre yen las partes dónde hay mayor cantidad de fluidos.

El preservativo masculino (condón) es la forma más efectiva de prevenir el contagio de la enfermedad. Hay 6, mil jóvenes de las edades de 15 años infectados con el VHI. Los niños y los adolescentes menores de 18 años de edad constituyen un 10 por ciento del total mundial de 45 millones de personas que viven con el sida. Los muchachos y las muchachas tienen relaciones sexuales a temprana edad y no están protegiendose.

LA NICOTINA DEL TABACO

El ingrediente activo del tabaco es la nicotina, una sustancia venenosa llamada alcoloide.

La nicotina es tóxica, la nicotina varia en diferentes tabacos por ejemplo de 608 tabacos de Virginia y Kentucky se encontro un 1.3 de diferencia a los tabacos de Meryland y los de Alemania los tabacos cubano tenian 4.0 de diferencia es bastante grande. La planta del tabaco contiene diferentes grados de hojas. Los cigarrillos de poca nicotina se dividen en dos clases, los que están hecho de tabaco cultivado y los desnicotizados una parte de la nicotina es eliminada con tratamiento de vapor. Éstas sustancias se volatizan durante el acto de fumar. Personas que mastican el tabaco ingieren más nicotina que los que no fuman. El humo del cigarrillo tiene 4 por ciento de la nicotina. La manera de fumar influye sobre la cantidad de nicotina que absorbe. Los fumadores que inhalan absorben 60 por ciento de la nicotina de una caja de cigarrillos, esto es muy peligroso para la salud. Los cigarrillos con filtro retienen algunos de los ingredientes.

La nicotina aumenta el peristatismo intestinal para ciertas personas un cigarrillo es cómo un laxante. El fumar puede causar indegestión, estriñimiento, colitis crónica, suprime el apetito aumenta el nivel de azúcar en la sangre, da enfermedades cardiácas, también a los fumadores le puede dar la enfermedad llamada Bueger, esto ocurre más en las mujeres, otra enfermedad que puede causar es la del sistema circulatorio llamado Reynoud que son espasmos en los vasos sanquinios. A la persona que le da esta enfermedad no puede fumar.

Se han hecho muchos estudios sobre el fumar en diferentes partes del mundo, se han encontrado muchas muertes relacionadas con el corazón debido al cigarrillo. La nicotina aumenta la actividad del sistema nervioso, el llamado simpático que es lo que hace los cambios fisiológicos en el cuerpo. El fumar aumenta los ácidos de grasa en la sangre, baja la temperatura en los dedos de las manos y los pies, da fatiga, dolor de cabeza, afecta el sistema respiratorio, causa cáncer del pulmón. En el 1990, el fumar se conviertio en un hábito en los Estados Unidos y en Inglaterra. A mediado del año 1920, surgio una épidemia de cáncer pulmonar, la asociación médica y otras organizaciones profesionales han aceptado que el cigarrillo es perjudicial para la salud. El fumar no tiene ningún beneficio fisiológico lo único que proporciona satisfación emocional a la persona.

?Que se puede hacer?
1. No inhale.
2. No fumes el cigarrillo hasta el final.
3. No vuelvas a encender las colillas apagadas porque están llenas de nicotina.

La nicotina del tabaco destruye a las personas de una manera lenta y sutil. El cigarrillo y el tabaco se ofrecen cómo calmantes de los sentimientos y de las emociones. El cigarrillo se vuelve el mejor amigo, porque nunca nos enfrenta a ningún sentimiento. Las personas adictas a los cigarrillos saben que le hace tanto daño, pero siquen fumando sin importarle la salud. Hay muchos métodos para dejar de fumar, si te lo propones lo puedes hacer. Toma una desición para dejar de fumar estar positivo que quieres dejar de fumar haslo por tu salud.

LA HISTORIA DEL CAFÉ Y LA CAFEÍNA

? De donde viene el café ?

El café tuvo su origen en Etíopia al sur de África en el siglo catorce (14) desde allí llevaron árboles Arabía país que lo bautizó con el nombre que tiene actual. Fué llevado en el 1758 a europa y fué la bebida de los infieles, hasta que el papá Clemente VII lo probó y dijo que era una bebida tan buena que no podia dejarse solamente para el deleite de los infieles.

En el año 1720, el oficial de la marina francesa Mounsieu Grabiel Mathieu trajo a la isla de Martinica tres árboles de café obtenido de los jardines botánicos de París. Diez años más tarde en el 1736, el primer árbol de café fué traido de Martinica a Puerto Rico. Fué sembrado en el razgo de nuestras montañas bajo el cálido sol tropical y su suabe brisa del mar caribe. En el 1858, el café era uno de nuestros principales productos de exportació y lo fué hasta el último año de la dominación española. Para el año 1897 se habían exportado 50 millones de libras de café.

Nuestro café se hizo famoso por su aroma exquisita suave al paladar.

En España, Francia y Alemania lo hicieron preferido conviertiéndose en la bebida de los reyes.

Se servia con orgullo en la corte del rey Luis X1V y brindado en bandejas de oro por Juana Antonia Raizzo, marqueza de Pompadour a su ilustre amante el rey Luis en los jardines del palacio Versalle. El hábito de tomar café está entre nosotros y bién podemos decir que nada notable pudieran hacer nuestros grandes hombres sin el título del café, el divino exilir de los dioses el coronamiento de una bebida perfecta. El café estuvo presente en casi todos los actos de la vida, negro como la noche, caliente como el infierno, fuerte y un poco dulce como el amor.

Son todos los que saben tomarse una taza de café, para tomarlo hay un ritual no ha de saber nunca quién no lleva en su deseo la idea de una pausa para saborearlo poco a poco, tiernamente porque el café es para pasar el tiempo.

Es fácil conocer el carácter y la psicología de un hombre cuándo se halla frente a una taza de café, cuándo llega a sus labios el caliente cálido sabor del café. El jibaro con gran intuición nos enseño a tomarlo por la mañana en ayuna para empezar a trabajar, despejar la mente para un alegre despertar. Hay que recordar que el café contiene cafeína que a muchas personas le hace daño, especialmente las personas que tienen problemas con las sustancias químicas le hace daño al sistema nervioso. Personas que están en rehabilitación de drogas y alcohol no pueden usar café que contenga cafeína, tienen que usar el café descafinado.

Su gusto y aroma es agradable al paladar para los bebedores de café, el café produce desvelo. El café es una bebida que estimula el cerebro auque uses pocas cantidades por ejemplo cinco (5) tazas de café con crema y azúcar contiene 500 calorías. Usar leche que sea 2% libre de grasa no-le perjudica al sistema nervioso.

LA MARIGUANA Y EL USO MEDICINAL

En Estados Unidos todo el mundo sabe que la mariguana es una droga peligrosa. En los últimos analísis indica que puede ser un estimulante. Según los científicos el cannabis puede ayudar al tratamiento del cáncer y otras enfermedades.

El Departamento de Salud en los Estados Unidos ha pedido que se pongan restriciones sobre esta droga. Las oficinas Nacionales Contra las Drogas estará en alerta y coperara con estos experimentos. En América donde los lideres luchan constantemente contra las drogas, la controversia que esto ha traido sobre las virtudes médicas de la mariguana, la cual siempre se considera que es una droga peligrosa.

Los expertos en el tratamiento de esta sustancia dicen que esta droga tiene propiedades analgésicas que podrian ser usadas para mejorar a los pacientes de cáncer y otras enfermedades comunes. Los médicos, el gobierno, y la opinión pública no están seguros sobre esta opinión, el resultado y sus posibilidades terapéutica se están estudiando. Los doctores y los científicos no están seguros que cantidad se puede usar para un tratamiento. Hasta el momento los expertos los científicos y los doctores no han tenido acceso libre y legal para experimentación con la mariguana. El Instituto Nacional de Droga usarán ciertas cantidades de esta planta para los analísis para ver que resultado se puede obtener para ayudar al cliente.

EL PEYOTE

El peyote es un cactus de color verde que crece en lugares secos al norte de México y al sur de los Estados Unidos. En la parte superior de la planta se encuentra la corona que mide 8 centímetros y en el centro una pequeña flor color rosado, en la parte superior hay una especie de mechón de pelos de dos centrímetros de largo. Éste cactus se puede comer crudo, seco o en forma de pasta, también es preparado en forma de pastillas y capsúlas. El peyote se conoce por años, algunos arqueológos han encontrado peyote en algunas cuevas cerca de Texas.

En la región Tarahumana abunda el peyote, fué usado por las tribus coras y las huicholes. El peyote contiene varios alcaloides la mescalina es el principal elemento que causa los efectos alucinógenos. El peyote contiene una sustancia química similar a las hormonas neurotramisores del cerebro. La noradrenalina hormona que es importante en el funcionamiento celebral actua en la transmisión de los impulsos químico igual a la mescalina, estos reacionan y trabajan en los lugares donde están las hormonas celebrales.

Los alcaloides del peyote se expulsan a través de los riñones y la orina, ésta es una droga diurética. El peyote provoca disminución del pulso problemas al sistema digestivo. Hay sensación de hambre durante el perído de intoxicación, dilata las pupílas y molestia por la luz. El consumo crónico causa tolerancia. Ciertas tribus Méxicanas usaban el peyote en los ritos religiosos. El peyote es la materia prima sobre el sistema del pensamiento. La tribu hincholes van a una meseta llamada viricota que se encuentra en una zona montañoza en México, esa meseta es un lugar sagrado de origen, esto representa una realidad historica en México.

El peyote no ha sido motivo de culto en México, si no que su uso se extendío a través de Rio Grande entre los años 1700-1880 en la región suroeste de los Estados Unidos, más tarde paso al Canada, Wisconsin y Michigan. En la actualidad el peyote es importante en las ceremonias de ciertas tribus. Los miembros de ciertas tribus tienen una membrecia de 50, 000 mil personas. Los rituos duran toda la noche y ésta dirigido por cinco (5) indígenas. El peyote fué motivo de uso durante la década del 1960 hasta el presente. En México todavía se usa el peyote.

LOS SEDANTES

Los sedantes son drogas hipnóticas (downer) son áquellas que deprimen y retardan las funciones del cuerpo. Éstas drogas se conocen como tranquilizantes o sedantes. Sus efectos oscilan para calmar la ansiedad o para promover el sueño. Los tranquiliznates son píldoras para dormir pueden tener efectos graves según la cantidad ingerida. Dosis elevadas cuándo se abusan de algunas de éstas sustancias ocasionan la pérdida del sentido y puede ocasionar la muerte.

Algunos de los sedantes son los barbitúricos y benzadiacepinas que son sedantes hipnóticos conocidos como secabarbital (decano) pentobarbital, nembuta, diacepam, valium cloriacepoxido librium y el cloracepto son ejemplos de sedantes. Éstas drogas son peligrosas cuándo se abusan de ellas, hay que siquir las instruciones del doctor. Éstas drogas causan dependencia física y psicológica. Cuándo se usan por largo tiempo producen tolerancia, la persona tendra que ingerir dosis cada vez mayor para obtener los efectos deseados.

Las mujeres embarzadas que usan sedantes afecta el feto grandemente. Las madres que usan ésta droga si están embarazadas el niño tendra síntomas cuándo nasca. Estos niños tendran problemas con el sistema respiratorio, perturbación del sueño, sudores, fiebre y malestar en el cuerpo.

Estos sedantes pasan a través de la placenta y ocasionan defectos congénitos y tendran problemas en el crecimiento.

Los sedantes disminuyen el ritmo del sistema nervioso. Algunos de los efectos causados por la droga son disiminución de los latidos del corazón, la respiración, confusión, reacciones lentas distorción de la realidad y poca atención. Los sedantes pueden ocasionar accidentes automóbilisticos debido a las reacciones lentas y confusas. Sí tomas sedantes no debes de manejar ninguna clase de maquinaria para evitar un accidente.

EL ICE O CRACK

El ice o crack es una metanfetamina que acelera el sistema del cuerpo y afecta los nervios.

La metanfetamina se vende ilegalmente en polvos, píldoras y cápsulas. Se conoce también como Ice la presentan en forma de un cuarzo cristalino siendo la forma de usarla. Se conoce como Cristal, speed, glass, go far y otros nombres callejeros. El ice es extremadamente peligroso porque perjudica mentalmente y físicamente el que la usa puede producirle la muerte. Igualmente es peligroso fábricar el ice porque la metanfetamina produce una explosión y puede lesionar a la persona que la ésta fabricándola. Algunas personas creen que el ice es más inofensivo que la cocaína. Sin embargo la droga es tan peligrosa no sólo al fabricarla sino también por sus efectos cuándo se consumen. Las personas que consumen ésta droga piensan que la droga le proporciona más energía instantánea cuándo la pérdida es que por sus efectos aceleradores al sistema nervioso, la droga hace que el cuerpo use toda la energía acumulada. La persona al no descansar los suficiente o deja de alimentarse por la pérdida del apetito para remplazar la energía, el ice causa daños permanente a la salud.

Los usurios del ice piensan que ésta droga no es adictiva lo es y sumamente peligrosa los consumidores nunca saben los ingredientes que componen la droga. Además, sus efectos son prolongados que de los de cocaína y sequidos por una depresión. Para fábricar la droga usan clorofumo química que usan en la gasolina. Para ser inhalada su presentación es en polvo, para inyectarse es mezclada con agua, café o bebidas, también vienen en forma de pastillas o cápsulas.

La presentación del ice en forma de cristal de cuarzo es las más conocida. Al calentarse el trozo de ice en una pipa especial, el gas que emana es inhalado por el usuario. El ice produce tolerancia a medida que se usa la droga, se va necesitando más cantidad para sentir los efectos. Los efectos que causa al cuerpo auque varían de acuerdo a la cantidad usada. El estado de ánimo y otros factores son los siquientes.

1. Lesión nasal cuándo se inhala.
2. Sequedad y picor en la piel, irritación, nflamación.
3. Aceleración de la presión arterial.

4. Incremento de la temperatura, oleadas de calor.
5. Lesiones a los órganos internos, el hígado, pulmones, riñones, naúseas, dolor en el cuerpo.
6. Extenuación cuándo se acaban los efectos de la droga, deseo de dormir por variso días.
7. Incapacidad de dormir cuándo se está en plena euforia.
8. Movimientos bruscos en la cara, brazos las manos.
9. Pérdida del apetito
10. Derrames que causan parálisis, dificultad al hablar, si la droga es inyectada puede causar la muerte por sobre dosis.

Los efectos mentales son los siquientes.

1. Incapacidad para descansar
2. Sobre exitación
3. Muy hablador
4. Ansiedad y nerviosismo
5. Irritabilidad
6. 6. Falso sentido de confianza en si mismo
7. Falta de interés en compartir con sus amigos, en alimentarse o tener contacto sexual.
8. Agrecividad, violencia cuando usa la droga
9. Crisis de pánico y paranoia.

Otros problemas que surgen cuándo se usa con otras drogas es la rápida pérdida de peso. Con la disminución de su resistencia física le puede propiciar al enfermarse más amenudo. Los que se inyectan tienen el riesgo de contraer el sida. Los jóvenes que usan ice y están en la escuela tendran problemas con la concentración. El usuario necesitará nuevas fuentes de ingreso para costear la droga. Lo cúal podría empujar a cometer delitos que le proporcionen ganancias rápidas.

Bajo los esfectos del ice podría causar accidentes de tránsitos si conduces un carro. Bajos estos efectos podría causar abuso o maltrato a menores. Las madres embarazadas tienen el riesgo de exponer al bebé a muchas probalidades que nasca con defectos congénitos, físicos y mentales.

En los últimos años no encontramos con una amenaza de crimen y violencia en nuestras ciudades con la llegada del crack, una poderosa droga que ha afectado a millones de jòvenes y adultos hombres y mujeres. El crack contrario a la heroína se puede manufacturar en una cocina común.

El crack es un deribado químico que en el proceso de producir cocaína en polvo es tan poderosa por su pureza cómo el speed una mezcla de cocaína y heroína utilizada en U.S.A.

La droga es un derivado de las hojas de la coca que crece en las regiones Andinas de América del sur. Su preparaciòn es sencilla usando las hojas secas de la coca, precipitada dónde el carbonato sòdico y purificado el alcaloide se presenta en forma de cristales blancos con un sabor a éter que son solubles en agua y alcohol. La cocaína en ésta forma es 90% por ciento pura.

Los adictos de crack cuándo la usan se creen que las personas que ven en la televisión están hablando de el y que le están leyendo la mente. El doctor Arnold Ulash director del hospital Regent en Manhattan centro de tratamiento para la adicción de cocaína comenta que el uso de crack para el individuo paranoíco todo el mundo es su enemigo y piensan que sus familiares están tratando cosas contra el. Entre los sucesos violentos a cáusa de crack figuran el crimen.

La uniformada ha iniciado una vigilancia en torno a las muestras de drogas incautadas en los últimos años las operaciones de la División de Drogas y Narcóticos con el fin de averiguar si el crack ha iniciado su penetración en las islas del caribe y otros países del continente.

LOS OPIATOS

Los opiatos llamados narcóticos son grupos de drogas utilizadas para aliviar el dolor, son muy susceptibles de abuso. Algunos opiatos provienen de la resina extraída de la vaína de la semilla de la amapola asiática. Éste grupo de drogas están el opio, morfina, heroína, codeína, meperdina que son fábricados. El opio aparece de color marrón oscuro en forma de polvos, generalmente se fuma o se ingiere. La heroína puede ser un polvo blanco o pardusco que se disulve en agua y luego se inyecta. La mayoria de los preparados callejeros de horoína son diluidos o cortados con otras sustancias como el azúcar o quinina, también están las píldoras, cápsulas, comprimidos jarabes, soluciones y supositorios. ? De que opiatos se abusa ? Ésta heroína corresponde el 90 por ciento del abuso de los opiatos en Estado Unidos.

Se abusa de opiatos con usos medicinales que son legales, entre ellos figuran la morfina meperidina, paregórico que contiene opio y los jarabes contra la tos que contienen codeína.

El opio adormidra es un arbusto de 4 píes de alto que hecha entre sus hojas una espíga la que sostiene la cápsula final. A ésta cápsula se le hace una incisión cuándo ésta verde y brota un jugo lechoso que endurece por oxidación lo que se llama opio. La acción de ésta droga va directamente al sistema nervioso, produce una depresión en la respiración o puedes tener un asfixie si se usa en grandes cantidades. Las principales plantaciones se encuentran en Turquía Bulgaría, India, Rusia, Yugoslavia, Grecia y Iran. En estos países la siembra de opio ha sido autorizada bajo el control de las Naciones Unidas.

? Cuales son los efectos de los opiatos ?

Los opiatos tienden a rebajar a quién los consumen. Cuándo se inyectan la persona siente un impetud inmediato. Los efectos desagradables son naúsea y vómitos, la persona tiene un estado de alerta, se le contraen las púpilas, la piel se torna fría, húmeda y azulada. Se reduce la respiración y puede ocasionar la muerte. La droga ocasiona dependencia, especialmente si la persona se usa en grandes cantidades, la droga se convierte en lo más principal de su vida. Con el curso del tiempo necesita cantidades mayores para obtener los mismos efectos, esto se conoce como tolerancia.

?Cúales son los peligros físicos ?

Depende del opiato específico que se consume, la dosis, y la forma en que se consume. El peligro más grande es la cantidad que se consume. Las personas que consumen opiatos contraen infecciones de los tegidos que revisten el corazón. Las infecciones ocasionadas por agujas no estérilizadas pueden producir enfermedades del hígado, tétano, hepatitis serosa.

? Que es la retirada de los opiatos ?

Cuándo una persona depende de los opiatos y deja de usar la droga la retirada comienza de 4-6 horas de la áltima dosis. Entre los síntomas figuran la intranquilidad, diarrhea, calambres y escalofríos. Los síntomas de retirada son de 24 a 27 horas después disminuye a los 10 días.

Los peligros para la mujer embarazada tiene son insomnio, anemia, enfermedad del corazón diabetes, pulmonía y hepatitis. Tienen partos espontáneos, alumbramientos en los que aparecen en primer lugar las nalgas con las piernas del feto extendidas, tendran partos prematuros o fetos muertos muchos de estos bebé mueren al nacer.

El tratamiento para los apiatos:

Los métodos fundamentales para tratar el abismo de las drogas son:

1. Primero es la destoxificación en un hospital, el paciente vive en un ambiente estructurado libre de drogas se les ayuda a sí mismo y se anima al paciente.
2. Tienen programas de consultas externas libre de drogas con varias formas de asesoramiento.
3. Tratamiento y mantenimiento con metadona, se utiliza la metadona en sustitución de la heroína para ayudarle a llevar una vida productiva mientras ésta en tratamiento.
4. Usar las comunidades terapéuticas para los tratamientos.

La metadona, una droga sintética o fábricada no produce el mismo estado de intoxicación que las drogas ilegales como la heroína, cocaína y otras drogas más. Cuándo los pacientes están recibiendo metadona no se sienten inclinados a buscar o a comprar drogas ilegales en la calle.

Los pacientes que participan en programas de mantenimiento de metadona reciben asesoramiento capacitación profesional, educación para ayudarlos alcanzar la meta de una vida libre de drogas.

? Que son los antagonista narcóticos ?

Son las drogas que bloquean la intoxicación y otros efectos de los opiatos sin crear dependencia física. Son muy útiles para tratar las dosis excesivas de opiatos y son útiles en el tratamiento de la dependencia. El termino narcòtico se refiere al opio y sus derivados también como los narcóticos sintéticos. Esta sustancia tiene la propiedad de aliviar el dolor y producir el sueño. Sus derivados son la morfina, heroína, codeína, papaverina y otros que intervienen con el opio formando parte de sus componentes como el exilir aregórico y la tintura de láudano, algunos son usados en las medicinas. Como sustancias narcóticas podríamos mencionar el Demerol, Dolophine y el percodan. Los peligros de la droga es de acuerdo a la cantidad que se use y de la forma que se consume. Los diferentes tratamientos de psicoterapía están basados en un proceso intelectual opuesto a la experiencia del usuario. La terapía psiconalítica tradicional se concentran en las experiencias de la niñez y el pasado de la persona. Hay otras terapías basadas en los conceptos de Geltat, en la que se busca la comprensión del comportamiento y se buscan medios de enfrentar la situación. Hay tratamientos de grupos conducidos por el terapeúta o por los mismo adictos para abrir canales de comunicación.

ESTEROIDES

Los esteroides anabólicos son una versión sintética de la hormona masculina testosterona que fué desarrollada en el 1960 por el doctor John B. Ziegler, quién más tarde en una declaración a la revista Sport Ilustre dijo que hubiera deseado poder sacar este capítulo de su vida. Los esteroides ayudan a las personas que son deportistas a desarrollar musculatura cuándo se trata de levantar pesas o mantener gran resistencia, los efectos secundarios son enorme de complicados. Muchas de las personas que usan ésta droga están concientes de los efectos o de las reacciones adversas.

Piensan que los problemas de mal funcionamiento sexual, las erupciones cutaneas el incontrolable arrebato agresivo, el acne es muy posible que sean consecuencias inmediatas. Un largo plazo pueden ocurrir entre otras serias enfermedades cardíacas o tumores en el hígado.

Se argumenta que los esteroides ayudan algunas personas a recuperarse de ciertas lesiones.

Actualmente no es muy frecuente que se receten éstas drogas, cuándo se han usado en tratamientos para ciertos tipos de cáncer o por alguna causa rara, incluyendo el llamado agíoedema hereditario. Hace más de trenta (30) años que los esteroides fueron usados por los rusos y los europeos del este, dominando a sus atletas en algunas competencias deportivas internacionales, puesto que aprendieron que éstos se sentían más fortalecidos usando hormonas masculina llamada testosterona. Los atletas comunistas obtuvieron muchas victorias, gracia a éste método. Aquellos atletas varones que usaron exageradamente la hormona masculina tuviron que ser caterízados insertandóles un tuvo en el conducto urinario para poder orinar. En el caso de las mujeres atletas que exageraron el uso de la hormona mostraron una apariencia tan masculina que tuvieron que someterse a pruebas de cromosomas para probar que eran mujeres.

Las testosterona ejerce varias funciones en el cuerpo, entre otra cosa estimula el desarrollo de los huesos, músculos, piel y el cabello, también producen cambios emocionales. El cuerpo produce de dos a diez miligramos de testosterona al día en una persona adulta. Los levantadores de pesa saben que tendrán que tomar muchas veces al día la droga. Cuándo los hombres usan mucha testosterona las reacciones pueden ser muy variables, pueden darze el caso de que el crecimiento del esqueletón disminuya y que se produscan atrofia encogimiento de los testículos, baja el conte de espermatozoides y la calvice. Las mujeres produce muy poca cantidad de hormonas, cuándo se usa esteroides va adquiriendo caractéristicas masculina.

A pesar de toda la lista de los efectos adversos y complicados secundarios provocados por los esteroides aún no es lo larga que debería ser. Esto es así porque todavía no se ha estudiado en cantidades y combinaciones con otras drogas que actualmente están siendo usadas por muchos levantadores de pesa. No se ha tenido en cuenta las reacciones adversas resultantes del uso de esteroides cuándo se mezclan con otras drogas que lo cúal puede producir una interación no deseada en los efectos secundarios de los esteroides. Auque los esteroides no son prescriptos muy amenudo siempre existe el mercado negro para suplir la demanda. Los compradores tienen que tener mucho cuidado el mercado negro se surte de esteroides producidos por laboratorios clandestinos dónde la calidad y la pureza son dudosa.

Recientemente el mercado negro en los Estados Unidos sufrío un golpe a consecuencias de una investigación federal, encontraron que 34 personas fabricaban el producto y lo distribuian controlando los esteroides falsificados fueron arrestados. La Liga Nacional de Fútbol Americano incluyó la prueba del uso de los esteroides anabólicos en la lista de las drogas cuya prueba hacen a sus jugadores. Lo mismo fueron examinados por primera vez en el 1989. Lee Hove Mr. Olimpia dice que el aumento de la musculatura por los esteroides es únicamente temporal. Dedícate a perfecionar tu cuerpo de la mejor manera posible, evitando el uso de esteroides y concentándose en un buen entrenamiento y una buena nutrición en otras palabras no pierdas para ganar.

Lo que puedes perder con los esteroides:

Efectos secundarios reacciones producida por las drogas

1. Acné
2. Cáncer
3. Aumento del colesterol
4. Crecimiento del crítoris en las mujeres
5. Edama retación de agua en los tegidos
6. Dano tetal

7. Frecuente o contínua erección en los varones y adultos
8. Disminución del buen colesterol
9. Enfermedades cardíacas
10. Hirsutismo (crecimiento excesivo en la mujer
11. Incremento frecuente de erecciones en los jóvenes
12. Incremento del riesto
13. Tumores en el hígado
14. Agrandamiento del pene en los muchachos jóvenes
15. Edena (infamación en las piernas)
16. Ojos y piel amarillenta
17. Encojimiento de los testículos
18. Dolor de cabeza
19. Alta presión

FENCYCLIDINA PC.P.

P.C.P. es un derivado de otras drogas que producen intoxicación extremadamente severa y tienen una conducta duradera, debido a los efectos dañinos que produce ésta droga son síntomas de confusión. Se están haciendo esfuerzos para desarrollar y deseminar información comprensible acerca del P.C.P. Para proveer adiestramiento a los médicos y los profesionales en salud mental a fin de que reconoscan y traten los problemas con el uso de P.C.P. El uso de está droga puede suceder una emergencia psiquíatrica debido a percepciones falsas de esquizofrenia, hostilidad confusión y una tendencia hacia la violencia, además de una conducta extremadamente desordenada. La información actualmente disponible muestra que hay ninguna de las señas de intoxicación por el P.C.P.

Señales y tratamiento:

Dependiendo de la dosis como es administrada y el termino que ha transcurido desde que se usó.

P.C.P. puede producir síntomas entre un estado comatoso a una conducta violenta agitada.

Debido a su conducta tóxica y las propiedades anestésicas los individuos pueden aparecer como víctimas de accidentes automóbilistico, quemados o ahogados. Sobredosis o dosis moderadas pueden ocasionar estupor o coma, los cúales pueden envolver ataques y vómitos. Auque no hay un antidoto específico para el P.C.P. el tratamiento sintomático puede proveerse. Si el paciente ha ingerido un lavado gástrico puede recuper grandes cantidades de la droga que ésta en el estómago. Los problemas clínicos que han sido asociados con una sobredosis o intoxicación aguda por el P.C.P. incluye depresión respiratoria, status epiléptico, hemoragia intracelebral myoglobulinuria con fallos renales encefalo, patía, hypertensiva, ataques hyperrexia y arresto cardíacos. Las señales vitales y la respiración del paciente deben ser observadas y deben de asegurarse una ventilación adecuada. Sin embargo, se aconseja tener cuidado si se usa el tubo endotraqueal puede precipitar espasmos de la laringe. Para controlar los ataques el uso de valium en dosis de 10-15 mg han sido efectivos. La fenciclidina se desarrollo en un principio como un tranquilizante para usarlo en los animaleas, tiene efectos violentos. Por lo general los jóvenes ni siquiera saben que es lo que contiene ésta droga, cuándo se les hace creer que el cigarrillo relleno de peregil está rociado con P.C.P. O cuándo la forma cristalina del P.CP. Se la venden como ácido lesérgico (LSD) se sabe que algunas de las nuevas drogas de diseño son ligeras varias químicas de las que existen ocasionan daños permanentes con sólo una vez que la use.

MIRISTICINA

La miristicina, es una sustancia psicoactiva que proviene de la nuez moscada. Algunos usuarios de droga han probado ésta droga pero apenas la vuelven a usar por los efectos fisiológicos asociados, son fuertes y desagradables, la nuez moscada se sique usando.

BUTOTENINA

Ésta sustancia se encuentra en el rapé de la cohoba, resulta ser mortal cuándo se toma por vía vocal. Se puede extraerse de las pieles de ciertos sapos y de un hongo con manchas carmes, este hongo tiene muscarina que es muy peligroso para la persona que lo usa. Las personas que han usados ésta droga encuentran difícil describir y pronòsticar los efectos. Para algunas personas el consumo del PC.P. cambia la forma en que el consumidor ve su propio cuerpo y las cosas que lo rodean. Se ve afectada la coordinación muscular y la visión, se embotan los sentidos del tacto y el dolor, se hacen más lentos los movimientos del cuerpo.

Desde el 1966-1968, el P.C.P. decayó debido a que surgieron evidencias de amenazas al ser usada por los jóvenes con el propósito de alteración mental. En el 1973, se presento una mayor utilización de ésta droga. En el 1975, los reportes del consumo de ésta droga en las salas de emergencias en los hospitales en los Estados Unidos era de un 24 por ciento cada vez una frecuencia mayor de reportes de intoxicación y de casos de muertes provocados por ésta droga.

En un estudio hecho en California un total de 105 personas respondieron a estímulos tenían los ojos cerrados y no podían hablar, por lo común las dosis dura 24 horas, pueden permanecer en coma por semanas. Los estudios hecho relacionados a ésta droga en los Estados Unidos señalo que un 65 por ciento de las muertes estabán relacionadas con el P.C.P.

Una intoxicación aguda produce un estado de confusión y una conducta violenta. A pesar de que el individuo está consistente puede no responder mostrando una mirada vacía. Mientras el individuo puede ser comunicativo es por el amnéstico que contiene la droga. Se reportan suicidios durante de regreción de 6 a 24 horas después de haberse ingerido la droga.

La presencia de la droga se puede detectar en la horina y en la sangre, el usuario regresa a su estado normal después de las 24 horas. Algunas personas continuán un estado de confusión.

Ésta droga produce una psicosis tóxica aguda, tienen episodios de esquizofrenia, alucinaciones hostilidad, terror, pensamientos confusos y paranoia. La meta inicial de tratamiento deben considerarse que estos individuos son muy peligrosos para si mismo y para otras personas que lo rodean. Se requiere hospitalización inmediata para tratar la psicosis que produce la droga.

El paciente tiene que estar aislado con constante observación. Esto ayuda se vende en la calle en polvos, tabletas, o capsúlas. La forma de sal hydroclorada es la forma más común de ésta droga.

Ésta droga es soluble en agua y ethenol. El polvo se conoce como polvo de ángel o cristal.

Los usuarios la mezclan con mariguana o con un vegetal como el recao, orégano para fumarla.

Rara es la vez que se inyecta en las venas, también se mezcla con otras drogas, la preparan en tabletas con el nombre de HOG.

En el 1926, la fenciclidina fué sintetizada, comenzó en la segunda mitad del 1950, cuándo las investigaciones del laboratorio Park Davis iniciaron estudios acerca de este anestésico. Para el 1957, en los Estados Unidos se realizaron comprobaciones para aplicación de los seres humanos.

Actualmente su único uso clínico se realiza como anestésia en los hospitales de los veterinarios.

? Cuáles son los efectos?

Los efectos del PCP son latidos en el corazón, presión sanquínea, acaloramiento, sudores mareos. Cuándo se usa en grandes cantidades los efectos son convulciones, coma, puede producir la muerte. La presencia del PCP puede detectarse en la orina y en la sangre.

La intoxicación aguda puede resultar en atoxia severa, rígida, desosiego motor, movimientos respectivos similares aquéllos exibidos mientras está en coma. El paciente se controla mejor mediante el aislamiento sensoral, con la observación y el control de señas vitales.

Las drogas antisicòticas particularmente las fenotizinas pueden ser contradicativas en la intoxicación por el PCP.

EL TABACO

El tabaco fué cultivado por primera vez por los indios del norte de América, cuándo los exploradores llegaron América encontraron que los nativos usaban el tabaco casi de la misma manera que se usa hoy día. Los indios usaban el tabaco en las ceremonias religiosas y también como medicina. El tabaco se introdujo por primera vez en Francia en el 1556 después llegó a Portugal en el 1558 en España llegó en 1559 y después fué a England. El nombre del tabaco fué derivado del tubo que los indios dominicanos usaban para inhalar el humo. Los primeros del origen de la cultura del tabaco fué por los colonizadores blancos de América. Tuvo lugar en las siquientes poblaciones, en el 1531, llegó a Cuba en el 1580, fué al Brazil en el 1600, llegó a Jamestown V.A. 1612, por John Rolfe, fué llevado a Maryland 1631, donde comenzó la producción del tabaco. Habían problemas económicos siquiendo la revolución Américana hubo una gran expansión cultural desde la colonia de Virginia, Maryland, Kentucky, Tennesse Carolina y Missouri.

En Inglaterra se polarizó el fumar por medio de Walter Raleigh que trajo las plantas y los utensilios a América. Hubo una oposición grande que incluia penalidades y hasta la pena de muerte. Muchas personas creián que la planta del tabaco tenía poderes curativos. En el 1659, el doctor Evered recomedó en Londres el uso de la hoja del tabaco para las lociones, polvos extractos, unguentos, para curar dolores del cuerpo, refriados, jaqueca, sordera, quemaduras heridas, mordeduras de perro rabiosos, y para las lombrices. Sin embargo el doctor Tobias desconfió del tabaco porque obscurecia la visión, la persona tenía pérdida del apetito, resecaba la garganta y el cerebro, inducía temblores afectaba los pulmones y el hígado. En el 1971, el senado aprobó un proyecto de ley que prohibía la publicidad a favor de los cigarrillos en la televisión y la radio. El tabaco se propago en el continente europeo y en el américano después del descubrimiento de América cuándo Cristóbal Colón mandó un grupo de hombres a explorar la isla de Cuba en el 1492, estos hombres regresaron con relatos de que allí fumaban tizones encendidos. En el año 1502 estaba el tabaco en Sur América, al explorarse el continente se puso de manifiesto el hecho de fumar una costumbre.

En los Estados Unidos, el consumo de cigarrillos llegó a un nivel muy alto en el 1969. Se calculó que 30 millones de personas dejaron de fumar. En los países de Dinamarca, Noruega, Suecia y la Unión Soviética estaba prohibido el anuncio comercial de los productos de tabacos.

Francia y Inglaterra la publicidad de los cigarrillos fué excluida de la televisión. 60 millones de personas siquen fumando en Estados Unidos. En el 1624, los Turcos pusieron la pena de muerte para aquéllos que fumaban. El emperador de Rusia ordenó que a los que fumaban se les cortara la nariz y los que eran extrangeros si los cogían fumando los deportaban. En algunas colinas de América era el producto principal. Hoy día la industria del tabaco es una de las fuentes de ingreso más importante de los Estados Unidos con un valor de 100mil dólares al año.

En el tiempo colonial se modificó el método de curar el tabaco al fuego, primero fué en Virginia después fué en North Carolina en el 1825. El método del carbón produce un efecto diferente eliminando el humo de la aroma. Luego éste modelo fué modificado por el horno usando un metal y un tubo de escape para lograr el mismo resultado. El tabaco de comercio es derivado de nicotiana tabascum nativo de Sur América, México y las Indias Orientales. N Rústica fué la especie cultivada por los indios de la parte este de Norte América, también fué cultivado en Turquía, U.S.S.R., la India y otros países de europa.

Éstas dos clase de nicotina fueron escritas en el 1753. Todas las especies de nicotina son derivadas de América con la excepción de N. Suaveolens que es natural de Australia.

La planta del tabaco produce 1, 000, 000 semillas. Las dos clase de tabaco tienen un contenido alto en alkaloid que es la N. Labacum Rústica. Las plantas del tabaco se desarrollan según las condiciones del clima y la tierra. En los Estados Unidos es la producción más grande que hay después le sique China, India y U.S.S.R.

LAS DROGAS Y LAS MEDICINAS

Las drogas fueron parte de nuestra civilizaciòn desde hace 5, 000 mil años atrás. Los aborígenas Australianos considerados como la cultura más primitiva de la tierra, masticaban las plantas para tener efectos narcóticos. Nuestros antepasados prehistóricos usaban las raices de las plantas como medicinas. Una de las civilizaciones más antiguas eran los Sumarios que a lo largo del valle Eufrates, Tigres, hicieron medicinas usando éstas raices y la corteza de los árboles cinco mil años atrás, éstas costumbres egipcias contenían sustancias que eran drogas.

La búsqueda del hombre en la medicina han llegado a las selvas de Sudamérica dónde se originó el curarse con los hechiceros usando las plantas y las hiervas que nos han traido muchas medicinas útiles. El problema de las drogas es más difícil que la búsqueda de las medicinas nuevas.

El problema de las drogas es uno de los grandes dilemas médicos y sociales que nacen del abuso de las drogas. Hay tantas clases de sustancias alrededor de nosotros que nos afectan y penetran en nuestro organismo al respirar inhalamos monóxido de carbón, hidrocarbutos, óxido de nitrogeno de los carros, bioxido de azufre y el hollin de las chimineas la cual son drogas peligrosas.

Las Drogas de los antepasados:

El testimonio más viejo es de cuatro mil (4 mil) años. El uso de las drogas fué encontrado en una escripción egipcia dónde habían remedios caseros. Mucho tiempo después un médico egipcio enúmero unos cuántos remedios con más de 500 drogas. De estos remedios habían unos cuántos que eran para los niños que lloraban, un tes de la semillas de la amapola que era la fuente del opio.

Los griegos, uno de los primeros que evaluaron los medicamentos votaron muchas de las drogas que habían encontrado. En Roma se reoganizó la preparación y la venta de las medicinas griegas.

Las recetas se hacían cuidadosamente con pocas cantidades de ingredientes específicos.

En la China, el emperador Shen Nug que gobernó por 48 siglos codificó 300 hierbas como medicinas buenas y malas. En la cultura precolombiana los indios masticaban la hoja de la coca.

Los indios Peruanos al igual a los Incas masticaban las hojas. En europa los monasterios fueron fuentes de informació tomada de los textos griegos y romanos, las monjas y los sacerdotes hicieron drogas con hierbas caseras como la mostaza, hierbabuena y otras plantas que eran para remedios caseros. Algunos de los monjes que eran farmacéuticos fueron los primeros en destilar licores. Ésto fué en la edad media cuándo se forjo el vincúlo entre la religión y los grupos médicos en ese tiempo muchas de las monjas eran enfermeras.

MEDICAMENTOS PSIQUIÁTRICOS

Las sustancias son raramente abusadas en la calle, pero pueden obrar recíprocamente con las drogas ilícitas o recetadas en dosis excesivas. Medicamentos que son para trastornos del estado de ánimo, anti-depresores, medicamentos que son efectivos en tratar la depresión mental incluyendo amitripilina, elevil, desipramina, norpramina, tofranil, floxetina y prozac.

Medicamentos para los esquizofrénicos:

Algunos de los peores síntomas de esquizofrenia son alucinaciones, una conducta grotesca, muchas veces son aliviadas con medicamentos "anti-psicóticos tales como la clorpromacina thorazine, tiridacina, mellaril, haldol navene, trifluoperacina, stellazine, flufencina, prolixin tioticina, halperidol, y la nueva droga clozapina.

Un aviso sobre las drogas que no requieren receta médica, que se pueden comprar en la farmacia o sea "over the counter" medicamentos para las alergias o catarros que contienen alcohol son los estimulantes expectorantes, narcóticos, analgésicos y descongestionantes. Medicamentos descongestionantes tienen un efecto estimulante las más extensamente usadas son seudoefedrina sudafet, fenilpropanolimina, epinefrina, adrenali, teofilina y aminofilina, éstas drogas tomadas en combinación con cafeína pueden resultar en un ataque de ansiedad.

Drogas despetadoras no requieren una receta médica por lo general contienen dosis grandes de cafeína y drogas de dieta no recetadas muchas veces contienen estimulantes como fenilpropanolimina. Es recomendable que lean las etiquetas del producto para saber cuáles de las sustancias químicas ya citadas contienen el producto que le puede afectar a la salud.

NARCÓTICOS

El termino "narcótico" se refiere generalmente al opio y a sus derivados como los narcóticos de origen sintéticos. Éstas sustancias tienen la propieded de aliviar el dolor y producen sueño.

El opio adormidera o poppy-fruit es un arbusto de 3 a 4 pies de alto que hecha entre sus hojas una espiga que es la sostiene un cápsula que le hacen una inción cuándo está verde y brota un jugo lechoso que se endurece por oxidación al calor o al aire y pulveriza para su uso. La acción de ésta drogas es directamente sobre el sistema nervioso central. Puede producir una depreción en la respiración o la muerte por asfixie si se usa en dosis excesivas.

Las principales plantaciones de opio se encuentran en Turquía, Bulgaria, India, Yugoslavias Grecia y Irán. En estos países la siembra de opio ha sido autorizada bajo el control de las Naciones Unidas. No obstante, a pesar de todos los esfuerzos, en el mercado negro logran funcionar a sus anchas, constituye el el tráfico de drogas derivado del opio, uno de los negocios ilícitos de mayor utilidad en el bajo mundo. Los traficantes son los causantes de la adicción. Su derivados más conocido del opio son la morfina, heroína, codeína, papaverina y otros más, interviene con el opio formando parte de sus componentes, como el elíxir paregórico y la tintura de láudano. Es muy importante aclar que sólo algunos son usados en medicinas. En la actualidad están empleando sus derivados sintéticos que producen los mismo efectos sin las desagradables reacciones secundarias. Como sustancia narcótica sintética podríamos mencionar el demerol delopine y el percodan como los más comunmente empleadas. Todos son usados bajo estricta supervisión médica y no puede ser adquirida en el mercado sin receta médica, por otros canales resulta una violación flagante a la ley.

Los efectos que produce la adicción de narcóticos y las informaciones que brindamos más adelante, estarán relacionadas principalmente con la heroína, por constituir el uso de este narcótico el de mayor incremento en nuestra sociedad. La heroína es una sustancia derivada de la morfina que fué descubierta en el año 1898. Es un polvo blanco cristalino en estado químicamente puro. Se mezcla para el uso de otras sustancias, como el azúcar, leche, manito quinina y talco, varia en su aspecto y por consiguiente disminuye su potencial inicial. Se puede usar por vía oral y nasal, pero regularmente se administra en inyecciones siendo la vía intravenosa la más usada por el adicto. No tiene ninguna aplicación en medicina por la facilidad con que produce la adicción. Su manufactura es completamente ilegal y es llevada acabo en laboratorios clandestinos como producto del crimen organizdo. Son muchas las manos por las que pasa el producto hasta llegar a su destino final.

La dependencia física: Cuándo alguna persona usa y abusa de la heroína u otras drogas narcóticas demanda dosis cada vez mayores para consequir los mismo efectos que cuándo comenzó una tolerancia a la droga. El individuo que depende físicamente de la heroína intoxica su organismo de tal forma que si la suspende abruptalmente puede ocurrrir un colapso grave y puede morir por sobre dosis de droga al tratar de compensar las dosis que necesita. Si el adicto suspende la droga desarrolla un serie de síntomas de gran severidad, el sindrome de abstinencia.

La persona empieza a sudar, le da temblores, escalofríos, calambres abdominales, dolores de cabeza, dolor en los huesos, contracción y dolor en los músculos. Notará secreción nasal, puede elevarse la presión arterial y su aceleración después de las cuatro horas llega al máximo dentro de las 24 a 36 horas de la última dosis. Los hijos de madres adictas pueden sufrir el síndrome de abstinencia neoral al nacer. Los tratamientos modernos en los cuáles intervienen multilpes medicamentos ayudan al adicto a soportar ésta étapa de rompimiento o de retiro que pueden durar de dos a tres semanas dependiendo de la condición del adicto. La metadona puede usarse por mayor tiempo para desentoxicar o estabilizar al paciente. Existen otros tipos de dependencia asociada al uso de la heroína y otros narcóticos. El adicto llega a sentir un deseo ferviente por la droga, le es imprecindible como un escape para enfrentarse a los problemas y a la realidad de la vida.

El interes por el sexo decrese, lo reduce y hasta lo elimina en algunos casos. La adquisición de la heroína así como los productos con los cuáles se mezcla y los instrumentos que se utilizan para su administración, proviene de un mercado ilícito y las condiciones de higiene siempre son inadecuadas. De ahí que el uso de drogas por vía entravenosa aumenta los riesgos de enfermedad como abcesos, hepatitis y el sida. Según las encuestas del servicio de Narcóticos en los Estados Unidos en el 1969 se estimaron que habían 68, 000 mil adictos. En el 1970 subió a 321 mil y en el 1971 ascendio a 559, mil. Se reportó que del abuso de droga muerieron 2, 445 personas relacionada con la cocaína y la heroína.

Se puede ver el aumento de la adicción en los últimos años en los Estados Unidos. Una de las razones por la cuál se vende tanta droga en este país es porque Estados Unidos es un país rico hay más dinero para comprar droga, en comparanza a otros países pobres. Otra razón es que en los 51 estados de la nación se puede viajar con facilidad. A este país entran millones de imigrantes de todos los países que pueden ser portadores de la droga. Hay que recordar que miles de aviones, trenes, barcos llegan diario a los muelles y a los areopuertos del país.

Los narcóticos producen una sensación de euforia sequida por mareos, naúseas y vómitos.

Los consumidores pueden experimentar contracciones de las púpilas, lagrimeo en los ojos.

Una dosis excesiva produce respiración lenta y profunda, enfriamiento y humedad en la piel y convulciones. La tolerancia a los narcóticos se desarrolla con rápidez y con facilidad, produce dependencia. El uso de jeringas contaminadas ocasionan enfermedades como el sida endocarditis y hepatitis. La adicción en las mujeres embarazadas pueden provocar partos prematuros, fetos muertos o niños adictos que experimentan graves síntomas. Entre estos narcóticos están los siquientes heroína, codeína, opio, meperidina, y otros narcóticos analógos de fentanyl y mepridinas.

Para más información puedes llamar a los Narcóticos Anònimos (818-780-3951)

Centro Nacional de información sobre Alcohol y Drogas (1-800-say no 301)

Consejo Nacional sobre el Alcoholismo (212-2206-6770).

EL USO ADECUADO DE LAS MEDICINAS

1. Evite el uso regular y permanente de medicinas que se puedan obtener sin recetas médicas. Sólo deben de ser usadas para aliviar dolecencias menores y temporales.
2. Informe a su médico y a su farmacéutico sobre las medicinas que estás usando, así como las reacciones adversas que pueden desarrollarse al tomar medicamentos. Su médico y su farmacéutico podrán advertir y evitar posibles efectos de la combinación entre dos droga.
3. Lea cuidadosamente la etiqueta de la medicina cada vez que la tome.
4. Tome su propia medicina, no compartas tu medicina con otras personas. La medicina que su médico le receta es para usted únicamente. Síntomas similares pueden ser de diferentes enfermedades.
5. No tomes más de la dosis recetada, una cantidad excesiva pueden reaccionar de mala manera.
6. Mantenga las medicinas en su envase original firmemente cerrados. Cada medicina ésta envasada en el recipiente adecuado para protegerlas de la luz y la humedad. Nunca pongas dos medicinas en el mismo envase.
7. Deseches las medicinas viejas con fecha expiración vencida. Las medicinas con el tiempo cambian su potencia y se deterioran.
8. Nunca tomes medicinas en la oscuridad, prenda la luz y lea la etiqueta.
9. Guarde las medicinas en un sitio seguro fuera del alcance de los niños.
10. Progeja a sus niños, enseñeles a respetar las medicinas, explíqueles el propósito de la medicina.
11. Mantenga en su hogar algunas medicinas para usar en caso de accidentes leves, en us botiquín tenga antesépticos para cortaduras y quemaduras, aspirinas para niños para el dolor de cabeza o fiebre, gotas ofrálmologicas para irritación en los ojos, vaselina, alcohol, vendajes y algodón.

LAS MEDICINAS Y EL GUIAR

Una de las causas principales en los accidentes de tránsito se debe a que los conductores se encuentran intoxicados con licor o endrogado. En muchos casos el uso excesivo del alcohol no es la única causa de la intoxicación puede ser el uso de medicinas recetadas, al combinarse con el alcohol produce intoxicación. Si estás usándo medicamentos nunca debes de usar bebidas que contengan alcohol. Debido al uso común de las medicinas muchas personas desconocen los efectos secundarios que pueden producir por ejemplo, le puede dar sueño, mareos, esto afecta la habilidad de quiar puedes tener un accidentes. Las medicinas en este caso son desde narcóticos estimulantes, tranquilizantes o remedios para el catarro como los antihistamínicos, son medicinas utilizadas para aliviar la congestión nasal debido al catarro, alergias y otros males.

Algunos de estos preparativos son los siquientes:
1. Ornade
2. Plaramide
3. Actifed
4. Comtrex
5. coricidin
6. Vicks formula 44
7. Vicks nyquil

Los tranquilizantes son relajantes musculares que afectan algunos reflejos y alivian la tensión mental. A su vez pueden causar efectos secundarios tales como sueño y mareos. Entre los representativos más comunes se encuentran los siquientes:
1. Librium
2. Valium
3. Equanil
4. Ativan

Estos medicamentos deben de usarse bajo el cuidado de un doctor. El uso combinado de medicinas recetadas o no recetadas cuándo se mixturan con el alcohol son peligrosas. El uso combinado de alcohol y medicinas puede causarle un estado de coma o muerte. Consulte al doctor o al farmacéutico si la medicina recetada interfiere con el quiar. Si usted no puede dejar de quiar debe consultar al doctor para saber a que hora puedes tomarla para que no interfiera con el quiar.

Esperar que termine el tratamiento, usted debe estar alerta a cualquier medicina recetada que produsca sueño o le de mareos. Si usas metadona o cualquiera otra droga no debes de usar ninguna clase de medicinas porque puedes tener resultados graves.

UN CARÁCTER SANO

El carácter que llamamos transcendencia es la que hace que uno no esté satisfecho con su vida y con lo que ha logrado en ella. Este sentir permite que uno pueda superar contratiempos en forma madura sin llegar a la desesperación. Si los padres por nuestras propias insatisfaciones con nuestras vidas recurrimos al licor a las píldoras, tranquilizantes o estimulantes para poder vivir estamos enseñando sin querer a nuestros hijos que antes la insatisfación la tensión y los problemas la solución es el uso de sustancias químicas.

Ahora bien, ?qué podemos hacer cuándo sospechamos que un hijo está fumando marihuana usando cocaína o droga? Primero, no apretar el botón del pánico. Analicen si sus sospechas tienen fundamentos. Recuerde que existe una diferencia entre probar una droga, usarla y ser un adicto. ?Qué le hace pensar que su hijo pueda estar usando drogas? Algunos indicadores pueden ser el que haya perdido interés en la escuela que tenga bajos aprovechamientos para su capacidad intelectual, en que se encierre en su cuarto o en el baño por largos períodos de tiempos, el que no hable de lo que hace fuera del hogar ni con quién ha estado y muchos otros más. Siéntase con su hijo y discuta sus preocupaciones sin alterarse. Haga clara su oposición a las drogas, alcohol y los scigarrillos, si lo ha venido haciendo a través de las drogas ilegales y tienen efectos novicios sobre el organismo. El no hacer clara su oposición es interpretada por los jóvenes como un endorso a su uso. Dígale que le preocupa su uso por el efecto a su organismo y a su salud.

Muchos jóvens experimentan con drogas por sequir la corriente y no porque tengan fallas en su carácter y las dejan de usar porque no las necesitan y no les llenan ninguna necesidad psicológica. Esto sucede porque ignoran el daño que las drogas le producen a su cerebro y a su organismo.

Discútelas con tu hijo en forma normal sin sermoniar ni regañar. Los jóvenes responden a ese tipo de acercamiento. Si tu hijo está usando drogas y tu lo sabes a ciencia cierta, no tapes el cielo con la mano, discútelo francamente con él o ella, trata de ayudarlo a compartir contigo su problema. Si tu ayuda falla en lograr que deje de usar la droga, busca ayuda, insiste en que valla con tigo a un centro de rehabilitación o un profesional especializado en estos casos.

Lo harías si sufrieras de otra enfermedad. El tiempo es de primordial importancia, no esperes a que desarrolles dependencia en la droga y esté físicamente enfermo para buscar ayuda.

Entre más tiempo pasa mayor la posibilidad que desarrolle dependencia a la droga y esté físicamente enfermo para buscar ayuda. Pero cuándo trates de convencerlo de que busques ayuda, no le digas que es para complacerte a tí o a otra persona, recuerda que con frecuencia el jóven es egoísta, dile que lo debe hacer para mantener su cuerpo y el cerebro sano, para poder lograr lo que a el le interesa lograr. Hay quienes creen que no podemos bregar con efectividad con el problema de las drogas, Si, podemos ayudar a nuestros hijos, los padres tenemos las herramientas para poder hacerlo.

El estudio de la conducta humana por Baumrid (1983) concluyó después de estudiar el problema de la adicción a las drogas, dice que los hijos de padres que imponen controles son demandantes en forma razonable y en un contexto de cariño y cálidez son receptivos a la comunicación con sus hijos y les permiten desarrollar la independencia apropiada a su étapa de desarrollo, producen ciudadanos socialmente responsables, que no necesitan recurrir al uso de drogas.

Vamos todos como buenso padres a luchar por proveer este tipo de crianza para lograr un desarrollo saludable a nuestra juventud, rescatar a los pueblos del terrible problema de las drogas y el alcohol. Recuerde que si no hay compradores no hay vendedores de droga. Las familias que conversan con sus hijos sobre este problema de drogas en un ambiente de amor, cálidez los ayudarán a definir quienes son y que quieren hacer con sus vidas. Estableciendo metas afincadas en ese conocimiento. Las características de un carácter sano es la capacidad para el compromiso psicológico con lo que sentimos, pensamos en el mundo que nos rodea. Tenemos que ayudar a nuestros hijos a desarrollar un sentido con ellos mismos insistiendo que cumplan con su palabra con sus responsabilidades y con sus tareas. Enseñémosles con respeto a gozar y disfrutar por el debido cumplimiento y envolverse con las cosas que le son importante para el. Los jóvenes comprometidos con ellos mismos, con la familia, la iglesia y la escuela rara vez necesitan drogas para buscarle significado a la vida.

La capacidad de dar de uno mismo que llamamos generatividad es otra cualidad esencial en el carácter sano, es indispensable para poder ser un padre efectivo. Esta capacidad que se comienza a forjar desde la niñez hasta llegar a ser un adulto permite de si a compartir lo que se sabe y lo que se tiene. La capacidad de generatividad se forma através del desarrollo cuándo enseñamos a nuestros hijos con el buen ejemplo a respetar a los demás. Sólo así podran ellos aprender a dar de si mismo en el hogar y establecer relaciones significativas con otras personas.

SER ADROGADICTO

Se eligen jóvenes quienes primero se les invita a fumar un cigarrillo de mariguana, la primera vez provoca náuseas, Se les enseña a inhalar fuerte por lo menos tres veces lo que provoca mareo y después sed y hambre. El inexperto sufre ligeras confusiones al transcurso del tiempo, le parece como si este se hubiera detenido y por las noches tiene pesadillas. El enganchador continua su labor ofreciendo nuevos cigarrillos y explican que solamente la primera vez hay naúseas y después es diferente, percibe una sensación de superioridad. Después vienen las asociaciones los toxicómanos se juntan y organizan fiestas y reuniones, se introduce una modalidad, usan pastillas que se disuelven en los refrescos de sodas. Éstas pastillas generalmente son las llamadas seconal tuinal, nembutal, amitalm, es decir barbitúricos, llamados así porque son derivados del ácido barbitúricos cuyo uso defintivamente produce dependencia física.

El efecto de los barbitúticos provocan sueño, muy parecido al natural. Durante el período de "enganche" los barbitúricos se usan como medio para rendir la víctima. Si es mujer las píldoras se usan para violarla y sí es hombre para que todas en el grupo lo sodomice, de tal manera que al despertar y darse cuenta del abuso de que ha sido objeto haya que darle la droga sin consuelo y nada mejor que "atizarle" un cigarrillo de mariguana. Cuándo la víctima empieza a sufrir dolores de cabeza, en la piel, los brazos, las pierna, el estómago y los huesos se sabe que es el resultado de la droga, aparecen los síntomas de un fuerte resfriado con temblores en todo el cuerpo, luego viene la fiebre y el enganchador fingiéndose y deseperado exclama! Tu lo que necesita es algo mejor y más fuerte y sin agregar más le aplica una inyección!

Debe tenerse presente que la juventud es una étapa experimental y que los adultos de hoy pasaron también por ella y que su curiosidad no los condujo a probar las drogas, si los provoco a probar el alcohol. Si un jóven no se detiene en la étapa de la pura curiosidad, si no se crea un hábito o una dependencia, eso indica que busca algo de él y que las drogas le han habierto las puertas, es decir que tiene un grave problema. Hay que saber encontrar ese problema y para eso hay que saber escuchar con atención. Tomar drogas es un acto extremo, el jóven se encuentra con un problema tan grande que el no puede resolver. Antes este problema el padre reafirma el complejo de culpabilidad en el juicio. Si el muchacho desarrolla dependencia física por la droga y se convierte en un adicto el problema ya no puede ser resuelto únicamente con la habilidad y la comprensión paterna. Se requiere la colaboración del médico, del maestro y en ocasiones la de un sacerdote.

La atención de un sicólogo o un siquiatra no ayudaria tanto como llevarlo a un centro de rehabilitación.

La mayoría de los casos los jóvenes necesitan ayuda de un adulto que los entienda y los escuche.

Los jóvenes deben de formar clubes y agrupaciones con la policia donde los policias conviven en las actividades recreativas. Estos centros culturales y deportivos serían una garantía contra los malos pasos que puede dar un jóven. Deben en tal virtud crearse escuelas profecionales de formación policial y centros de entrenamientos, impartirse cursos de las diversas ramas de la criminalístas, organizar conferencias centros educativos acerca de la prevención, persecución del crimen. Así los padres ayudaran a sus hijos desde que son pequeño a pertencecer a diferentes grupos sociales como la liga atlética policiaca, grupos de baile, artes marciales juegos de pelota niños escuchas, grupos religiosos, grupos de canto, y otros grupos que hay en la comunidad. Cuándo estos niños se crian en éste ambiente sano es difícil que usen drogas, alcohol, o alguna otra sustancia que les perjudique su cuerpo su mente y su futuro. Cada año crece el abuso de las drogas entre los jóvenes creando enfermedades, crimenes y muertes a una edad temprana.

Lo que ha sido la heroina, cocaína el alcohol y otras drogas han pasado por todas las ciudades como una bola de fuego. Los jóvenes de hoy día no viven la misma vida social de tiempos pasados. En Estados Unidos se mantiene la droga ilicita en el grado más alto más que nunca otra nación. Según las encuestas veinte años atrás habían menos de un tres por ciento del uso de drogas ilicitas, en el presente hay tres cuartas parte de la población han usado drogas de una manera ou otra. Esto es debido a la presión de los jóvenes (peer pressure) y otros la tratan por curiosidad. El porque el uso de droga y alcohol para muchos ha sido para sentirse bién otros para cambiar su modo de vida o para escaparse de los problemas o para aliviar la tensión y el peso de una vida agitada. Porque tantas personas usan drogas o alcohol cuándo hay un problema como si la droga o el alcohol le fuera a resolver el problema, no es cierto que lo que sucede es crear otro problema. Las drogas y el alcohol no es la manera de solucionar problemas, hay otras maneras de resolver problemas.

TU HIJO USA DROGA

Los jóvenes usan drogas por varias razones no hay un sólo factor que determine quiénes usan drogas y quiénes no la usan, pero sí existe algunos indicios de evidencias. Las evidencias son las siquientes.
1. bajas notas en la esuela
2. Comportamiento agresivo y rebelde
3. Falta de apoyo y respeto a los padres
4. Problemas de comportamiento a temprana edad
5. Familiares y amigos que usan droga o alcohol
   Advertir los síntomas del uso alcohol y otras drogas requiere estar alerta. A veces resulta difícil advertir la diferencia entre el comportamiento normal de los jóvenes y el comportamiento causado por las drogas. Los cambios extremos o que persisten por espacio de más de uno pocos días pueden ser señales del uso de drogas.
Si su hijo parece retraído, deprimido, cansado y descuidado en su aspecto personal póngale atención se ha deteriorado sus relaciones con otros miembros de la familia. Ha dejado la amistad de sus viejos amigos. Esté alerta a los indicios del uso de droga y la presencia de artefactos utilizados para ingerir drogas. La posesición de efectos comunes cómo pipas, papeles para hacer cigarrillos, pequeños frascos de medicamentos, gotas para los ojos, encendedores de butano puede ser indicio del uso de drogas. Aún cuándo los indicios sean claros generalmente después de que los jóvenes han estado usando drogas por un tiempo a veces los padres no requieren reconocer la posibilidad de que sus hijos tengan problemas con las drogas. Sí su hijo esta utilizando drogas es importante que usted en vez de culparse por el problema, más bién procure buscar ayuda lo antes posible para resolver el problema.
Presión para los padres:
?No le va bién en la escuela, han empeorado sus notas, falta mucho a la escuela?
?Ha perdido interés por los deportes y otras actividades favoritas?

?Han cambiado sus hábitos de comer o dormir? Una repuesta afirmativa a cualquiera de éstas preguntas puede señalar el uso de droga, alcohol y otras drogas. Sin embargo los primeros síntomas pueden estar también en los jóvenes que no usan droga, pero pueden estar experimentando otros problemas en la escuela o en la familia, sí tienes duda busca ayuda. Haga examinar a su hijo por un doctor o en una de la clinica de la comunidad para eliminar la posibilidad de enfermedades o problemas fisicos.

En primer lugar, no enfrente a un jóven que este bajo los efectos de la droga o el alcohol. Busque la ayuda de otros miembros de la familia, si fuera necesario para respaldar las observaciones. En segundo lugar, imponga el castigo que la familia haya establecido por infringir las normas y hágalo con firmeza. No se hablande sólo porque el jóven le prometa no volver hacerlo. Muchos jóvenes mienten acerca del uso de drogas o alcohol. Sí usted cree que su hijo no está diciendo la verdad y las pruebas son suficientemente evidentes hágalo evaluar por un profesional en diagnosticar adolescentes con problemas relacionados con las drogas o el alcohol.

Sí su hijo ha desarrollado un hábito de larga duración o sí está acostumbrado a utilizar altas cantidades de drogas, entonces usted necesitará ayuda profesional. Sino conoces programas de tratamientos de droga o alcohol en la comunidad. Su distrito escolar debería tener un coordinador de programas contra el abuso de drogas y alcohol. Los padres que los hijos han participado en programas de droga y alcohol pueden fererirlos a los programas en la comunidad.

Actividades sugeridas:

Dediqué momentos especiales en los que esté disponible para hablar con su hijo. Procure prestarle completa atención. Una caminata juntos, una cena en un lugar tranquilo, una visita a una heladería después del cine pueden facilitar la conversación. Estimule a su hijo a participar en actividades sanas que le permitan hacer nuevos amigos y divertirse sanamente. Los deportes, las actividades de los niños escucha (boy scouts) organizaciones juveniles auspiciados por la iglesia o por la comunidad constituyen excelentes medios para que su hijo conosca otros amigos de la misma edad. Enséñeles a conocer las formas sutiles en que se promueve el uso de drogas.

Analice la forma en que los niños se ven bombardiados con mensajes en la televisión, las letras de las canciones, carteles, anuncios en el sentido de que el uso de alcohol y drogas es atractivo. Distinga claramente entre los mitos y las realidades en cuánto al uso de drogas y alcohol.

Continúe practicando con las formas de decir no las drogas, recalcando maneras de rechazar el alcohol, las drogas y otras sustancias que son peligrosa para el desarrollo del jóven.

LA DELICUENCIA JUVENIL

En la actualidad, la conducta de los jóvenes que son adrogadictos se debe a la degeneración de la sociedad, el hogar, la familia, los hogares que no tienen un padre de familia y la deficiencia de la policia, la falta de un cambio de leyes en el país. La delicuencia juvenil se entiende al hombre y a las mujer menores de edad, con factores emocionales en conflicto entre sí y con la sociedad.

Dichos factores son la causa de la desadapción juvenil, la cual a su vez hace que los jóvenes se inclinen a recurrir al alcohol, las drogas y los cigarrillos. Participar en diversos delitos para llamar la atención que dice compensador sustituto de inquietudes provocadas por aquella desadapción.

El orígen de la desadapción juvenil es la falta de comprensión y el cariño de la familia y del medio ambiente, el cual es un factor importantísimo en el aumento de la delicuencia juvenil. La publicidad exagerada de algunos crímenes ejerce un efecto pernicioso en la memoria de los jóvenes. Ciertos programas de televisión, películas cinemotográficas, ciertos tipos de obras teatrales suelen producir en los jóvenes un efecto deporable.

Las enfermedades mentales son otra causa difinitiva de la delicuencia juvenil, dado que los retrasados mentales y en general los sicópatas no comprenden el mal que hacen a menos que estén recluidos en un hospital dónde se les de un tratamiento. Para ayudar a éstas personas con éstos problemas es necesario tratarlos con consideración, mostrarles amistad y comprensión aun cuándo el delicuente se muestre agresivo. Auque la policía los trate amigablemente deben ser firmes y apelar a la inteligenica a la razón y al sentido de la intuición. Dentro de un sistema de policía un delicuente juvenil debería obtener la libertad bajo palabra y bajo según sea el problema del jóven el cuidado de una persona mayor de edad y de un policía que entienda el problema. Ante el problema de la delicuencia juvenil la policía debe concentrar su esfuerzo en que los jóvenes tomen parte en los planes concernientes a su propio futuro.

Cuándo un jóven se ha desviado de las normas morales y el buen vivir en la sociedad señala a los progenitores como la causa de los defectos y fracasos del jóven. La desorientación, la mala costumbre, los vicios, los malos amigos, la falta de disciplina en el hogar, la falta de religión son los factores de la delicuencia juvenil que cada día empeora. Sí los padres están divorciados o el padre habitualmente ésta fuera de la casa, o que la familia carece de medios económicos dicen que esas son las razones por la cual el jóven usa la droga. Pero cuándo los padres son alcohólicos y la madre prostituta entonces la causa es evidente. Las estadísticas y los estudios del gobierno indican que entre más desarrollada es la comunidad más afectada se ve el problema de las drogas alcohol y la violencia. Este es un problema que puede presentarse en cualquier familia, por eso hay que estar alerta a nuestros hijos.

El consumo de droga cambia radicalmente el comportamiento de un jóven, especialmente si es un jóven rebelde, desobediente y peresoso, no le gusta hir a la escuela, no respeta a sus padres o a las personas mayores. Estos jóvenes que salen de la casa sin dar ninguna explicación a los padres o guardianes quiere decir que algo le esta pasando, evitan el contacto con las personas, solamente prefieren a sus amigos predilectos. La violencia, el crimen, la deshonestidad está acabando con los seres humanos especialmente con la juventud.

El abandono de los valores de los seres humanos la falta de religión se puede decir que ha producido un resultado trágico a la generación de nuestra juventud que serán los hombres y mujeres del mañana, estos han perdido el respeto a la ley a la propiedad y a la vida de los seres humanos. La situación como se puede ver en las noticias, los períodicos donde las balas, los revólver son las principales causa de las muertes de nuestros jóvenes. Según los reportes del F.B.I. en el 1960, la violencia ha aumentado al triple en la nación. El departamento de Justicia ha concluido que un 90 por ciento de los américanos serán víctimas de crimenes en algún punto de su vida. Actualmente el crimen en América es más alto que en Europa y más alto que en Canada. La epidemia de la violencia ha crecido tanto en los últimos años que da terror saber que nuestros jóvenes son los que están envuelto en ésta ola de crimenes. En los últimos años miles de personas han muerto en las calles a causa de la violencia más que los que murieron en la querra de Vietnan. Esta plaga de violencia en contra los ciudadanos inocentes se debe mayormente a la droga, alcohólismo las gangas, la falta de religión la venganza contra los inocentes seres humanos.

EL APRENDISAJE

El consumo de droga desintegra la autodisciplina y la motivación necesaria para el aprendisaje.

El elevado consumo de droga entre los estudiantes crea un clima y una atmósfera en la escuela que es destructivo para el aprendisaje. Esto puede provocar un desenso en el rendimiento escolar.

Esto se ha probado que es cierto en los estudiantes que sobresalen y los que usan drogas, los que tienen problemas emocionales. Según los estudios los estudiantes que consumem droga tienen el doble de obtener un promedio de notas bajas.

El consumo de droga esta ligado a la ausencia escolar, los niños que consumen drogas faltan a la escuela por lo menos tres veces mayor que los no consumen droga. Una quinta parte de los usuarios de droga se ausentan de la escuela. El consumo de droga esta relacionado con la mala conducta interrumpen la tranquilidad y la seguridad en la escuela. Las drogas no sólo se transforman en un mercado de distribución de drogas también llevan a la destrucción al estudiante. Los estudiantes consumidores de droga crean un ambiente de apatía, disilución. Las líneas telefónicas nacionales de urgencia para cocainómanos es de un 30 por ciento.

según las encuestas hechas a los jóvencitos de escuela dijeron que ellos le robaban a la familia con el fin de poder comprar droga.

Un ambiente de droga en la escuela es un factor disuasivo contra el aprendisaje no unicamente para los que usan la droga sino también para el resto de los estudiantes. Combatir el consumo de droga entre los estudiantes de la manera más eficaz debe de comprometerse toda la comunidad padres, maestros, agencias legales, escuela, grupos religiosos, servicios sociales, la policia de la comunidad, la iglesia y otros grupos más que quieran ayudar.

Todos deben de trasmitir un sólo mensaje, el consumo de droga es malo, peligroso, destructor y no será tolerado. Este mensaje debe ser reforzado con una ejecución legal y tomar medidas desiplinarias firmes y estrictas. El problema de la droga en la escuela puede ser vencido si todos ponen se su parte.

LOS PRINCIPIOS

Marika Wood

En las secciones anteriores se presentaron algunos lineamientos generales sobre la forma de hablar con los niños acerca de las drogas el alcohol y los cigarrillos. Podemos lograr que nuestros mensajes resulten más efectivos tomando en cuenta la base de conocimientos que los jóvenes ya tienen y su disposición a absorber nueva información según la edad que tenga pre-escolar.

La educación sobre drogas podrá parecer inecesaria para los niños en edad escolar, pero las actitudes y los hábitos aprendidos en los primeros años pueden tener una importante influencia sobre las decisiones que los niños tomarán más adelante. Los niños de tres o cuatro años de edad no están preparados para absorber datos complejos acerca de las drogas, alcohol y los cigarrillos.

No pueden aprender técnicas de toma de decisiones y resolución de problemas que más tarde necesitarán para rechazar las drogas el alcohol y los cigarrillos. Hay que recordar que a esta edad los niños no están en condiciones de escuhar en silencio y por mucho rato, tienen más interes en actividades de hacer otras cosas. Los padres que están muy ocupados se ven predispuestos hacer cosas por sus hijos. Con un poco de planificación pueden enseñarle los pre-escolares a tomar decisiones por medio de un enfoque de aprender mediante la práctica. Deje que sus hijos escojan una variedad de opciones que usted considere aceptable, cuándo hayan hecho la selección asegúrese de que se atengan a ella.

Actividades Sugeridas:

Los niños necesitan comprender las normas de la familia. Usted puede explicarle la necesidad de normas de seguridad en el tránsito y las normas de la escuela con las que ya están familiarizados.

Destaque la importancia de una buena salud hablandole de lo que la gente hace para mantenerse saludable, como cepillarse los dientes después de las comidas, lavarse las manos antes de comer, comer alimentos sanos, dormir y descansar los suficiente. Puede aprovechar esta conservación para destacar las cosas perjudiciales que la gente hace como usar droga tomar alcohol y fumar cigarrillos. Analice la forma en que los anunciadores de televisión procuran persudir a los niños a comprar sus productos, incluyendo cereales con adictivos altos en contenido de azúcar, caramelos y juquetes de personajes de tiras cómicas que atraen a los niños.

Háblales sobre las enfermedades que conocen y para las cuáles se necesitan medicamentos recetados muchos niños han sufrido infecciones en la garganta, oídos, gripe, o refríos. Hablar sobre tales enfermedades puede ayudar a los niños a comprender la diferencia entre los medicamentos y las drogas. Práctique con sus hijos la forma de decir no. Describa situaciones que puedan hacerles sentirse incómodos. Si se les invita a salir en bicicleta cuándo usted no se los permite, si le ofrecen dulces, medicamentos o sustancias desconocidas proporcióneles algunas repuestas para utilizar en esa situación.

Prepare una lista de personas en las que sus hijos puedan confiar. Ánote los números de teléfonos parientes amigos de la familia vecinos, maestros, líderes religiosos, departamento de la policía y bomberos, ilustre la lista con fotografía, explíqueles el tipo de ayuda que cada persona de la lista puede ofrecerles en diversad situaciones inesperadas, cómo cuándo se les acerquen personas desconocidas o cuándo pierden la llave de las casa. Destine regularmente ciertos tiempos en el que usted pueda dedicar completa atención a su hijo.

Jugar juntos, leer un libro o caminar en el parque proporcionan momentos especiales que ayudan a crear fuertes vínculos de confianza y afecto entre padres e hijos. Enseñele a su hijo las sustancias venenosas y perjudiciales que pueden hallarse en el hogar. Los artículos del hogar como los blanqueadores, la lejía, y los productos para lustrar muebles tienen etiquetas con advertencias que usted puede leer a su hijo. Mantenga fuera del alcanse de los niños pequeños artículos del hogar que pueden ser peligrosos. No guarde los alimentos con los que son peligrosos. Explíqueles que los medicamentos pueden resultar peligrosos si no se utilizan como es debido. Enseñe a su hijo a no tomar ninguna clase de medicina si usted no se la da o una persona adulta autorizada. Explíqueles porque los niños necesitan una buena alimentación y por que sólo deben de ingerir productos sanos. Haga que sus niños nombren varios alimentos sanos que ellos comen regularmente. Explíqueles en que forma esos alimentos los hacen fuerte y son saludables. Establesca lineamiento que enseñen a sus hijos el tipo comportamiento que usted espera de el. Enseñele las normas básicas para relacionarse con otros niños. Jugar con los amigos en una manera limpia, compartir los juquetes, decir la verdad siempre, tratar a los demás en las misma forma que desean ser tratado.

Estímule en sus hijos la capacidad para sequir instrucciones, por ejemplo invítalos a que te ayuden a cocinar, sequir una receta y los ingredientes que lleva, ejemplo partir los huevos, moler las especias pueden ayudar a divertirse mientras aprenden a sequir un procedimiento paso a paso.

Los simples juegos de mesa o de salón pueden ayudarles a sequir normas e instruciones.

Aproveche la oportunidad de utilizar los juegos como forma de ayudar a sus hijos a manejar situaciones de frustaciones y resolver problemas simples. Una torre de cubos que constantemente se cae puede llevar al niño a las lágrimas. Usted puede ofrecerles ciertas sugerencias para que no se caitga la torre, pero al mismo tiempo debe preguntarle su opinión acerca de la mejor manera de hacerlo. Convertir un fracaso en un éxito, refuerze la confianza de los niños en sí mismo.

Para ayudar a su hijo tomar decisiones en la práctica déjeles saber que usted piensa que ellos son capaces de tomar decisiones acertadas. Aproveche la oportunidad de utilizar los juegos como forma de ayuda a sus hijos a manejar situaciones y resolver problemas simples.

SER VULNERABLE A LAS DROGAS

! Que difícil es criar hijos en ésta época! Ya no parece haber un libro claro sobre que se deve de hacer en la crianza y educación de los hijos, las cosas han cambiado significativamente en las últimas décadas. Hoy todos los padres viven preocupados por el peligro de que los hijos puedan iniciarse en el uso de las drogas y el alcohol. Los padres tienen muchas herramientas en la manos de las que aveces reconocemos para criar a los hijos con un carácter sano que los proteja de ser vulnerable a las presiones de sus amigos. Conocemos con la cualidad del carácter que llamamos confianza o sea la confianza que un individuo tiene en sí mismo y en su alrededor. Para que un ser humano pueda desarrollar un carácter sano tiene que quererse a sí mismo y mirar el mundo que lo rodea con optimismo y seguridad. Esto se hace posible cuándo ese ser humano ha sido querido por sus familiares y amigos.

El amor, como ustedes saben, no se demuestra sólo con expresiones verbales de cariño y preveerles un buen bienestar económico sino estando presente cuándo el hijo lo necesita, como cuándo se enferma o sufre decepciones, cuándo hay actividades escolares en las cuales el o ella interesa que participes.! Que difícil se hace a veces el cumplir con ellos y con las obligaciones del trabajo que tanto los padres tenemos. Es importante que en esos momentos críticos el hijo tenga prioridad a otros compromisos. El amor se demuestra también en el diario, compartir con los hijos sobre actividades mutuas, cuándo se les permite expresar desacuerdos con nuestra posición o creencia en una forma respetuosa sin molestarnos y cuándo se contesten las preguntas aún cuándo estamos cansados o ocupados con otros menesteres o preocupaciones.

La auto estima también se nutre de los reconocimientos que le damos a los hijos por tareas bién realizadas, cuándo le explicamos lo que no entienden sin comentarios negativos o crueles.

Cuándo los quiamos sin asfixiarlos en sus actividades dentro y fuera del hogar. La falta de confianza en uno mismo y en los demás produce temores y miedo, esto crea personas que siempre pridicen que van a fracasar en lo que intenten, por lo cual evaden situaciones dónde el éxito o el fracaso están en juego. Como ustedes saben casi todas las situaciones en la vida envuelven un elemento de éxito o fracaso. Un niño o un jóven tiene la certeza de que va a fracasar en todo lo que intente tiende a desengancharse de la vida escondiéndose detrás del velo que produce hacer las cosas bién va poco a poco perdiendo la motivación en la vida, Piensan que no vale mucho con frecuencia maltratan su cuerpo con licor o drogas sin parecer importante las consecuencias.

Una segunda cualidad del carácter sano en la capacidad para funcionar con autonomía.

La persona auto-suficiente tiene una altisíma posibilidad de salir triunfante en la vida. Desarrolla opiniones propias, tomo decisiones por sí mismo sin dejare confundir por las presiones de otros.

Tiende a ser una persona deciplinada que puede ejercer auto control. El niño o el jóven que goza de la cualidad de autonomía es su carácter a tono con la étapa de desarrollo no a caer facilmente presa de las presiones de sus amigos o de otros que quiera iniciar el uso de drogas, alcohol o cigarrillos. No va a seguir la corriente sin medir las consecuencias de sus actos porque están en control de ellos mismos.

?Como se desarrolla el ser humano? Ésta valiosa cualidad de autonomía es su carácter es cuándo los padres le damos participación a los hijos en el hogar de acuerdo a su edad y capacidades.

Cuándo nos animamos hacer cosas por sí mismos ayudándolos hacer las cosas si no saben, pero nunca haciéndolas por ellos. Un ejemplo de esto es cuándo en lugar de ayudarlos a preparar sus propios proyectos escolares se los hacemos porque nos interesa la nota que su proyecto de desarrollo. Ésta cualidad también surge cuándo ayudamos al niño a desarrollar sus talentos y habilidades. Asi le podemos dar reconocimientos por lo bueno que hacen las cosas aún cuándo no este perfecto. Es importante que enseñemos a nuestros hijos a sentirse orgullosos de sus logros sobre todo de los que son importante para ellos. Es importante enseñarles a expresar sus sentimientos y reconocer cuándo siente miedo, coraje, odio para que aprendan a bregar en forma saludable con estos sentimientos a través de la reflexión, la actividad o el deporte y no se alejen por ellos de las situaciones que le proceden estos sentimientos. Existen organizaciones religiosas cívicas como los niños escucha (boys scout) que ayudan a los niños a desarrollar la cualidad de autonomía en su carácter.

Cuándo una personas no tiene carácter de capacidad de la autonomía busca otras personas o cosas buscando muleta de sentido y seguridad. Muchos jóvenes que se inician en el uso de las drogas o hacen buscando alo o alquién en quién depender. Hay quienes creen que no podemos bregar con efectividad con el problema de las drogas. Sí podemos y los padres tienen las herramientas para hacerlo. Hay jóvenes que se inician al uso de las drogas lo hacen buscando algo a que depender, pueden darse cuenta que están atrapados para el uso de las mismas. El estudio de la conducta humana (Baunrind 1983) concluyó después de estudiar el problema de la adicción a las drogas encontraron que los hijos de padres que imponen controles y son demandantes con estos en forma rozanable y en un contexto de cariño y cálidez son receptivos a la comunicación sus hijos les permiten desarrollar la independencia apropiada a su étapa de desarrolo, producen ciudadanos socilamente respondables, independientes que no necesitan recurrir al uso de las drogas o el alcohol. Vamos todos como padres de familia a luchar por proveer este tipo de crianza para lograr un desarrollo más agradable de nuestra juventud y rescatar a los niños de este terrible aspecto de las drogas que hoy consume a la juventud.

Recuerden que si no hay compradores no hay vendedores.

Una característica de un carácter sano es la capacidad de asumir iniciativa. El ser humano es capaz de asumir iniciativa utilizando con frecuencias sus talentos en forma creativa, es trabajador y usa el tiempo en cosas importantes y constructivas. Ésta capacidad de iniciativa propia se nutre y se desarrolla en el hogar cuándo se le permite a los hijos tomarse las iniciativas por ejemplo en decorar su habitación, surgir ideas para decorar las casa, seleccionar su ropa dentro de los límites de costo determinado por el prosupuesto familiar. Cuándo son pequeños creamos situaciones para que inventen juegos, organicen actividades propias a su étapa de desarrollo.

Tenemos que darle reconocimiento a nuestros hijos por tomarse iniciativas adecuadas y convensar con ellos cuándo no lo son y tenemos que aprenderlos para que no matarle ese importante deseo de iniciar cosas y de correrse algunos riesgos.

Cuándo un ser humano carece de iniciativa puede ser apático, indiferente con gran dejadez hacia participar en cualquir cosa.

Pueden entonces analizar sus energías a sequir lo que otros hacen, envolverse con grupos que usan drogas o comenten otros actos delictivos. La industriosidad es otra característica de un carácter sano. En el mundo en que vivimos el tener la capacidad para hacer bién las cosas con destrezas sentirse orgulloso por ellos, una cualiadad que facilita y promueve el éxito y el sentido de bienestar. Tenemos que enseñar a nuestros hijos a sentir placer por lo que hacen, si algo le sale mal es importante ayudarlos a tratar otra vez persistir en la tarea si la misma es realizada. Si no es realizada ayudésmoslo aceptar las limitaciones envuelts, la vida está llena de limitaciones con las cuales tenemos que aprender a vivir. El jóven que no tiene suficiente destrezas personales de conocimientos para bregar con situaciones del diario, tiende a buscar otras formas de canalizar sus energías en busca de experiencias exitosas y muchas veces encuentran formas socialmente inaceptables para canalizarse.

Otra característica importante de un carácter sano es un sentido de identidad. La personas que tiene un sentido claro de identidad tiene a su iglesia, educación y buenos modales. Uno tiene que aceptar el ser mujer o hombre con lo bueno o con lo malo que eso conlleva. Hay que aceptar a la familia auque no aceptes las situaciones particulares de la misma o se sus miembros. Uno tiene que sentirse cómodo con su raza sea ésta blanca, negra, amarilla o mestiza, estar orgulloso de su país con énfasis en lo mucho que tenemos como pueblo. En resumen uno tiene que estar orgulloso de lo que somos como seres humanos. La familia se conservan sobre esas identidades con sus hijos en un ambiente de amor, los ayudara a definir quiénes son y que quieren hacer con sus vidas estableciendo metas en ese conocimiento por la cual querran alcanzar las mismas.

La sexta característica de un carácter sano es la capacidad para el compromiso psicológico con lo que hacemos, con lo sentimos, con lo que pasamos y con el mundo que nos rodea. Como padres fallamos en lograr que nuestros hijos tengan claro un sentido de compromiso consigo mismo y con otras personas, encontramos que éstos no cumplen con sus deberes y no se sienten atados a nada ni a nadie, por lo que se dificulta tener relaciones efectivas permanentes o decidir por una vocación o trabajo con el cual pueden comprometerse. Como la persona sin compromisos no reconoce ataduras, no siente remordimientos por lo que hace o deja de hacer, la vida les resbala.

Tenemso que ayudar a nuestros hijos a desarrollar un sentido de compromiso con ellos mismos insistiendo en que cumplan con su palabra, con sus responsabilidades y con sus tareas.

Enseñarlos a gozar y disfrutar por el deber cumplido a envolverse psicológicamente con las cosas que le son importantes en la vida. Los jóvenes comprometidos con ellos mismos con la familia con la iglesia y con su escuela rara vez necesitan de las drogas para buscarle significado a la vida.

LAS ESCUELAS Y LAS DROGAS

En los últimos años se han dado pasos en la lucha por el consumo de droga en las escuelas.

Los Estados Unidos están concientes de las tragedias que hay entre los niños y el consumo de las drogas, alcohol y cigarrillos entre los menores de edad. El público reconoce el problema de las drogas como el más grande que enfrentan nuestras escuelas y nuestra juventud. Las personas y las organizaciones de todo el país han aportado tiempo, dinero y recursos en favor de una educación sobre el abuso de las drogas. De manera que podemos luego adiestrar a nuestros hijos además debemos enseñarles que el consumo de droga es incorrecto y nocivo para nuestra juventud, y para nuestra nación. Las escuelas sin drogas ha sido una herramienta importante para auxiliar a los consumidores o movilizarse encontra el abuso de las drogas alcohol y cigarrillos.

Hay un reconocimiennto práctico que los padres, educadores, estudiantes y las comunidades pueden utilizar y mantener las escuelas libre de drogas. Una vez que nuestras escuelas y comunidades esten libre de drogas, nuestras escuelas y los estudiantes podran continuar sus vocaciones educativas y todos nuestros jóvenes podran retornar a la tarea de aprender.

La responsabilidad primordial de cualquier sociedad es formar y proteger a sus hijos.

Actualmente la amenaza más seria para la salud y el bienestar de nuestros hijos es el abuso y el consumo de drogas, alcohol y cigarrillos. En los últimos años el consumo de droga entre los jóvencitos se halla en un nivel alarmante, aún más importante es el hecho de que los niños están utilizando drogas a edades muy tempranas.

En la actualidad los estudiantes mencionan las drogas como un problema importante entre sus compañeros que apenas cursan los grados quinto y sexto. En el 1985, estudiantes de 13 a 17 años fueron entrevistados con el fin de identificar los problemas de mayor interes que enfrentan los estudiantes con las drogas, alcohol y los cigarrillos, fueron los número uno en la lista.

Es el problema más serio que enfrentan las escuelas de hoy día, las drogas consumen la capacidad de los estudiantes para pensar y actuar responsablemente. Las consecuencias del uso de drogas alcohol y cigarrillos puede durar toda la vida. Un niño que a los 7 años no puede leer se les puede ayudar con un gran esfuerzo, pero cuándo dañan la mente con las drogas, alcohol y cigarrillos puede convertirse en un desastre para toda la vida.

Estudiantes que usan mariguana tienen el doble de probalidades de obtener unas notas muy bajas.

El consumo de drogas interrumpe la integridad escolar. Cuándo los estudiantes no se aparecen todos los días al salon de clase, los maestros no pueden controlarlos, se perjudica la educación y la escuela. El consumo de droga está entre los estudiantes del medio urbano y del medio rural entre los pobres y los ricos y los de la clase media. Muchas escuelas tienen todavía que poner en prácticas medidas eficases en la lucha contra las drogas. En algunas escuelas es común el tráfico de drogas a la hora del almuerzo o a la salida de la tarde.

Las escuelas tienen información para los padres que necesitan proteger a sus hijos de las drogas.

El departamenteo de educación ofrece información y asistencia a las escuelas para ayudar a combatir este grave problemas de las drogas entre la juventud. Muchas escuelas han desarrollado un plan para la prevención de las drogas.

Cuándo los padres, la comunidad, las escuelas trabajan juntos en armonía el problema de las drogas puede ser detenido y es más facil de resolver. Las escuelas ocupan un lugar priviligiado en la solución del consumo de drogas por parte de los estudiantes. Los niños pasan gran parte de su tiempo en la escuela. Las instituciones familiar y religiosas son las más importante en la trasmisión de ideas y criterios sobre lo bueno y lo malo. Los problemas del consumo de drogas se extiende más allá de las escuelas, debemos de luchar a fin de comprobar que no se tolera el consumo de drogas en nuestras escuelas, en nuestra comunidad y en nuestros hogares. Por el problema de las drogas nuestros niños sufren, fracasan y mueren a temprana edad o quizas mueren por una sobre dosis de droga o alcohol.

?Que pueden hacer los padres?

1. Darle un buen ejemplo a sus hijos enseñarle lo bueno y lo malo.

2. Enseñarle que resistan la presión de los amigos o compañeros de escuela.
3. Supervisar sus actividades.
4. Conosca sus amistades y los padres de sus amigos.
5. Hablar con sus hijos las cosas que más le interesa y los problemas que tengan.
6. Estar informado sobre las drogas y el consumo.
7. Si notas en tu hijo algo raro no pierdas tiempo, busca información lo antes posible.

Las Escuelas:
1. Establecer medios para verificar el consumo de droga en los estudiantes.
2. Establecer reglas claras y específicas respecto al consumo de droga.
3. Poner en práctica medidas de seguridad para eliminar las drogas de las actividades escolares.
4. Llevar acabo un buen programa de prevención de droga, alcohol y cigarrillos.
5. Darle buena educación relacionado con los efectos y las consecuencias de las drogas, alcohol.
6. Tener reuniones más amenudo con los padres y los niños que tienen problemas de drogas alcohol y cigarrillos.

Estudiantes:
1. Buscar las razones de los estudiantes que tienen problemas
2. Dejarle de saber el peligro que hay cuándo un jóvencito usa droga, alcohol o cigarrillos
3. Brindarle ayuda lo antes posible a los que tienen problemas de droga.

La independencia psicológica es cuándo al usar droga se convierte en el centro de la vida del consumidor. Entre los jóvenes y los niños la dependencia psicológica desgasta el desempeño en la escuela y destruye los lazos con la familia y los buenos amigos, los intereses, los valores y los objetivos que son tan importante para el desarrollo de la persona. Los jóvenes comienzan a usar droga para sentirse bién y terminan haciéndolo para evitar sentirse mal. Con el tiempo mismo intesifica las malas sensaciones y puede conducirlo a un suicidio. La mayor parte de los suicidios entre los adolescentes están relacionados con las drogas y alcohol. Los efectos de las drogas permanecen en el sistema del cuerpo de la persona por mucho tiempo, después que el consumidor halla abandonado las drogas. La medida en que una droga es retirada del cuerpo depende de la composición química de la droga, si no es soluble en grasa. Drogas que son soluble en grasa es la mariguana, fenciclidina, PCP, LSD.

Éstas drogas se depositan en los tegidos adiposos, estos ocupan las regiones dondé hay más grasa por ejemplo el cerebro. Está acumulación de droga y su lenta liberación causan con el tiempo efectos retardados. Durante el año 1987, se dieron pasos por librar nuestra nación del consumo de las drogas. Los Estados Unidos están concientes del peligro que tienen nuestros niños con el consumo de drogas, alcohol y cigarrillos, porque en algunas escuelas los jóvencitos venden la droga. Por primera vez en el 1988, el público estadounidense reconoció el problema que enfrentan las escuelas relacionadas con las drogas.

Hable con sus maestros para saber como se comporta el niño en la escuela. Hagamos de nuestros hijos nuestra mayor prioridad, así lograremos el futuro con el que todos deseamos. Sí te das cuentas que tu hijo tiene amigos que usan drogas, alcohol y cigarrillos habla con los padres de estos tu hijo debe saber que ese comportamiento es dañino y que no de tolera este acto de usar droga. Se un buen ejemplo, sí tu pareja abusa de las drogas o el alcohol este es el mejor momento para dejar el hábito, de tal manera les estarás dando la lección más conveniente. Sólo si eres un buen ejemplo para tus hijos podras esperar que ellos escuchen y acepten tus consejos. El dejar de usar drogas, alcohol y cigarrillos mejoraras significativamente tu vida y la de tu familia. Confrontas los problemas si tu hijo muestra señales de este uso de droga. No trates de ocultar el problema habla honestamente con el, así lograras resultados deseados. Llama la linea de de auxilio, ellos te ayudaran.

CUARTO A SEXTO GRADO

Este es un período de crecimiento físico más lento cuándo típicamente se dedica una gran energía aprender. A los niños de 10 a 12 años de edad le encanta aprender, especialmente cosas extrañas y quieren saber cómo funcionan las cosas y de que fuente de información disponen.

Los amigos o un amigo especial, un grupo de amigos son de gran importancia. En esa edad con frecuencia los niños se interesán o se comprometerán con las mismas cosas del grupo.

La imagen que el niño tenga de sí mismo estará determinada en parte por la medida en que es aceptado por los demás niños, especialmente los más populares. Cómo consecuencias muchos.

"Sequidores" no pueden tomar decisiones o efectuar elecciones independientes.

Quizás este sea el momento más importante para que los padres dediquen un mayor esfuerzo a la prevención del uso de alcohol o drogas. En los últimos años de escuela primaria son fundamentales para las decisiones acerca del uso del alcohol y otras drogas. El mayor riesgo de comenzar a fumar aparece en el sexto grado y séptimo grado. Las investigaciones científicas demuestran que cuánto más jóven sea la persona que empieza a utilizar alcohol tendra grandes problemas.

Sus hijos necesitan un mensaje claro acerca de las drogas y el alcohol, así como buena información y una fuente de motivación para resistir las presiones para probar que el alcohol y otras drogas reforzan su determinación de mantenerse libre de drogas. La información adicional podría incluir maneras de indentificar las distintas drogas, incluyendo el alcohol, tabaco marihuana, inhalantes, cocaína en sus diversas formas, sus efectos y consecuencias a corto o a largo plazo. Los efectos de las drogas afecta distintas partes del cuerpo. Las razones por las que son especialmente peligrosas para el desarrollo del organismo. Las consecuencias del uso de alcohol, cigarrillos, drogas ilícitas en la familia, la sociedad y el propio consumidor, son datos importantes en la vida del usuario.

SEPTIMO A NOVENO GRADO

Durante los primeros años de la adolescencia el "ajuste al grupo de amigos constituye una influencia decisiva. En cierta forma, el comienzo de la pubertad significa nacer de nuevo.

Los niños desean y necesitan dejar el pasado o encontrar su propia y singular identidad.

Para ellos significa con frecuencia dejar a sus viejas amistades y vínculos con los maestros y otros adultos asi como las anteriores formas de hacer las cosas. Los métodos de tomar decisiones y de resolución de problemas que han aprendido desde niño, sequiran siéndoles útiles, pero también estarán tomando nuevas decisiones basadas en nuevas informaciones y nuevas metas.

A temprana edad los jóvenes pueden comenzar a manejar abstraciones y el concepto del futuro.

Compreden que sus actos pueden tener consecuencias, y saben en que forma su comportamiento afecta a los demás. A veces la imagen que tiene de si mismo es confusa, no están seguro de que estén creciendo y cambiando en forma adecuada. Con frecuencia se encuentran en conflictos con los adultos no están seguro a dondé van o verse a sí mismo como adecuados, en ese momento dele apoyo emocional y un buen modelo de comportamiento por parte de la familia y amigos.

Los jóvenes que usan alcohol, drogas y cigarrillos tipicamente comienzan antes de terminar el noveno grado. Asegúrese de que las conversaciones familiares acerca de las drogas y el alcohol enfaticen los efectos inmediatos y desagradables de su uso. Enseñarles a los adolescentes que sí fuman contraeran cáncer del pulmón, infeciones cardíacas, los dientes se ponen amarillentos.

Un esfuerzo de prevención durante estos años de tierna edad, es dedicarse a la motivación de sus hijos para evitar el uso de drogas, alcohol y cigarrillos. Es importante que su hijo comprenda claramente que las bebidas que contienen alcohol son inaceptable en cualquier sitio que esten.

Contrareste la influencia de los compañeros con la influencia de los padres. Recuerde que su hijo podran decir que todos sus amigos lo hacen. El uso de droga, alcohol y cigarrillos es sumamente peligroso, solamente se requiere una mala experiencia para cambiar la vida de la persona.

No intentes en provar drogas, cigarrillos o alcohol porque sería tu desgracia, troncharas tu destino. Al final del noveno grado deberías de saber las características y la naturaleza de las distintas drogas. La filosofía de los efectos de las drogas sobre el sistema nervioso, respiratorio estarán presente con solo una prueba. Las étapas de la dependencia química la forma en que el uso de drogas, alcohol y los cigarrillos afecta las actividades que requieren coordinaciòn motora afecta el rendimiento escolar y afecta el futuro.

DECIMO A DOCEAVO GRADOS

Los estudiantes secundarios están pensado en el futuro y pueden pensar en términos abtractos.

Tienen una comprensión cada vez más realista de los adultos, y por tanto, desean aprender de los adultos y que éstos conversan con ellos sus preocupaciones de adultos y las formas en que solucionan sus problemas y toman decisiones. Los padres pueden tener una exepcional oportunidad de ayudar a sus hijos a esa edad. Al mismo tiempo los adolescentes también continúan orientados al grupo y el hecho de pertenecer a un grupo motiva gran parte de su comportamiento y sus actos.

Durante estos años, muchos jóvenes amplían su perpectiva y se interesan más por el bienestar de los demás. Al final de la escuela secundaria su hijos deberían comprender los efectos físicos inmediatos y a largo plazo de las distintas drogas. Los efectos peligrosos de combinar drogas con otras sustancias. Los padres de familia en el presente están pasando étapas difíciles en el ajuste del cambio de sociedad. Criar hijos en éste cambio de sociedad no es fácil. El problema de las drogas se ha visto como uno de los problemas más serios en la sociedad moderna y especialmente a los miembros de familia que están viviendo en un bajo ingreso, especialmente las madres solteras que no tienen un esposo que le de el apoyo al hijo que tanto necesita.

Otro problema lo es los divorcios entre las parejas que tienen hijos. Tres de cada cinco personas divorciadas los hijo viven con uno de los padres. Una tercera parte de los niños en américa viven bajo la pobreza. Otro problema es las madres que viven con diferentes hombres y tienen hijos que no son de la misma familia. Los niños pasan por un trauma que le causa desajuste mental emocional y social. Éstos niños son los que hay que cuidar, darle un buen ejemplo para que no caigan en las drogas.

PROTÉGÉ A TU HIJO

Los adolescentes son los más expuestos al riesgo de la drogadición. Debido a varios factores y cambios en la fase del desarrollo juvenil de sus conflictos emocionales. La adolesciencia es una trasformación de llegar a la madurez es un proceso difícil, el establecimiento de hacer decisiones es un sistema de valores, elecciòn de una profesión, buscar principios y valores para continuar sus exploraciones sin perder el rumbo y la fé.

Como consecuencias de la maduración biológica y la circulación de hormonas sexuales en el organismo, el jóven experimenta un conjunto de sensaciones, pensamientos, fantasías y emociones diferente a la actividad sexual. Siente una fuerte atracción hacia el sexo opuesto.

La adolesciencia es intimidad, secreto, aislamiento y ansiedad. Para los padres cuándo se enfrentan con repuestas tales como no me molestes más, la socialización es el proceso del jóven

Aprende a relacionarse con otras personas y grupos de otras edades mayores que el. Aquí comienza a desarrollarse una dependencia y establecer contacto con la sociedad y se va preparando para actuar como adulto.

La emancipación es la tensión entre el control de los padres y el hijo, librarse de el que cuándo el hijo tenga su dependencia. El amigo íntimo desempeña un paper muy importante en la formación del jóven porque le proporciona una sensación de compañia en los momentos de confución y desconcierto que son frecuentes en el desarrollo del jóven. Hay ciertas perturbaciones en la comunicación entre el hijo y el padre, esto es a consecuencias del proceso de emancipación. El círculo de compañeros es importante en tres necesidades básicas del adolescente de difinir su propia identidad, pertenecer a un medio social estructurado y emanciparse de la familia.

Los adolescentes necesitan el amor de sus padres necesitan un hogar estable y seguro.

Necesitan la orientación y el apoyo de sus familares para poder tomar decisiones y realizar sus ideas. El adolescente necesita padres comprensivos, los padres deben de escuchar a sus hijos para poder comprender sus sentimientos perdonarle sus faltas y ayudarlos en los momentos crítícos.

Los jóvenes necesitan oportunidad para tener su libertad, necesita controles, establecer límites.

La juventud necesita pertenecer a grupos de amigos que sean sanos, alegres y entusiastas con quien pueden compartir actividades propias de su edad, los jóvenes necesitan recreación y deportes, actividades que los lleve a un futuro sano.

Cuándo un jóven tiene un buen concepto de si mismo se sienten contentos, se sienten que sus padres son sus mejores amigos, este jóven tiene mejor fortaleza para resistir las presiones del medio ambiente y especialmente a las tentaciones de las drogas y el alcohol. Hay muchas causas por la cual un jóven puede caer en la tentación de las drogas. Hay que mirar ciertos factores de riesgos que serian ciertas circunstancias y condiciones del jóven. Estos factores tienen un efecto acumulativo, hay que evitar la angustia y tomar las cosas con serenidad, los factores de riego pueden acumular a la edad del jóven. La falta de fé, la imagen negativa de si mismo, el consumo de alcohol, el hábito de fumar, bajas notas en la escuela, la depresión y los comportamientos son algunos de los factores individuales más frecuentes asociados con la drogadición. La adolescencia es el comienzo de la edad adulta, es el período más peligroso de los jóvenes.

Éste período puede dura hasta los 24 años de edad dependiendo de la persona. La ausencia de la religión, la falta de ideales, la busquéda de una propia identidad, encontrar una meta sólida para la vida. Hay jóvenes que se distinquen desde temprana edad por su comport-amiento, su responsabilidad tanto social como física. Estos impulsos en los jóvenes son de peligros, el jóven se cuestiona el mismo para lograr una propia entidad, una imagen de si mismo, esa imagen es la conciencia de su propia individualidad de su personalidad.

Si el jóven forma un buen concepto de si mismo y se siente feliz con su manera de ser tiene más fuerzas para resistir las tentaciones a la droga, alcohol, cigarrillos y a los juegos. Los que tienen una imagen negativa de si mismo estan inseguro de las cosas, carecen de valor para expresar sus opiniones no se siente aceptado por los demás, dejarse manipular por otros porque el consumo de droga es una conducta de grupo. Una familia se puede dar cuenta cuándo su hijo empieza a tener notas baja en la escuela, le pierde el interes a la escuela, nada más quiere estar con sus amigos esto quiere decir que algo le esta pasando a su hijo. No pierdas tiempo hay que buscar en la escuela que esta pasando, hablar con el maestro, el consejero, principal, buscarle remedio a la causa lo antes posible.

El alcohol es otra droga entre los jóvenes, muchos de los jòvenes empiezan a usar alcohol a la edad de 11 años, tanto en los varones como las hembras. La mayor parte de ellos aprenden a tomar bebidas alcohólicas porque lo ven en la familia. Si por una casualidad el jóven sufre una frustación, una pena, un desengaño, huir de un problema, un fracaso es lo suficiente para empezar a tomar. Después del alcohol viene el cigarrillo, fumando se sienten más adultos, más varonil más independientes auque el jóven conosca los riesgos y las consecuencias de las drogas, el alcohol y los cigarrillos desarrollan una dependencia inmediata.

Las caractéristicas y la calidad del nucléo familiar influye mucho en el desarrollo de la personaliad del niño. Las relaciones entre los miembros de la familia que son relaciones sanas y positivas ayudan al niño ha criarse en un ambiente de amor y respecto. La prevenciòn de las adiciones comienza desde la temprana edad. En el hogar donde hay una buena religión, cariño comprensión amor, respeto le brinda al jóven ciertos elementos en la vida, unas normas de principios establecer más relaciones con otros niños que tengan la misma conducta, una buena disciplina, amor, cariño llevan al niño por buen camino.

LA DISCIPLINA

Los hijos comienzan a independizarse de la familia para buscar nuevas amistades y experiencias fuera de la familia. Los jóvenes no quieren salir con los padres, prefieren la compañía de los amigos. Comienzan a reclamar más libertad de lo que pueden manejar. Se adaptan a culturas juvenil, tal como la forma de vestir, la música, el lenguaje esto es una étapa del desarrollo.

El exceso de rígidez es imponer los controles tan estrictos que le impiden al jóven llevar una vida social con su edad. Los padres no toman en cuenta la necesidad de socialización de su hijo le prohiben todas las actividades de su edad, le imponen normas fuertes, esto es un peligro para el jòven porque puede recurrir al engaño o a la rebeldía, escaparse del ambiente del hogar.

La comunicación entre los padres y los hijos es el factor más importante que hay en el desarrollo del jóven. La confianza mutua, el decir la verdad, tener serenidad, sabiduria necesaria para obrar bién y aceptar en todas las decisiones necesarias. Los problemas en el hogar conyugales de la familia son problemas serios que cada día van aumentando. Cuyas consecuencias en el desarrollo del niño son lamentables. El niño crece en un ambiente desagradable. La estabilidad y la sólidez de la familia constituyen la base de sentimientos de seguridad, confianza en el medio ambiente social del niño, que através del tiempo sera más amplio y complejo a medida que el niño va creciendo. Cuándo en el hogar hay peleas, disgustos, discuciones en alta voz, el niño se siente desemparado porque percibe la desaparición de su primer mundo seguro. La destrución de la relación conyugal repercuta en factores de riesgos a que el niño pierda la confianza en si mismo y queda deprimido y desconsolado. La comunicación con los padres queda afectada, su rendimiento escolar queda afectado.

Es imposible criar un hijo en una urna de cristal, aislado de la sociedad en que viven. Hay que preparse para realizar esta missión, estudiar los factores de riesgos social. Los jóvenes tienen necesidad de ser aceptado por los miembros de un grupo social a que pertenece, estos grupos tienen sus normas, valores y conductas. Los amigos son los elementos que más influyen en el comportamiento del individuo en todas las étapas de la vida. Cuándo en los grupos hay influencias negativas porque algunos de los miembros han tenido problemas con las drogas o el alcohol, los demás miembros tienen alto riesgos de sequir los pasos de los que tienen problemas con los vicios. El amigo íntimo es el que guarda todos los secretos. Un buen amigo le brinda compasión, fidelidad, apoyo y consuelo.

Además de la familia, la escuela, el colegio, la universidad es dónde los jóvenes pasan la mayor parte del tiempo. La filosofía de los maestros ejerce una influencia en la formación de estos jóvenes. Uno de los problemas común es la falta de comunicación entre los profesores, padres y el estudiante, el manejo inadecuado de la disciplina, la poca recreación de deportes y actividades.

La educación es el proceso formativo del jòven en dónde el jóven tiene la oportunidad de crecer de capacitar, de obrar en forma autónoma independiente, no concordan con los años que tiene.

Estos son las personas que son tímidas, inseguras, vacilantes y vulnerables a las presiones del medio ambiente por su incapacidad. Esto son algunos de los rasgos de la personalidad que los jóvenes pueden caer en los malos vicios.

Según los investigadores dicen que el amor de los padres es lo fundamental del ser humano garantiza las condiciones ideales para crecer sano y feliz. Los padres que son amorosos se preocupan por darle a su hijo lo mejor de si mismo y lo mejor en materia de alimento, educación recreación y otras cosas importante para el niño. El amor auténtico siempre hace bién nunca mal.

El amor es para el equilibrio emocional del hijo, lo mismo que el alimento para su cuerpo y su desarrollo. El amor de los padres nutre el corazón del hijo, cuándo los padres lo trasmiten ellos lo reciben en su corazón.

Amar a su hijo es aceptar al hijo tal como es, con sus defectos, cualidades, capacidad, lindo o feo bueno o malo. El sentimiento en obras, palabras, gestos como necesidades fisicas, emocionales intelectuales y espirituales.

El desarrollo físico del jóven, la formación de sus sentimientos, su carácter, sus principios morales son muy importante en el desarrollo de su mente. Cuándo hay descuidos en la tención de sus necesidades personales y emocionales afecta la sólidez de su personalidad, que es necesario para afrontar los peligros de la vida. Es evidente que la droga esta presente en todas partes, los jóvenes se ven enfrentados a tentaciones a las drogas, alcohol y los cigarrillos. Los niños que carecen de un buen hogar, que crecen en familias que tienen problemas hay tensiones, conflictos impiden el desarrollo normal del niño. Desde el punto de vista psicológico el tiempo pasa ligeramente, el niño se va desarrollando y su cuerpo va cambiando y se convierte en un adulto desaquilibrado porque su desarrollo fué negativo. La madurez su personalidad y su "te quiero mucho" "me hicistes mucha falta" "lo hago porque te quiero" son mensajes de comunicación en forma eficaz. Un beso, una caricia, un abrazo, el calor del efecto debe ser permanente. Se necesita tiempo para dedicarle atención a su hijo, tiempo para escucharlo y orientarlo, tiempo para jugar con el, hablar, reír, compartir y asistir a los eventos de la escuela o del colegio, hablar con los profesores. La atención de los padres es de suma importancia para el desarrollo del niño.

RESPETAR A SU HIJO

Los hijos de cualquier edad son personas que merecen respeto y consideración. Muchas veces los padres olvidan esta verdad tan elementar y los tratan de una forma contra su dignidad, esto pasa cuando ingnoran su sentimiento, desatienden sus deseos, imponen sus asuntos de sin escuchar los suyos, le dan ordenes a gritos, no tienen privacidad, los manipulan y comenten atropellos que los lesionan. Estos efecto afecta la imagen de ellos que están formando en si mismo y repercutan negativamente en su sentimiento de autoestima. Ellos tienen una dignidad cuyo reconocimiento exige diferencia, buen trato, comprensión y consideración. Desde la infancia los hijos revelan los rasgos de su personalidad, que es una mescla de elementos positivos y negativos, la forma en que se identifiquen y tales elementos influiran en el resultado final de su formación, porque el juicio de los padres pueden afianzar los unos o delibitar a los otros. Un ejemplo es cuándo los padres caracterizan como "buenos o malos" a los hijos, dice el papá, Juan es malo en inglés, sin embargo Luisa es muy buena en matemática, es la simpática de la familia, la más inteligente.

Los padres son responsables de elevar el nivel de sus hijos, hacer que se sientan bién contentos con su manera de ser y confiar en sus propias capacidades para lograr sus virtudes y capacidades.

La disciplina es la aplicación que distinque el bién y el mal, lo aceptable y no lo aceptable controla la conducta humana. Este código es importante en la vida, porque el hombre como consecuencias de su livertad es el único que tiene la opción de elegir el mar para si mismo. Así se puede ver en la existencia de los vicios, el crimen, la delicuencia y las adicciones. El objectivo fundamental de la educación es preparar al niño para ejercerla.

TENER FÉ

La religión constituye una experiencia importante para los jóvenes. La fé es la fuente de seguridad, porque nos da la certeza de que Dios nos ama. Es una fuente de esperanza porque nos organiza la ayuda de Dios, en la tarea de construir un mundo mejor. La fé es la fuente de amar nos ánima a proyectar el amor a Dios y a los demás.

Matilde Rosa

Establecrer una relación con Dios le da un centido especial a la existencia humana, ubicada en el contexto de su plan con una misión especifíca para cumplir ese plan. Las instruciones religiosas de los niños consiste en estudiar con ellos los textos sagrados para conocer el mensaje de Dios. Algunas pautas concretan que nos orientan en la formación espiritual de nuestros hijos. Hablar con Dios a su más temprana edad, enseñarle admirar la creación de la naturaleza. Presentarle la imagen de un Dios paternal y bondadoso. La costumbre de darle gracias por sus beneficios acudir a el en busca de ayuda por medio de la oración. Rezar con ellos establecer costumbres de asistir con ellos a la iglesia. Darle ejemplos de bondad generosidad y amor a los demás y especialmente a los pobres y los desemparados.

Con permiso de Como Proteger a su hijo de las Drogas, por Carlos E. Climent. L.M.D.y María

Eugenia C.de Guerrero. Editorial Norma, 1999 Santa Fé de Bogotá.

FOOTBALL TEAM

Jason Grentus
OCTOBER 30, 1998

LAS DROGAS Y LA MENTE

Las drogas afectan la mente y las emociones a las personas que usan drogas. En la década del 70 no teníamos una amplia información de cómo éstas sustancias tenían efectos sobre la mente. Desde que empezarón las investigaciones sobre éstas sustancias tenemos más conocimientos sobre los efectos y las consecuencias de las drogas y el alcohol.

Desde hace muchos años ciertas drogas se usaban con el próposito relgioso, con una penetración dentro del usante, pero ésta forma de droga es ilegal usarla. Está el otro tipo de droga que son las que recetan los doctores para el tratamiento de diferentes enfermedades. Sabemos que las drogas trabajan sobre el cerebro y la mente. El cerebro es cómo una máquina que tiene miles de muléculas de diferentes grados, que trabajan en conjunto con impulsos eléctricos que pasan a través de los nervios. Un famoso alemán escribió unos artículos en el 1924 sobre la acción de las drogas en el cerebro y la mente. Según los estudios hay cinco clases de drogas que afectan la mente y las emociones.

- 1. Euforizantes
2. Fantásticas
3. Embriantes
4. Hipnóticos
5. Excitantes

Las fantánsticas son las psicodélicas, llamadas reveladora de la mente, un ejemplo de ésta droga lo es el L.S.D. También tenemos psilocibina y la mescalina que son sustancias alucinógenas porque los efectos dan una psicosis. Los químicos órganicos cambiaron estos productos naturales por productos sintéticos. En México el peyote era sagrado para los azteca, la coca era sagrada para los Incas y así según las culturas de los pueblos índigenas. Con certeza no se sabe los miles de años del cultivo de éstas plantas. Quizás nuestros ancestors tuvieron algún conocimientos de estás plantas. Es fácil imaginarse que esos tiempos usaban las raíces, las hojas y las flores para remedios caseros. Los hombres en el tiempo primitivo cuándo tenían hambre comían hongos y todo lo que estuviera en su alcance más tarde tenían las reacciones de vómitos, convulciones fiebre, escalofríos y temblores. Esto dió comienzo a nuevos horizontes a los estudiós farmacológicos.

Los primitivos curanderos dieron su conocimiento sobre los efecos de las plantas. Se dieron cuenta que tranquilizaban los nervios. Cuándo se descubrió el nuevo mundo Pizzaro llegó a México los españoles descubrieron que los indios adoraban a su Dios y también adoraban ciertas plantas llamadas peyotl, aloliuqui, teonanacatal, de éstas plantas las màs importante era el peyotl ellos decían que era la carne de Dios. Está raíz pronto fué llamada por los españoles la raíz diabólica. Poco después los indios fueron denunciados por los sacerdotes en relación con este rituo, los indios continuaban con el culto del peyote, esto duro por muchos años en las ceremonias rituales.

NO A LAS DROGAS

En primer lugar, hablarle a los niños acerca de las drogas y el alcohol y otras sustancias que son peligrosas. Explicarle cuidadosamente las consecuencias y los efectos que les puede traer el uso de estas sustancias a la salud, el desarrollo del cuerpo sobre la vida del niño y su preparación.

Deben de corregirse las ideas equivocadas perpetuas por los compañeros y los medios de difunciòn. Escuchar con mucho cuidado cuándo los niños hablan del alcohol y otras drogas.

Con frecuencias los niños se comunican con más facilidad cuándo reciben señales verbales y no verbales positivas que demuestren que los padres están escuchando.

En segundo lugar, debe ayudarse a los niños a desarrollar una imagen propia saludable.

La autoestima se incrementa cuándo los padres elogian el esfuerzo y los logros de los niños.

Cuándo se crítica debe tenerse cuidado de criticar los actos y no las personas.

En tercer lugar, debe ayudarse a los niños a enfrentar la presión de los compañeros, explicarle que decir "NO" puede constituir una importante muestra de confianza en si mismo.

En cuarto lugar, establecer políticas familiares que ayudan a los niños a decir "NO" es el apoyo más decidido que los niños pueden tener para negarse a consumir alcohol o drogas, se basa en sólidos vínculos creados dentro de la unidad de la familia. Siempre acompañen a los niños a las fiestas. Los padres deben de dejarle saber a los demás miembros de la familia y amigos que el uso de droga o alcohol por parte de los menores constituyen una violación a las normas bajo las cuales funciona la familia y que el uso de droga o alcohol es inaceptable en la familia.

Dejar bién claro las consecuencias y los castigos que corresponden a tales violaciones.

Quinto lugar, debe estimularse a los niños a que participen en grupos de antidrogas.

Último estimular las actividades saludables creativas que ayudan a impedir que los niños utilicen alcohol o drogas. Ayudar a los niños a tener una vida activa. Es conveniente que conoscas quienes son los padres de los amigos de tus hijos.

Para más información puedes llamar:

National Cleraringhouse for Alcohol and Drug——1-800-729-6686

The National Federation of Parents for Drug Free Youth——-1-800-Kids

National Council of Alcoholism -1-800-622-2255

LA COMUNIDAD Y LAS DROGAS

La comunidad, la opinión pública pueden mejorar y desintegrar los esfuerzos hacia la prevención del abuso de las drogas, alcohol y cigarrillos entre los menores de edad en nuestra comunidad.

A pesar de que el abuso de las drogas, alcohol y cigarrillos en éste país contínua siendo un problema crónico y desvastador. Las encuestas mencionadas que a continuación están en este libro son ejemplos de cómo los jóvenes encuentran que el uso de drogas, alcohol y cigarrillos están relacionadas con otras drogas, son muy importante que sean prevenidas. Las encuestas del 1999, indican que la actitud de los estudiantes respecto a las drogas, alcohol y cigarrillos hay un 50 por ciento de la juventud describen una preocupación acerca del abuso de éstas sustancias. En el 1988, las encuestas nacionales en las escuelas secundarias, la población los jóvenes, los adultos los estudiantes opinaron que hay un alto riesgo asociado con las drogas.

Un incremento de un 34 por ciento hubo en el 1986 y un 51 por ciento 1988. Hay un aumento de toma de conciencia en el público sobre los problemas creados por el uso de drogas, alcohol y cigarrillos, otras sustancias que son peligrosas en el desarrollo de los jóvenes. A fin de establecer una diferencia ésta toma de conciencia deberían de trasformarse en acción pública en todos los niveles de la comunidad alrededor del país, deben tomarse acciones que desalienten a la juventud en el uso de drogas, alcohol y cigarrillos. Los jóvenes son muy vulnerables y fácilmente se convierten en usuarios de las drogas, alcohol y los cigarrillos. Comienzan a tener una serie de problemas asociados con este consumo. No sólo se toma en cuenta los problemas ocasionados por la dependencia y la adicción, entre otros problemas el bajo rendimiento académico, la deserción escolar, pérdida de relación de la familia y amigos, el desamparo, el embarazo prematuros en las adolescentes, el abuso sexual, el descuido físico, las distintas formas de violencia, el crimen, las enfermedades mentales, los intintos de suicidio y la muerte.

Actualmente, el interes del público sobre la prevención de estos problemas, los medios de comunicaciones y ciertos líderes de la nación atren la atención del público sobre los problemas relacionados con el uso de drogas y otras sustancias, un ejemplo el actor de cine

John, el jugador estelar de baloncesto el aumento del abuso de drogas desperto la preocupación de muchas personas américanas y de otros países que tienen el mismo problema con las drogas, alcohol y los cigarrillos entre los jóvenes. Tanto los padres de familia, jóvenes adultos y todas las personas deberían aprovechar la actual presencia de las tendencias, comportamiento positivo y demostrar que existe una intención favorable para actuar en favor de la prevención de las drogas, alcohol ly cigarrillos que hay en el mercado que son ilegales para usarlas. Los programas para evitar y reducir el uso de drogas el alcohol y otras sustancias generalmente fallan, quizás porque no tienen el apoyo de otros programas, actividades y mensajes porque el medio ambiente permite y tolera la venta de drogas y el uso de sustancias ilegales.

Para tener la mejor de nuestra juventud se debe crear un ambiente que los proteja del consumo de drogas. La oficina de Substance Abuse Prevention ha escrito folletos en español y en inglés para ayudar a las personas que quieren dedarrollar un buen ambiente para sus hijos y los demás miembros de la comunidad.

Asimismo éste libro ofrece una lista de agencias del gobierno que trabajan para la prevención.

Éste libro tiene toda la información acerca de las drogas, alcohol y los cigarrillos, los efectos y las consecuencias, cómo resolver el problema. Información sobre todos los problemas causados por las drogas, alcohol y los cigarrillos. Al unir la comunidad que consideren éste acto de responsabilidad de proteger a los jóvenes de la plaga de las drogas. Es importante el paper del medio ambiente en el comportamiento humano. Se espera que los padres de familia, profesores jóvenes, adultos, principales de escuelas, la policia, líderes políticos, ministros, sacerdotes y todos los miembros de la comunidad se interesen más por la vida de aquéllos niños que viven en ambientes dónde se acepta y se tolera el uso de sustancias químicas a temprana edad.

Proyectos de Prevención:

Muchas comunidades através del país están en proceso de acción, preparando programas de prevención un ejemplo una fiesta de escuela sin el consumo de bebidas con alcohol, drogas y cigarrillos. Un caso de esto fué en el 1979, dónde siete (7) estudiantes murieron en un accidente de automóbil bajos los efectos del alcohol y las drogas.

Ésta tragedia mobilizó a muchos miembros de la comunidad, tomaron acción al respecto. La idea se esparció a 86 escuelas a través del país. Este proyecto ha salvdo muchas vidas a los jóvenes menores de 21 año de edad. Los jóvenes no diferencian entre el uso, el abuso del alcohol y las drogas que pueden ser fatal. El uso de estas sustancias pone en peligro el funcionamiento fisiológico, social e intelectual.

La mayor parte de los jòvenes américanos tienen serias dificult-ades sociales, legales escolares y de salud debido al uso de las drogas, alcohol y cigarrillos. El ambiente de uso de droga cada día hay más evidencias de la presencia de las drogas y el alcohol entre los jóvenes. En la cultura de las drogas, los espectacúlos por la televisión, en la calle, en el trabajo los jóvenes reciben mensajes de distintas partes, respecto a que el uso del mensaje es aceptable.

? Que impresiona a un niño que camina en la calle de la comunidad o en los alrededores de la escuela o de su casa y encuentra tres o más tiendas que venden licor? Que pasa cuándo ven los anuncios comerciales de bebidas alcohólicas? Cuándo ven en los eventos deportivos que están auspiciados por las compañias de alcohol o cerveza, cuándo saben que las drogas con o sin recetas médicas son ampliamente promocionadas para ayudar a solucionar pequeños malestares y dolores. Cuándo saben de celebridades artist-icas que admiten de haber usado drogas o alcohol.

Cuándo sus mismos padres o familiares y amigos consumen drogas o alcohol. Llegarían a la conclusión de que las drogas y el alcohol tienen un modo de vida fascinante, creen que esto es una forma de vida cómo las personas arreglan sus problemas. No es cierto que es todo lo contrario.

En este país existe una gran demanda de todo tipo de drogas y si hay demanda hay ofertas.

Es importante reducir la demanda, una tarea difícil ya que las drogas es un enorme negocio para muchas personas. Un ejemplo de prevención lo es el programa PIE formado de padres de familias y la escuela. Poseen un enfoque de prevención compresivo, consiste en reunir a los padres de familias y a los profesores en una meta común, es prevenir el uso de drogas, alcohol entre los estudiantes, trabajar juntos para educar a la comunidad, crear mensajes positivos para la juventud.

LOS INDICIOS DE DROGA

Lo que los padres deben saber, es estar seguros y alerta a ciertos cambios radicales en la conducta de sus hijos. Cambios que en su conjunto forman parte de un modelo asociado al consumo de droga. Los indicios de droga. Los indicios de drogas son los siquientes:

1. Posesión de accesorios relacionados con las drogas.

2. Posesión de pipas para envolver cigarrillos pequeños envases con descongestionantes lamparitas de butano, hojas en la ropa con lemas alusivos charlas y bromas que muestran preocupación por el tema, agresividad al discutir sobre las drogas.

3. Indentificación de deterioro fisico, dificultad para concentrarse, el habla le es incoherente, tiene una apariencia sucia, indiferencia hacia la higiene y el aseo, ojos inyectados y brillosos, pupilas dilatadas.

4. Cambios en la escuela, decenso de las notas, tareas incompletas, aumento en la ausencia, se queda dormido en el salón de clase. se siente cansado, siempre esta comiendo dulces.

5. Cambios en la conducta, mentiras, cambios de amigos, posesión de dinero, hostilidad, coraje poca motivación, energía, poca autoestima y autodisiplina.

Recomendaciones:

Estar informado sobre las drogas y los indicios del consumo de droga. Los padres están en las mejor posición para reconocer los primeros indicios de droga, alcohol y cigarrillos en sus hijos.
1. Habla con los padres de los amiquitos de tu hijo y compañeros de clase.

2. Conocer el problema de droga que hay en la comunidad y en la escuela.

3. Establecer medios de compartir información para deteminar que otros niños están usando Droga y quienes son las que la usan.

4. Elabore un plan de acción, consulte con las autoridades escolare y otros padres.

5. Analizar sus sospechas con sus hijos tranquilamente, de una manera objectiva, no enfrentarlos cuando están bajo las influencias de la droga.

6. Imponer medidas disciplinarias que ayuden apartar el niño de ideas, circuntancias en las que po podria consumir drogas.

7. Busque consejos y asistencia de profesionales en el tratamiento de las drogas, hable con el principal de la escuela, el consejero o el maestro.

8. Acompañe a su hijo a todas partes.

Cuándo se observen síntomas responda inmediateamente, no pierda tiempo. Aproveche la oportunidad de utilizar los juegos como forma de ayudar a sus hijos a manejar situaciones de frustraciones y resolver el problema auque sea simple. Un jemplo, una torre de cubos que constantemente se cae, puede llevar al niña a llorar. Usted puede ofrecerle ciertas sugerencias para que la torre no se caiga, pero al mismo tiempo debe preguntarle su opinión acerca de la mejor manera de hacerlo. Convertir un fracaso en un éxito, refuerze la confianza de los niños en sí mismo.

Actividades Sugeridas:
Dedique momentos especiales en los que esté disponible para hablar con su hijo. Procure prestarle completa atención. Una caminata juntos, una cena en un lugar tranquilo o una visita a una heladería después del cine pueden facilitar la conversación. Estimile a su hijo a participar en actividades sanas que le permitan hacer nuevos amigos y divertidos. Los deportes, las actividades de niños por ejemplo los niños por ejemplo los niños escucha, organizaciones juveniles

auspiciados por la iglesia o por la comunidad constituyen excelentes medios para que conozcan a otros niños de su misma edad.

Enseñarles a conocer las formas en que se promueve y se sanciona el uso de las drogas, alcohol y los cigarrillos. Analice la forma en que los niños se ven bombardiados con mensajes en la televisión, las letras de las canciones, carteleras y anuncios en el sentido de que el uso del alcohol y otras drogas resulta muy atractivo. Distinga claramente entre los jóvenes. Continúe practicando con las formas de decir que no, recalcando maneras de rechazar el alcohol, drogas y los cigarrillos. Es común que los niños se sexto grado le ofrescan cerveza, cigarrillos, drogas, pero es importante que los niños sepan decir que No.

LA DEPRESIÓN EN LOS ADOLESCENTES

La depresión es una enfermedad que se manifiesta por deca-imiento, apatía, desinteres, falta de sueño, falta de apetito, perdida de peso, falta de energia, sentimientos de culpa. Sus causas pueden ser biológicas o ambientales.

Las que se originan en el organismo son biológicas, predisp-osición genéticas y los desequilibrios bioquímicos. Los psicológicos son las vivencias intímas de la persona. Las ambientales son las circuntancias externas que producen un impacto en su estado ánimo.

Un ejemplo puede ser la muerte de un familiar, separación de los padres, o un divorcio.

Cuándo la persona se deprime depende de varios factores, una experiencia dolorosa puede descencadenar el problema cuando existe un factor psicológico. La depresión en los adolescentes y en los niños puede ser leve o severa, esto los puede llevar a la adrogadicción. Los síntomas entre los jóvenes es diferente a lo de los adultos. La depresión en los adolescentes es melancólica sentimientos de desesperanza, la visión pesimista de la realidad y el futuro, pérdida de interes a las actividades, a menudo le da aburrimiento dificultad al dormir, aislamiento social, falta de atención, dificultad en concentrarse.

La hiperactividad, la falta de atención y la dificultad para concentrarse, el bajo rendimiento académico, las conductas agresivas los comportamiento autodestructivos es como se puede reconocer la depresión en los adolescentes.

La depresión en los niños y adolescente es más frecuente de lo que uno se puede sospechar, puede ser leve o severa, su intensidad va desde una conducta ligeramente melancólica hasta la depresión profunda que puede llevarlos al suicidio o a la adrogadicción. Lo grave es que los síntomas del mal no son tan claros y evidentes en los jóvenes como en los adultos.

Un jóven deprimido no manifiesta su mal por una conducta laciturna, se puede separar de un grupo de amigos o decida abandonar su deporte favorito. Entre otros jóvenes la depresión puede tomar la forma de aburrimiento, aislamiento de amigos y de la familia, dolores de cabeza sin causa alguna. Algunos de los síntomas que hemos mencionado aquí, cómo el aburrimiento apatía, los conflictos con la familia, y las alteraciones del apetito se presentan muy frecuentemente cómo parte de la crisis normal del adolescente.

Con permiso del editor: Cómo proteger a su hijo de las drogas por Carlos E. Climent L.M.D. Y María E. C. Guerrero

Editorial Norma, 1990, Santa Fé, Bogota

LA VENTA DE DROGA Y ALCOHOL

? Porqué hay gente que venden drogas?

Mucha gente venden droga por problemas económicos, porqué no consiquen trabajo por no tener una buena preparación educativa. Estas personas no tienen dinero para pagar los gastos necesario del hogar. Afortunadamente, el que trae la droga viene en un buen carro del año, quizás en un cadillac un mercedes ben o un bmw, mientras que el usurio no tiene dinero para comer ni mantener la familia. El consumo inicial de alcohol ocurre con mayor frecuencia a una edad temprana. Un 20 por ciento de los niños de sexto grado dijeron que habian empezado a usar alcohol a la edad de 11 años. Un 40 por ciento de los alumnos de octavo grado habían tomado bebidas alcohólicos. Un 27 por ciento habían usado bebidas alcohólicas y drogas por lo menos una vez. Un 13 por ciento dijeron que habían usado alcohol más de de 4 veces.

Esto reafirma la necesidad de poner en prácticas programas preventivos desde los primeros grados. Programas que se ocupen de enseñar a los niños la realidad acerca del abuso de droga y alcohol entre los menores de edad. Adriestar a sus hijos a fin de que puedan resistir la presión de los compañeros y amigos que los inducen a las drogas, alcohol y los cigarrillos. El alcohol es el problema de adicción más usado entre la juventud, y tienen la facilidad que pueden consequir alcohol, drogas y cigarrillos. Su amplia aceptación y la intensa promoción en nuestra sociedad han hecho de las bebidas alcohólicas la droga de mayor consumo y de mayor abuso entre los jóvenes y los adultos.

El problema es que un 35 por ciento de los refrescos vendidos en los Estados Unidos tienen alcohol. Cuándo los jóvenes toman bebidas alcohólicas tienen efectos serios en el cuerpo.

En el 1950, hubieron unos cambios drásticos, en el pueblo de Maine fué el primer estado en prohibir bebidas alcohólicos, más tarde 12 estados se unieron a la misma forma de no usar bebidas alcohólicas. Los políticos en el West usaron las tabernas como el sitio preferido para reuniones no sólo los políticos sino que los patrones usaban las tabernas con los trabajadores para discutir los problemas, a la misma vez compraban el voto pagandóle las bebidas a los empleados.

La gente del pueblo se dieron cuenta que éstas tabernas hiban a traer problemas a las familias.

Estas tabernas fueron la base principal para los políticos iniciar la corrupción en la historia de los Estados Unidos, y los problemas en las familias cuándo los esposos llegaban a la casa borachos.

Kansas City, fué otra estado que prohibio las bebidas alcohólicos. Otros estados siquieron haciéndo las reuniones en las tabernas hasta que se hizó un hábito.

La manera excesiva y rápida de beber que acostumbran los jóvenes altera el juicio, la visión coordinación el habla y los induce a un comportamiento audaz. El sistema sanquíneo de un jóven es menor que el de una persona adulta, porque el peso del jóven es menos el jóven absorbe con mayor velocidad el alcohol. Esto presenta un mayor deterioro durante un período más largo.

El alcohol no sólo aumenta la probalidad de verse involucrado en un accidente tiene el riesgo de sufrir daños graves ya que tiene efectos nocivos en todo el cuerpo.

Matilde Rosa

LA INTERVENCIÓN

La intervención más efectiva para el uso de drogas son aquéllas en que los padres, estudiantes, las escuelas y las comunidades se unen para trasmitir un firme y claro mensaje de que no se tolera a los jóvencitos usando drogas, alcohol o cigarrillos a una edad muy temprana. El desarrollo de política firmes que expresen claramente las normas que rigen el uso, la posesión y la venta de drogas constituyen un elemento fundamental de cualquier programa de prevención basado en las escuelas. Conosca las políticas en la escuela de su hijo y apoye decididamente. Si su escuela no tiene una política contra las drogas, trabaje con los profesores, administradores y miembros de la comunidad para formar una unidad. La política de una escuela típicamente especifica que los hechos constituyen una fracción, explica las consecuencias que trae aparejada la violación de las reglas, describe los procedimientos para tratar las violaciones, invoca el apoyo comunitario para su aplicación.

Visite la escuela de su hijo y conosca la forma en que se imparte la educación sobre las drogas.

Averigue si los miembros del plantel están adiestrados para dictar cursos contra el uso de droga alcohol o cigarrillos. Verifique si la educación sobre las drogas forman parte del programa regular o si todos los profesores la incorporan en sus respectivas clases. También es bueno saber si la educación se imparte a todos los niños o se limita a ciertos grados y si el programa incluye actividades para los padres. Si su escuela tiene un programa para prevenir el uso de drogas solicite ver los materiales que se utilizan. Si contienen un mensaje claro de que el uso de las drogas es impropio y perjudicial. La información es presisa y actualizada, la escuela dispone de fuentes de referencias para estudiantes que necesitan ayuda para los padres.

Ayude a los otros padres a conocer la política de la escuela a través de reuniones de la organización de padres y maestros. Por lo menos una reunión una vez al mes debería dedicarselas al temas de las drogas, alcohol y los cigarrillos. Pueden invitar a los farma-céuticos locales que conoscan el tema para explicar la forma en que las drogas afectan el crecimiento y el desarrollo de los niños. Pueden invitar funcionarios políticos, policia, para que les enseñe la amplitud y la gravedad del problema de las drogas en la comunidad. Invitar consejeros especialistas en la materia para analizar los síntomas del abuso de las drogas, alcohol y otras sustancias, asi como las opciones de tratamiento.

Actividades de los padres en la Comunidad:

Ayude a su hijo a crecer libre de drogas, alcohol y cigarrillos. Apoye los esfuerzos de la comunidad para proporcionar a los jóvenes alternativas sanas. Están popularizando en todo el país las fiestas de promoción libre de drogas y alcohol, asi cómo otras fiestas en la escuela.

Usted puede ayudar a organizar tales eventos, solicitar contribuciones y asegurarse la presencia de adultos durante cualquier actividad o fiesta. Los establecimientos comerciales constituyen una excelente fuente de apóyo para las actividades. Alternativas tales como equipos atléticos y trabajo de tiempo parcial. Un ejemplo sería que los restaurantes y las tiendas de la comunidad ofrescan discuentos a los jóvenes que hayan demostrado resultados negativos en analísis de orina.

Grupos de apoyo: Los padres de familia pueden ser valiosos aliados en el esfuerzo por mantener a sus hijos libre de drogas y alcohol, conosca los padres y los amigos de sus hijos. Compartan las expectativas sobre comportamiento y establesca con los demás padres un conjunto de normas acordadas sobre horas de regreso, fiestas no supervizadas y lugares prohibidos. Es más fácil ayudar a los jóvenes a evitar los problemas cuándo las normas de conducta son ampliamente conocidas y compartidas por todos los amigos.

Establesca una red de otros adultos con quienes usted pueda conversar. Incorpóre una organización de padres de su comunidad, envuélvase informalmente con sus amigos sobre las preocupaciones comunes al criar a los hijos. Al compartir experiencias puede proporcionar ideas que le faciliten una reacción productiva frente al comportamiento de sus hijo. También le ayudará el saber que otros padres tienen situaciones similares. Todos los esfuerzos exitosos de prevención en la familia, escuela o la comunidad comparten ciertos elementos importantes. La preocupación por el bienestar de los jóvenes, la acción de adultos que estén dispuestos a dedicar su tiempo y su energía y un firme compromiso del abuso de las drogas y el alcohol.

Enseñar a los niños a decir "no" no es lo suficiente. Hay algunos pasos concretos que los niños pueden practicar para facilitar que sepan rechazar una oferta de droga, alcohol o cigarrillos.

Dígale que pueden hacer lo suficiente:

Preguntar: Sí se les ofrece sustancias desconocidas que pregunten ? Que es ? Y de donde lo consiquieron. Sí se les propone una fiesta o una reunión que pregunten ? quienes van ? ?donde va ser ? ? van los padres. ? Decir no y demostrar que lo dices en serio. Dar razones firmes, tengo otras cosas que hacer. El jóven debe de decir las drogas afectan mi rendimiento escolar y además mis padres me matan si me cojen usando drogas.

SU HIJO Y LAS DROGAS

?Está usted preparado para manejar el abuso de las drogas? ? Por que necesito conocer de las drogas. Tengo buenos hijos. Los adolescentes son a menudo inseguros y temerosos. Son más vulnerables que lo que serán en cualquier otra étapa de sus vidas. Esperemos que aprendan a tratar con las ansiedades de esos años problemáticos y surjan como adultos saludables. Muchos de los niños rehusan comprometerse escondiendo su ansiedad sexual, soledad, dudas personales y otros problemas que tienen que confrontar para poder hacerse adultos responsables seguros de sí mismo. Si nunca abordan estos problemas, terminarán sus años adolescentes como adultos parciales, las destrezas que se necesitan para manejar su vida.

Los investigadores en medicina están encontraron que la mariguana tiene efectos adversos en los pulmones, cerebro, sistema reproductivo y el sistema de inmunidad. El humo parece tener mayor potencial carcinogénico que el humo del tabaco, hace más daño a las defensas antibacterial, los pulmones, infiere más con las funciones pulmonares. Las mujeres tienen tres veces más ciclos menstruales defectuosos que las que no fuman. Para los fumadores la mariguana reduce la mobilidad de los espermatozoides y aumenta la cantidad de espermatozoides anormales.

La mariguana también afecta el juicio, la memoria, las destrezas motoras y la coordinación.

Para los conductores, el efecto puede ser fatal. Los estudios efectuados han demostrado que un 16 por ciento de los conductores involucrados en accidentes fatales, habián estado fumando mariguana. Los jóvenes encuentran que la mariguana es placentera, es probable que busquen una embriaquez más poderosa, y un número creciente de adolescentes hoy en día están usando drogas como la cocaína, heroína y el "ice".

Muchas personas están tratando de poner un paro al abuso de drogas por los adolescentes y más padres se están uniendo para combatirla. El problema es que hay muchas personas que están deciéndole a sus niños que eso esta bién. Ese mensaje viene claramente de los sitios dónde la parafanelia de drogas se vende. Es donde los chicos compran publicaciones como "High Times" papel para enrollar algunos artefactos sofisticados que aumentan los efectos de la mariguana y de la cocaína. Pueden comprar nitrato de butilo, el cuál se vende como un desodorante de salón.

Si usted se sienta a conversar este temor con su hijo una sola vez no consiquirá mucho, tendras que hablar unas cuántas veces. Para producir un impacto debe ser consistente desde pequeño. Para iniciar el tema sobre el uso de droga, uses las historias de la televisión, artículos, de los periódicos y películas.

Preócupese del comportamiento y volores de los amigos y no por vendedores ilegales desconocidos que asechan los campos de juego de las escuelas. Pregúnteles quiénes son sus amigos y trate de conocerlo. Busque una ocasión adecuada para conocer a sus padres. Nunca práctique llegando de acuerdos sobre los programas de televisión que mirarán durante las vacaciones. Cuándo sus hijos cooperen prémielos, especialmente si no han obtenido lo que ellos desean. Sí consigue lo que quieren, insista en que ellos sean corteses con los demás.

Instrúyase sobre los problemas del alcohol y otras drogas. Asuma una posición clara y enseñele la realidad a sus hijos. Obtenga toda la información posible sobre el alcohol y otras drogas. A continuación indicamos ciertos pasos a sequir.

Prepararse para explicar la manera en que las diferentes drogas afectan el organismo y los porque algunas personas las usan. Los niños sienten curiosidad por algunas drogas, especialmente cuándo se las mencionan otros niños en la escuela. No tendrán tanta curiosidad si usted las has discutido en forma natural con ellos cuándo las mencionan o le preguntan. Busque ésta información en los centros de Prevención del Departamento de Servicios Contra la adicción. Organice actividades educativas para padres en su comunidad con personas de dicho departamento otros profesionales conocedores de la materia. Información y términos viejos y pasados de moda, sus hijos pensarán que no sabe en realidad lo que está hablando y no le harán menosprecie el poder de presión que pueden ejercer sus compañeros. Con frecuencia tienen más poder que usted. "Te quiero mucho me preocupa el daño que pueda hacerte."

Comienze la educación de sus hijos a una temprana edad. Con seguridad un niño de cinco años de edad no comprenderá los efectos que produce fumar mariguana, pero sí comprenderá que la gente puede consumir cosas buenas y malas. En niños de poca edad es mucho más importante inculcar conceptos positivos que proporcionan información basada en hechos. Sin embargo, a los niños se les deben de enseñar los hechos. Enseñe a sus hijos a jugar y a divertirse. A veces los niños experimentan con drogas porque parece algo entretenido. Enseñeles a pasar más tiempo con la familia. Déjele saber que está interesado en sus problemas. Conosca quiénes son los amigos de sus hijos. Busque actividades positivas, deportes organizados.

?Que están haciéndo mis vecinos acerca de las drogas? No importa qué están haciendo otros padres acerca de las drogas. Usted es el padre y en su casa usted es la autoridad.

Sin embargo, los padres preocupados pueden y deben unirse para discutir los problemas de droga.

Intercambiar ideas acerca de la conducta de los adolescentes. Trabajar juntos para proveer chaperona para las fiestas y los bailes. Sostener legislación para controlar la venta de droga en su comunidad. Ayude a desarrollar la educación y la intervención de programas en la escuela y en la comunidad. Hay organizaciones que están disponible para ayudarles. Comuníquése con la agencia que interviene con la prevención de abuso de drogas, tratamiento y rehabilitación del gobierno. Los padres de familia no deben ignorar las razones por las que sus hijos toman drogas que tanto el padre como la madre conozcan las reacciones emocionales de sus hijos.

Los signos peligrosos:

Existen señales definidas que indican de modo muy preciso que el riesgo ha parecido, dichas señales consisten en un cambio importante en la conducta del jóven y pueden ser consideradas como advertencias inequívocada.

Los primeros síntomas son:

1. Cambios en el modo de vestir, cuándo un jóven empieza a usar droga adquiere de inmediato un nuevo sentido de identidad, que se refleja inmediatamente en las prendas que usa.

2. Variación en sus relaciones sociales: Abandona sus amigos y compañeros para asociarse al nuevo grupo o pandillas, empieza a desarrollar nuevas formas de actividades, por ejemplo Juan regresa a las seis, pero llegará mucho más tarde sus padres inician una investigación sobre lo que estuvo haciendo y descubren que estuvo fumando mariguana. La falta de preocupación de sus padres y el sentirse ignorados con frecuencia son las causas de que los hijos empiezen a buscar de las drogas.

La mariguana deja un intenso olor peculiar que dura varias horas, especialmente en la ropa del fumador. Los fumadores de mariguana sienten exagerado apetito por los dulces. Los tranquilizantes los ponen en un estado permanente de soñolencia y de flojera. Los opiáceos como la heroína y la morfina hacen que las pupilas se les contraigan. Las drogas que contienen atropina un estimulante del corazón, dilatan las pupilas por lo cuál el vicioso usa anteojos oscuros aun si es de noche. Hay cápsulas que se venden sin recetas médica y de las cuáles los jóvenes han aprendido a extraer la atropina. El LSD provoca una sensación de desdoblamiento, o sea una salida del cuerpo. Los malos viajes o pesadillas del LSD son inconfundible por el típico estado de pánico que ocasionan. Una fuerte dosis de antetaminas produce en el sujeto una explosión de superactividad acompañada de una pérdida total del apetito le es imposible dormir.

?Que es lo que debe hacer un padre al descubrir que su hijo está abusando de las drogas?

Algunas dejándose arrastrar por la indignación y la cólera golpean al muchacho o al menos lo reprenden severamente, con lo cuál no sólo no obtienen nada positivo, sino que rompen toda posibilidad de entendimiento y comprensión. Se horrizan cuándo mencionan la palabra "droga", sin detenerse a pensar que el alcohol también es una droga progresiva y que ellos la han ingerido.

Sin duda, los padres observadores podran encontrar los accesorios que usan para envolver la droga, tales cómo papeles para hacer cigarrillos, jeringas hipodérmicas, agujas, cucharitas con el mango doblado, curiosos aparatos de fumar, incensarios y perfumes para ocultar el intenso olor de la mariguana.

Si mis hijos estuvieran fumando mariguana ?No lo sabria yo?

No necesariamente, en estudios realizados se ha determinado que los padres le toma por lo menos un año detectar los hábitos de drogas de su hijo. Lo que debe explorarse no son los síntomas físicos (aparte de los ojos rojos) pero si los cambios de conducta, vestimenta descuidada disposición caprichosa o malhumarada, falta de interés en trabajo escolar y se siente deprimido.

Tome una posición firme contra las drogas y manténgala, no tema decir "NO A LAS DROGAS"

Auque lo olvidemos a veces, los adolescentes buscan señales en sus padres, si usted le dice a su hijo no uses drogas y les deja saber por qué usted se siente de ese modo ellos le escucharán.

Comuniquése: El padre que gritas si traes cosas a mi casa te romperé la cabeza, esta echando otra vez a su hijo al grupo de los usadores de drogas. El mejor modo de manejar la situación de drogas es hablandole suavemente, no gritándole. No confrontes a sus hijos cuándo ellos están endrogados o cuándo usted tenga coraje. Espere hasta que usted esté tranquilo. Déjele saber que usted se preocupa por el. No restrinja sus conversaciones al tema de las drogas. Trate los otros problemas que son aparte de la adolescencia. Permanezca disponible, mantenga sus conversaciones abiertas con ellos.

Dé el ejemplo, la forma que usted se compone, guarda relación con la forma en que sus hijos se comportan. Esto no quiere decir que usted es responsable de todas las fallas. Quiere decir que si usted esta imponiendo la ley acerca de las drogas, tiene que sequirla. El padre que sirve un trago cada vez que está tenso, no llegara muy lejos cuándo le diga a su hijo que usar estimulantes es el modo de bregar con la tención. De igual manera, la madre que depende de tranquilizantes para pasar el día, o usa una bebida de alcohol. Usted no es el primer padre que trata con el abuso de las drogas.

EL CONSUMO DE DROGA

Las influencias sociales juegan un paper esencial al ser atractivo para los niños el consumo de droga. Las primeras tentaciones para empezar a usar drogas pueden darse en situaciones socials en forma de presiones para aprender a ser adulto y pasarla bién al fumarse un cigarrillo de mariguana o ingerir alcohol. Se ha encontrado según las encuestas nacionales que la televisión y las películas ejercen la mayor influencia sobre los jóvenes estudiantes de cuarto y sexto grado al hacerle parecer atractivo el consumo de drogas y alcohol.

? Cuál es la razón por la cuál los estudiantes usan drogas ? La razón más simple es por la presión de amigos, estar en armonia con los demás, para pasarla bién, se creen que se van a sentir mejor.

Esto reafirma la necesidad de programas preventivos que es importante en los primeros grados de escuelas, par resistir la presión de sus compañeros de clase. El desarrollo de políticas firmes que expresen las normas que rigen el uso, la posesión o la venta de drogas constituye un elemento fundamental de cualquier programa de prevención basado en las escuelas.

Visite la escuela de su hijo y conozca la forma en que se imparte la educación sobre las drogas.

Averigue si los maestros están adiestrados para dar cursos sobre las drogas y alcohol. Verifique si la educación sobre las drogas y el alcohol son parte del programa regular. Pregunte si la materia es enseñada en la clase de salud y si todos los profesores la enseñan en sus respectivas clases. Los programas más efectivos son de prevención del uso de droga y alcohol son aquéllos cuándo los padres los estudiantes, la escuela y la comunidad se unen para trasmitir un mensaje firme y claro que no se tolerá que los jóvenes usen droga o alcohol a temprana edad.

LOS JÓVENES Y LAS DROGAS

De acuerdo a las estadísticas doce millones y medio de americanos usan drogas, un 65 por ciento son blancos, 20 por ciento son negros, 10 por cientos son hispanos y un 8 por ciento son italianos. En las escuelas hay un 45 por ciento de los estudiantes han usado droga. Son muchos los padres que tienen hijos en las escuelas que están en todas partes. Muchos padres han perdido a sus hijos por el abuso de las drogas. Hay padres que han dado quejas en las escuelas por no tener un buen programa de prevención. Los maestros son los que están todo el día con él estudiante saben cuáles son los estudiantes que tienen problemas. A estos que tienen problemas deberían de atenderlos lo más pronto posible y buscar la causa del problema para ayudarlo antes de que sea muy tarde, las cosas a tiempo tienen remedio, sí el problema es de droga una rehabilitación es el mejor tratamiento que le pueden dar.

En las escuelas deberían de dar obligatoriamente clases de drogas, alcohol y cigarrillos, enseñarles los efectos y las consecuencias de las drogas. Sí los padres le dieran educación a los hijos a temprana edad acerca de las drogas y el alcohol los jóvenes no tuvieran el problema que tienen hoy día. Los padres son responsables y tienen el deber de educar a sus hijos acerca de las drogas. Los Departamento de Salud, centros de rehabilitación Departamentos de Educación tienen mucha información gratis. Vele cuidadosamente a su hijo a dónde va, con quién tiene amistad quienes son sus amigos. Sí notas algún cambio en él no pierdas tiempo en ayúdarlo lo antes posible. Según las encuestas indicaron que un 15 por ciento de los jóvenes habían usado droga, un 49 por ciento de los estudiantes habían usado algún tipo de droga, un 70 por ciento son estudiantes blancos, 16 por cientos eran negros, 10 por ciento eran latinos y un 10 por ciento italianos.

En el 1997, aumento el uso de droga a un 23 por ciento entre los estudiantes, auque tengan el programa de prevención activo. Entre las edades 12 y 14 hubo un gran aumento en el uso de mariguana, cocaína, amphetaminas, barbitúricos, heroína y halucinogénos. Las aptitudes de los niños depende de como el niño se ha criado y que ejemplo han tenido de los padres.

Los padres le dan advertencias a los niños de no usar droga pero esto no es lo suficiente, hay que darle educación sobre las drogas, los efectos las consecuencias. Esto se puede apreciar cuándo los estudiantes salen de la escuela, los niños que los padres trabajan y ellos están sólos sin la supervisión de una persona adulta, están en peligros de las drogas y de los malos amigos.

En las comunidades donde hay cantidades de personas de bajo ingreso este patrón es visible en los jóvenes. En las ciudades de alta población se puede ver este ejemplo entre los jóvencitos.

Un ejemplo lo es México en la actualidad hay 8 millones de alcohólicos la cuál un 50 por ciento son jóvenes entre las edades 12 y 25 años de edad, mil son residentes de la capital, esto afecta a los demás habitantes del país. El reporte indicó que 150, mil niños usan droga y 350 mil personas adultas usan droga.

LA NINEZ

La personas adultas saben que en la étapa de la niñez existe una dependencia. Todo niño necesita el apoyo, protección y quía de sus padres para el desarrollo y en caminarse hacia un futuro con seguridad. Los primeros años del niño son los más importante porque requieren que el niño participe de una estrecha vida comunitaria entre el padre la madre, hermanos, abuelos, tios, y demás familiares, en la que todos participen y aportan en diferentes maneras toda interración comunitaria implica una contribución personal. Es necesario la apertura y aceptación del niño hacia un grupo social mediante su adaptación comprensión y tolerancia.

Éstas aptitudes le permitirán desenvolverse normalmente y sanamente, logrando que su ego se sitúe confortablemente. Ésta primera étapa de interacción se vive cuándo por primera vez el niño se aleja del lado de sus padres para empezar los primeros años de escuela. Cuándo se contribuye a la estabilidad psicológica o emocional de quienes lo rodean recibimos grandes ganancias. Durante nuestras vidas dentro de un cuadro familiar o comunitario nos beneficiamos del amor y el calor de la familia, con ayuda mutua, actividades, experiencias, proyectos, asi como conllevar un rose social en un ambiente familiar de amor respeto con una base religiosa, el ser humano llega a formarse gradualmente, desde la edad de cinco años en adelante, varios rasgos de personalidad bién establecidos quedan establecidos hasta la edad adulta.

El desarrollo físico, conoscitivos, la personalidad se produce durante el período preescolar designa todos los procesos de conocimientos de percibir, aprender, formar conceptos y solucionar problemas. Los desarrollos de éste período es el crecimiento rápido de las capacidades cognoscitivas del lenguaje, el comienzo de la tipificación sexual, la identificación con modelos de los padres, el establecimiento inicial de conductas defensivas en situaciones provocadoras de ansiedad.

El Desarrollo perceptivo:

A medida que el niño aumenta en tamalo va perfeccionando sus destrezas y capacidad motora.

La interpretación principal se entiende la selección de las impresiones sensoriales del individuo es decir lo que ve, lo oye, lo que toca, huele, lo que siente, éstas interpretaciones iniciales cambian en función del aprendisaje y de la experiencia. La manera que el niño organiza lo que ve es uno de los procesos primarios que sufren cambios con el paso de la edad. A medida que el niño va madurando va teniendo experiencia en la percepción del mundo que lo rodea. En el desarrollo de la personalidad se establecen muchas características que son muy importante para el niño. Entre éstas se manifiestan en situaciones diversas y afectan los aspectos de la conducta.

El padre que es afectuoso y cuidadoso con sus hijos suele ser tomado como un buen modelo.

El padre que cuida de sus hijos satisface las necesidades de éste y llega a convertirse en un valor positivo. El desarrollo de la conciencia es un componente muy importante y difundido en la organización psicológica del niño, por ejemplo no decir mentiras, obedecer los reglamentos vencer las tentaciones de hacer cosas malas, esto son fenómenos muy complejos. Los niños que tienen una fuerte motivación de realización durante los seis primeros años tienden a conservar este motivo durante la adolescencia y la edad adulta.

LA RECUPERACIÓN

La recuperación es cambiar tu vida, una persona que halla abusado de las drogas y el alcohol por un período de largos años está cansado de ser esclavo de las drogas o el alcohol, tiene la oportunidad de una recuperación si quieres cambiar el modo de vida, tus aptitudes y tu modo de vivir. El único remedio es un centro de rehabilitación. En este centro tienes que aceptar las reglas y adaptarte al ambiente donde encontraras una vida mejor en un ambiente familiar. Cuándo el cliente entra a un centro de rehabilitación tiene que adaptarse al programa. La persona tiene que estar limpio de drogas o del alcohol por lo menos 30 días antes de entrar al programa.

La persona aprende a darse importancia por si mismo. Al terminar la recuperación la persona a aprendido a ser humanitario, si regresa a la comunidad puede ser un miembro productivo a la sociedad, y darle ayuda a esos que están en problemas de drogas y alcohol.

Através de las terapías, consejería y la educación muchos llegan a ser consejeros de drogas auque tengan que hir al colegio a estudiar las faces de los efectos de todas las drogas y el alcohol.

La mayor parte de los centros de rehabilitación ofrecen buenas técnicas de cómo vivir una vida mejor, más saludable en paz y tranquilidad. Los programas continuan las huellas del cliente después que terminan la rehabilitación y regresan a la sociedad para asegurarse que el cliente va en una dirección correcta. Un 80 por ciento de las personas que terminan el programa empiezan a trabajar. Una de las cosas que motiva al cliente es cuándo terminan el programa se siente orgullosos de si mismo.

? Que se necesita para la recuperación?

Lo más importante es el deseo de recuperse. La palabra crisis quiere decir que hay peligro, es un tiempo para tomar una desición también es una experiencia para crecer, algo que le permita romper para tomar una desición tiene una oportunidad dentro de ellos mismos y encontrar fuentes de vida que no conocian y que pueden crecer de esta experiencia. Hay cambios nuevos en la vida el tiempo que se ha sufrido, lo que ha pasado es una étapa de transición se siente inestabilidad y confusión. Cambiar es empezar a confiar en sus instintos para dar pasos positivos. Es importante que este cambio es el desprendimiento cuándo aceptan que ha estado heroinio y ciego de la realidad. Se produce un verdadero cambio en el corazón de la persona.

Este cambio los lleva a aceptar que en este punto de vista es parcial y los deja libre para revisar las situaciones y buscar validación externa de los actos cometidos. Descubren que pueden ser fuertes, débiles dominante y sumiso que pueden cambiar a ser personas positivas, responsables sinceras, fiel y honestos.

La oportunidad que les brinda una crisis es integrar la experiencia del pasado y luchar para un presente y un futuro mejor. Esto seria un sistema de recuparación un cambio de una vida nueva.

La recuperación es un proceso cuándo alquién enfrenta la verdad. Es difícil para el adicto el alcohólico cambiar las cosas a que ya están acostumbrado hacer. El engaño es aceptar cosas como la mentira, robar, el no ser sincero aceptar que tienes un problema de droga o alcohol.

Aceptar y reconocer que has cometido una falta y tienen que pedir perdón. Si aceptas que tienes estos problemas has dado un paso de sinceridad, honestidad con tigo mismo. Analizar las raices del proceso adictivo y encontraras cuáles son las raices de la situación que te encuentras.

Hay personas que han usado droga por muchos años pero llegan a punto dónde se quieren quitar al vida. Otros tienen la oportunidad de poder entrar a un centro de rehabilitación para poder tener un cambio en su vida. Cuándo un cliente entra a un centro de rehabilitación tiene que aprender cómo se va adaptar a las reglas y procedimientos del programa para empezar a vivir una vida nueva. Lo primero que tiene que hacer es estar libre de las drogas o el alcohol por lo meno un mes, tener el deseo de curarse, estar positivo y asi aprenderas a darte importancia tu mismo. En un año de rehabilitación aprenden a ser humanitarios regresan a la comunidad y pueden ofrecerle ayuda a los que tienen problemas de drogas y alcohol. Cuándo el cliente termina el programa tiene que continuar con las reuniones de grupo, asi el consejero puede archivar la conducta y la mejoria del cliente. Usando la terapía de realidad que es modificar el comportamiento, el esfuerzo positivo para ayudar al cliente a cambiar su vida por cosas bonitas y positivas. Un 75 por ciento de las personas que entran a rehabilitación termina el proceso completo se siente orgulloso aprende a cuidarse por si sólo y aprende a respetar a los demás.

La terapía de oración es una de las cosas más importante en la recuperación, la fé que pongas en tu corazón hara la diferencia en tu vida. En éstas transcendencias de la vida cuándo una persona tiene que aceptar la realidad tiene que haber un poder supremo que es Dios que está presente para ayudarte, porque Dios hace milagros, iluminara tu vida, te dara esperanzas, el te brindara la felicidad, te abrira las puertas para que puedas alcanzar la luz que alumbrará tu futuro. Éste es el momento de dar gracias a Dios en que el individuo entrega su corazón a Dios, le pide perdón por todo lo malo que hizo. Esta experiencia espiritual es la única capaz de convertir al ser humano de ser esclavo a un ser libre de drogas o alcohol.

El hombre es posedor de un espirítu que es el que aclama por la livertad, Jesús dijo que habia venido al mundo a salvar a los pecadores a los enfermos, declarate enfermo y pecador y el te dara la salvación. Cualquier adicción oprime nuestros deseos, quita la voluntad confuden la motivación y contamina el juicio. La curación interior consiste en que la persona se ponga en contacto con el ser supremo. Amar a Dios sobre todas las cosas, sacar del alma todo coraje culpa miedo, venganza, las heridas producidas internas que son capaz de curar las amarguras, las emociones que han sido sepultadas en nuestro inconsiente porque no sabian manejarlas.

El perdón de la recuperación desde el punto de vista psicológico es la clave de la salud integral del ser humano, del alcohólico y del adrogadicto.

TU HIJO ANTES DEL NACIMIENTO

Si tu quieres que tu hijo sea fuerte sano y saludable, hay muchas cosas buenas que puedes hacer a para mantenerlo saludable. Éstas cosas ayudan a tu hijo a que cresca fuerte y saludable. Son las siquientes:

1. Visita a tu médico por lo menos una vez al mes durante los primeros siete (7) meses, luego siques las intruciones del doctor.
2. Comer bién, incluye en la comida mucha leche, pescado, carne, frutas, vegetales, pan de trigo y cereales.
3. Camina, toma aire fresco y haz ejercicios.
4. Aprende todo lo que puedas sobre cómo cuidar a tu hijo, pregunta si hay clases de parto en tu comunidad
5. Habla sobre tus problemas con tu médico, o busca información en la biblioteca pública de la comunidad. Mientras ástas embarazada no consumas drogas ni bebidas alcohólicas, cuándo tu lo haces tu hijo lo hace también. El alcohol y las drogas perjudican el desarrollo de tu hijo.

No fumes cigarrillos de ninguna clase, no bebas cerveza ni vino. No tomes pastillas de ninguna clase que no sean recetadas por el doctor, tu puedes ayudar que tu hijo sea saludable. Visita regularmente a tu doctor cuídate mucho, comes comidas que sean saludable. Si éstas consumiendo drogas y alcohol deja de hacerlo lo antes posible, las cosas a tiempo tienen remedio. Si dejas de usar drogas o alcohol puedes darle a tu hijo la posibilidad de nacer saludable, sano y fuerte.

El desarrollo del embrión:

Por lo general el embarazo no suele sospecharse hasta de tres a cuatro semanas después de la concepción. En este momento el bebé está en desarrollo. Después de dos meses se empiezan a formar las partes del cuerpo. En el quinto mes la madre puede percibir el movimiento del niño.

El médico podrá descubrir los latidos del corazón.

Molestias y Peligros durante el embarazo:

El cuerpo de la mujer experimenta cambios durante éste período. La madre aumenta de peso le puede dar fatiga y molestias, las piernas se inchan y los tobillos. Puede tener enfermedades contagiosas, esto es peligroso para el feto y la madre. Enfermedades cómo la sífilis, gonorrea son muy peligrosas para el feto, hay que tratarlas sequid-amente con el doctor. Madres que tienen sífilis dan a luz bebé con infeciones o nacen muertos. Madres que tienen gonorrea el feto nace con ceguera.

EL FUTURO DE TUS HIJOS

Quía para la prevención del uso de las drogas, alcohol y cigarrillos. Nuestros hijos y adolescentes encaran situaciones muy distintas a las que conocían nuestros padres. La proliferación del uso y abuso de las drogas, alcohol y cigarrillos se han convertido en la historia principal de todos los medios de comunicaciones del país, así cómo el núcleo familiar.

No hay duda de que las drogas están causando un gran daño a nuestra familia, y en especial a nuestros jóvenes. A veces no entendemos que existen en nuestra comunidad y en la sociedad productos ilegales que son accesible a nuestros hijos y a los jóvenes que son menores de edad.

Hablemos acerca del alcohol las drogas y los cigarrillos. Cómo padres, abuelos, hermanos, tios, tenemos la responsabilidad de quiar a nuestros hijos por el mejor camino. Nunca es demasiado temprano para hablar con nuestros hijos pequeños acerca de las drogas, alcohol y los cigarrillos.

De hecho el conversar con los niños sobre estas sustancias peligrosas, estos males sociales es el paso más importante en mejorar la calidad de vida de todos en nuestra sociedad y en nuestra comunidad.

Habla con tus hijos:

Aprovecha cualquier oportunidad para hablar con ellos sobre los peligros de las drogas, alcohol y los cigarrillos. Sí están viendo un programa de televisión dónde el personaje abusa de las drogas o el alcohol discútelo con tu hijo. Cuándo al caminar por la calle vean a un jóven endrogado explíquele los peligros que ellos conllevan. En la mayoria de los casos tu pequeño estará receptivo y cualquier gesto o comentario negativo de tu parte puede cortar la comunicación.

Acuérdate que sí tú no les ofrece la información correcta otra persona puede influenciar negativamente sobre el.

Explícale los peligros:

Dejeles saber que el alcohol no les hace más sofisticado ni más maduro, sino que les hace perder control se sus actos. Los efectos del abuso del alcohol y las drogas en el cuerpo incluye trastornos del funcionamiento normal del corazón, degeneración de los tegidos del hígado.

Tendría mayor vulnerabilidad a enfermarse coger infecciones, anemia, huesos quebradizos y puede causar la muerte.

Ofrece Alternativas:

Las malas influencias en la sociedad no se puede eliminar por completo, pero só las puedes minimizar sí les ofrece a tus hijos alternativas de diversos entretenimientos que sean sanos y educativos. Se ha encontrado que los niños que experimentan con alcohol, drogas, cigarrillos usualmente no tienen en que ocupar el tiempo. No existen equipos deportivos organiza uno busca ayuda y el apoyo de otras personas, líderes de la comunidad y agencias del gobierno.

Los deportes ayudan a desarrollar no sólo cuerpos sanos sino también seres humanos desciplinados y cooperadores. Estos valores le ayudarán a tus hijos a decir no a la atención de experimentar con drogas, alcohol y cigarrillos.

Envuelvete:

Toma parte en las actividades que le interesen a tu hijo, conocer bién a sus amigos. Habla a menudo con los maestros para saber cómo se comporta en la escuela. Hágamos de nuestros niños nuestra mejor prioridad, así lograremos el futuro con el que todos deseamos. Sí te da cuentas que tu hijo debe de saber que un mal comportamiento es dañino y que no se tolera en la familia.

Se un ejemplo, sí tu pareja abusa de las drogas, alcohol, cigarrillos es el mejor momento para dejar el hábito. De tal manera les estarás dando a tu hijo la lección más conveniente. Sólo si eres un buen ejemplo para tus hijos podras esperar que ellos escuchen y acepten tus consejos.

El dejar de usar drogas y alcohol mejoraras significativamente tu vida y la de tu familia.

Confrontas los problemas si tu hijo muestra señales de uso de droga o alcohol, no trates de ocultar el problema, habla honestamente con el sin menospreciarlo, sí no logras los resultados deseados, llama la línea de auxilio ellos te ayudarán. Hágamos de nuestros hijos nuestra mejor prioridad lograremos el futuro con que todos deseamos para nuestros hijos.

CONOCER LAS DROGAS

El hombre ha buscado las drogas para experimentar sensaciones placenteras. A veces las usan para calmar el dolor o por no poder resolver un problema. El uso de droga se viene usando desde hace mucho tiempo. Los asiáticos descubrieron los efectos del opio en épocas remotas que son difícil de precisar. En los últimos años habido una escala de producción al consumo de las drogas y especialmente entre los jóvenes. Las drogas, los estimulantes, los depresores son númerosos y hay una gran variación y todas producen efectos rápidos. El uso regular de cualquier droga es un proceso que conduce a la necesidad de consumir más droga para sentirse bién. Las drogas se administran de diferentes maneras se inyectan, por inhalación por aspiración, o por vía digestiva.

La adicción es un proceso progresivo, porque va llevando al usuario paso a paso desde el consumo regular hasta la dependencia. Hay diferentes tipos de adicción que hay que distinquir esta tolerancia, la dependencia psicológica y la dependencia fisiológica.

1. La tolerancia: Es cuándo el organismo se habitúa a funcionar con el uso de la droga, hasta que la cantidad de droga deja de producir los efectos que producía al comienzo, el usuario necesita más droga para experimentar las mismas sensaciones.

2. La dependenica Fisiologíca: Es cuándo el organismo necesita el ingrediente activo de la droga para funcionar normalmente, cuándo le falta la droga presenta síntomas físicos, esto son los síntomas de retiramiento la persona le da temblores, insomnio, taquicardía, dolores de cabeza.

3. La dependencia psicológica: Esta se presenta cuando la persona se siente mal, no puede realizar sus actividades normales mientras esta bajo las influencias de la droga o el alcohol.

Este tratamiento debe ser atendido por un doctor, porqué hay que suministrar la dosis al paciente en dosis cada vez más bajas para que su organismo se habitúe poco a poco a funcionar sin la droga hasta que pueda dejarla por completo. Hay muchos factores que inciden en el proceso de la adicción, la dosis real, la via de administración, la frecuencia del consumo, el ambiente en que se consume, la salud mental del usuario. La dosis es el grado de concentración del producto, el ingrediente activo en la cantidad consumida. La frecuencia del consumo como se aplica la droga todos los días o varias veces a la semana. El uso de droga está relacionado con las enfermedades mentales, el uso permanente y prolongado le daña la mente. El peligro de las drogas radica en sus efectos, cada día va usando más cantidades hasta que llega a la adicción.

Los primeros problemas se presentan en los jóvenes cuándo el jóven pierde la responsabilidad los estudios, el trabajo, pierde el interes en todas las cosas, pierde la capacidad de disfrutar la vida social. El jóven pierde el cuidado personal. Finalmente, el jóven llega a una situación critíca por falta de ingreso para mantener el vicio, esto lo induce a robar, después siquen los problemas grave, la cárcel y las enfermedades.

Con permiso del editor:
Como proteger a su hijo de las drogas
Por Carlos E. Climent, L.M.D. y María C. de Guerrero
Editorial Norma 1990
Santa Fé Bogotá.

LOS NINOS Y LAS DROGAS

Lo que pueden hacer los padres: Mi hijo sólo tiene siete (7) años todavia no tengo que preocuparme por las drogas ?cierto? Falso debes de preocuparte por las drogas desde antes tu hijo empezar la escuela. Según les enseña a tomar leche, comer frutas, vegetales y comidas que ayudan a crecer y que son nutritivas los contaminadores ambientales, el alcohol y las drogas no son buenas para el crecimiento y no son buenas para la salud. Más tarde según van creciendo puedes y debes de ser más específico.

Usted puede hacer algo al respecto: ? Porqué los jóvenes usan drogas y alcohol? Las razones son diversas. Sin embargo, la influencia que usted tiene sobre su hijo para prevenirle del uso de drogas, alcohol y cigarrillos para que no se convierta en adrogadicto en el futuro, es superior a lo que usted cree. Ahora es el momento de empezar sin tomar en cuenta si el niño tiene edad suficiente para entender. A continuación indicamos algunas ideas para ayudarle a criar niños sanos, saludables y fuertes que no abusen de las drogas. Enseñe a su hijo a sentirse orgulloso de sí mismo. El niño tiene menos probalidades de buscar esa sensación en las drogas. Desarrollar confianza en sí mismo y una imagen positiva, los niños necesitan adquirir la capacidad para la comunicación honesta. Los niños necesitan saber la manera de expresar sentimientos tales cómo enfadado, alegría, amor, temor y deben tener confianza de que esto es apropiado y de seguro para ellos. Los niños aprenden por medio del ejemplo, por tanto, por lo tanto usted también debe aprender a expresar sus sentimientos honestamente. Acostúmbrese a preguntarle a su hijo cómo se sienten especialmente sí usted sabe que tiene alguna preocupación o si lo has regañado.

Exprese también sus sentimientos de manera abierta, escuché con paciencia y enséñeles a que escuchen a las demás personas que ellos conocen.

Cooperación: Los niños deben de aprender a negociar y a ponerse en la situación de otras personas para sí poder llevarse bién con los demás. Ensaye los comentarios de los mensajes de la televisión y el cine sobre las drogas. Ayude a su hijo a darse cuenta de la manera en que los anuncios comerciales y los personajes de algunos programas asocian el uso de alcohol con la belleza, éxito y la diversión y cómo los estimulan al usar drogas, alcohol y cigarrillos.

Converse a menudo con sus hijos sobre el problema de las drogas, sí usted se sienta a conversar con sus hijos sin temor, la primera vez no consiquerá mucho. Para producir un impacto debe ser consistente desde pequeño. Par iniciar el tema sobre el uso de drogas, alcohol y cigarrillos use las historias que se ven en la televisión, artículos de los periódicos y películas. Preocupese del comportamiento y valores de los amigos y no por los vendedores ilegales desconocidos que asechan los campos de juegos de las escuelas. Pregúntele quiénes son sus amigos y trate de conocerlos. Busqué una ocasión adecuada -para conocer a sus padres. Nunca práctiques llegando acuerdos sobre los programa de televisión que mirarán a los lugares que visitarán durante las vacasiones. Cuándo sus niños cooperan prémielos especialmente si no han obtenido lo que ellos desean. Sí consiques lo que quieren insista en que ellos sean corteses con los demás.

Instruyase sobre los problemas de alcohol y otras drogas que son peligrosas. Asuma una posición clara y enseñeles la realidad a sus hijos. Obtenga toda la información posible sobre las drogas.

A continuación indicamos ciertos pasos a sequir, preparese para explica la manera en que las diferentes drogas afectan el organismo y los motivos porque algunas personas usan las drogas.

Los niños sienten curiosidad por algunas drogas, especialmente cuándo se las mencionan otros niños en la escuela. No tendran tanta curiosidad si usted las ha discutido en una forma natural con ellos cuándo las menciones o le pregunten. Busqué ésta información en los centros de Prevención.

Contra la Adicción: Organize actividades educativas para los padres de familia en su comunidad.

Busqué personas que sean profesionales en la materia. Mantenga al día en la última moda de las drogas. Tanto las modas cómo las drogas cambian con rápidez. Sí usted usa información y términos viejos pasados de moda sus hijos pensarán que no sabe en realidad lo que está hablando y no le harán menosprecie el poder de presión que puedan ejercer sus compañeros. De razones para que el niño entienda cuándo le dices "porque te quiero mucho y me preocupa el daño que pueda hacerte."

Comienze la educación de sus hijos a una temprana edad. Con seguridad un niño de cinco (5) de edad no comprenderá los efectos que produce un cigarrillo de mariguana, pero sí comprendera que la gente puede consumir cosas malas y buenas. Los niños de poca edad es mucho más importante inculcar conceptos positivos que propor- cionan información basada a sus hijos a jugar y a divertirse. A veces los niños experimentan con drogas porque le parece algo entretenido.

Enséñeles a divertirse con actividades de recreación y a desarrollar otros intereses y pasatiempos.

De esta manera se puede evitar que usen drogas para entretenerse y así reducir el aburrimiento.

Piense en la manera en que usted se divertía cuándo era niño y pregúntele a sus padres y personas mayores lo que ellos hacían cuándo eran niños. Ofresca a sus hijos una variedad de actividades y recreaciones.

Usted tiene el poder para criar a su hijo a quién le sera posible decir no a las drogas, alcohol y los cigarrillos. Practique las sugerencias de esta manera rutinaria, una a su hijo a los grupos donde puedan aprender disiplina y sequir ordenes de los demás. Los siquientes grupos son ideales:

1. Las artes marciales
2. Los niños escucha (boys scout)
3. Los exploradores (boys scout más grandes de edad)
4. Canoa (canoeing)
5. Bailar o cantar
6. Tocar instrumentos
7. Baseball
8. Soccer
9. Fútball
10. Nadar

Marika Wood, tiene doce años desde la edad de cinco años canta y baila en un grupo de niños en una escuela de arte y musica. Tiene cinta negra en artes marciales. Juega sotball, soccer bowling. Fué la estudiante del año en la escuela Schuyler en Kearney N.J. Marika es nieta de la autora de este libro.

GUÍA DE PREVENCIÓN

Los padres de familia pueden ser valiosos aliados en el esfuerzo por mantener a su hijo libre de drogas. Conosca a los padres de los amigos de su hijo, comparta las expectativas sobre el comportamiento, establesca con los demás padres un conjunto de normas mutuamente acordadas sobre las horas de regreso, fiestas no supervisadas y lugares prohibidos. Es más fácil ayudar a los jóvenes a evitar los problemas cuándo las normas de conductas son ampliamente conocidas y compartidas por todos los amigos. Establecer una red de otros adultos con quienes usted puedan conversar. Incorpórese a una organización de padres en su comunidad, converse informalmente con sus amigos sobre las preocupaciones comunes al criar a los hijos. El compartir experiencias puede proporcionarle ideas que le faciliten una reacción productiva frente al comportamiento de sus hijos. También le ayudará el saber que otros padres han enfrentado situaciones parecidas.

Todos los esfuerzos de éxito de prevención sea en la familia, escuela, comunidad comparten ciertos elementos importantes. La preocupación por el bienestar de los jóvenes, la acción de adulto que estén dispuestos a dedicar su tiempo y energía con un firme compromiso en contra las drogas el alcohol y los cigarrillos. Todos los esfuerzos deberían enderezarse a construir una sociedad en donde las preocupaciones las tensiones no fueran tan numerosas que se ahogan en bebidas excesivas de alcohol, y éstas personas como miembros de la sociedad hubieran aprendido mediante una prepración a consequir las cosas sin recurrir al alcohol y a las drogas.

El acta de la legislación que prohibe la venta de bebidas alcohólica fué promulgada en el 1920. Después el acta fué derogada en el 1933 por la oposición de ciertas personas. Desde el 1940 tenemos una una proporción mayor de alcohólicos y bebedores jóvenes. La prohibición no logró resolver el problema del alcohólsmo. El método más eficaz de combatir las drogas y el alcohol es antes de que el niño alcanze la edad de 11 años. Si los padres pueden ayudar a sus hijos a llegar a dultos maduros establece el número de personas para convertirse en alcohólico quedará reducido.

Los padres pueden hacer mucho para que sus hijos llequen a ser capaces de enfrentar las dificultades sin el uso de drogas o alcohol.

Para la prevención del alcohólismo puede visitar los Alcohólicos Anónimos (AA) es el método de organización más conocida. Es una organización de individuos que se han superado del hábito de beber y son ayudados por otras personas que han pasado por la misma experiencia.

La organización AA fué fundada por el doctor Bill W y el corredor de la bolsa de balores en el 1935. El ingreso en los AA se basa en la aceptación de los Doce Pasos del alcohólismo.

El primer paso es éramos impotentes frente al alcohol y nuestras vidas se habían hecho ingobernable. Actividades para los padres y la comunidad. Ayuda a tu hijo a crecer libre de drogas y alcohol apoyándo los esfuerzos de la comunidad para proporcionar a los jóvenes alternativas sanas. Se están popularizando en todo el país las fiestas de promoción libre de drogas y alcohol, así como otras fiestas similares realizadas en la escuela. Usted puede organizar tales eventos solicitando contribuciones y asegurar la presencia de adultos durante la fiesta. Los establecimientos comerciales locales constituyen una excelente fuente de apoyo para las actividades.

Enseñar a los niños a decir que "no"

Hay ciertos pasos concretos que los niños pueden practicar para facilitar que sepan rechazar una oferta de droga, alcohol o cigarrillos. Dígale que pueden hacer lo siquiente.

1. Preguntar si se les ofrece sustancias desconocidas que pregunten ?que es?
2. 2.?Dónde la consequistes ? Si te proponen una fiesta o una reunión que pregunten quienes van ?
3. ?Donde va hacer ?
4. ?Van estar los padres ?

Decir que no y dar razones firmes, por ejemplo decir tengo otras cosas que hacer o decir si mis padres me cojen usando droga me matarían. Ayude a su hijo a crecer libre de drogas, alcohol y cigarrillos. Apoyándo los esfuerzos de la comunidad y la escuela para proporcionar a los jóvenes alternativas sanas. Compartir experiencias puede proporcionarle ideas que faciliten una reacción productiva frente al comportamiento de sus hijos.

Ayude a los otros padres a conocer la política de la escuela a través de reuniones de la organización de padres y maestros. Por menos una reunión al año deberia didicarse al tema del alcohol y las drogas ilícitas. Pueden invitarse médicos, farmacéuticos locales que conoscan el tema para explicarle la forma en que las drogas afectan el crecimiento y el desarrollo del niño pueden invitar funcionarios policiales para enseñar la amplitud y la gravedad del problema de drogas en la comunidad, y pueden vinir consejeros especializados para analizar los síntomas del uso de droga y alcohol, así cómo las opciones de tratamiento existentes.

Actividades de los padres y la comunidad:

Ayude a su hijo a crecer libre de drogas y alcohol apoyándo los esfuerzos de la comunidad para proporcionar a los jóvenes alterativas sanas. Usted puede organizar tales eventos, solicitar contribuciones. asegurar la presencia de adultos durante la fiesta. Los estableimientos comerciales locales contituyen también una excelente fuente de apoyo para las acividades, por ejemplo, las tiendas los restaurantes en Texas ofrecen discuentos a los jóvenes que que hayan mostrado resultados negativos de drogas en análisis voluntarios de orina.

Grupos de Apoyos de padres:

Los demás padres de familia pueden ser valiosos aliados en el esfuerzo por mantener a su hijo libre de drogas. Conosca a los padres de los amigos de su hijo. Comparta las expectactivas sobre compor- miento y establesca con los demás padres un conjunto de normas mutuamente acordadas sobre las horas de regreso, fiestas no supervisadas y lugares prohibidos. Es más fácil ayudar a los jóvenes a evitar los problemas cuándo las normas de conducta son ampliamente conocidas y compartidas por todos los amigos. Establecer una red de otros adultos con quienes ustedes puedan conversar. Incorpórese a una organización de padres en su comunidad o converse informalente con sus amigos sobre las preocupaciones comunes al criar a los hijos. El compartir experiencias puede proporcionarle ideas que le faciliten una reacción productiva frente al comportamiento de sus hijos. También le ayudará el saber que otros padres han enfrentado situaciones parecidas. Todos los esfuerzos de éxitos de prevención, ya sea en la familia, la escuela o la comunidad, comparten ciertos elementos importantes.

La preocupación por el bienestar de los jóvenes, la acción de adulto que estén dispuestos a dedicar su tiempo y su energía y un firme compromiso en contra de las drogas, alcohol y los cigarrillos. Ayud a su hijo a crecer libre de drogas, alcohol y cigarrillos.

Apoyándo los esfuerzos de la comunidad para proporcionar a loss jóvenes alternativas sanas. Compartir experiencias que pueden proporcionale ideas que faciliten una reacción productiva frente al comportamiento de sus hijos.

LA FAMILIA DISFUNCIONAL

La curación de la familia disfuncional tiene muchos aspectos amplios que la curación individual de sus miembros. Tratar de cambiar las relaciones de la familia que ha existido por muchos años es difícil de cambiar. El individuo sólo puede dedicarse a su propia recuperación. Cuándo un miembro empieza el preceso hacia la recuperación lo primero que hace es dejar de jugar los papeles que ha estado desempeñando en la familia, al hacerlo halgo pasa en la familia, se rompe el el equilibrio en que el habia vivido. Esto es el momento oportuno para entrar en una terapía familiar se dara cuenta de lo que estaba pasando en la familia.

Se empieza con una comunicación de sentimientos auque es un poco triste y doloroso, es lo mejor y la única salida de la familia es empezar el proceso de curación. Después de una comunicación brotaran a la luz las heridas de los miembros de la familia. Entonces podran entrar en el proceso del perdón. El momento de un cambio familiar ha sido porqué su hijo es un alcohòlico a un adrogadicto. La familia descubre que no eran tan perfecto como ellos se creian. Tienen que trabajar todos juntos para romper las relaciones para que la familia funcione mejor y sanamente.

Cuando la terapía familiar es un proceso de curación interior la trasformación es más sólida y verdadera, cuándo se trabaja en conjunto los resultados son favorables. La familia se da cuenta que hay que apoyar al miembro de la familia que necesita cambiar su conducta. La curación de la familia seria darse cuenta de lo que sucede y tomar decisiones para cambiar la curación de las heridas y los recuerdos.

La curación interior y la terapía individual es el proceso del perdón, aceptación de los miembros de la familia, la aceptación de los padres o de los hijos. La terapía familiar son grupos de apoyo manejo de sentimientos, cursos para salir de la codependencia si la familia de todo corazón desea la recuperación, esto seria lo mejor que le ayudaría. Sí el individuo logra la paz interior y puede comunicarse con la familia habrá un poco de paz en la familia. La gracia de Dios se manifiesta en diferentes maneras en el proceso de la recuperación. Éstas étapas se presentan en diferentes maneras, como el proceso de trabajar. Ésta étapa se presenta como la fuerza en su voluntad la inteligencia para poder analizar la conducta y pueden dar los pasos necesarios para cambiar.

En la recuperación hay que trabajar duro, hacer un gran esfuerzo para lograr lo que se quiere.

Nos damos cuenta del mecanismo de las defensas que usamos. Seremos conciente de cuándo los usamos, como los usamos y para que los usamos. Es importante tener un grupo que nos ayude a ver la verdad. La negación, la mejor forma de enfrentarla es cuándo sabemos que la adicción tiene que terminar. A veces la familia, los amigos y hasta el doctor entran en relación codependientes con sus enfermos. Esto le puede dar una ocasión al adicto para seguir en lo mismo. La negación del individuo es suficiente fuerte para que todo en el sistema lo sostengan.

El tomar mucho alcohol lleva a la persona a una adicción. Una persona puede dicir "no" a la invitación de una copa para que los amigos no se burlen, hay que ser conciente con los demás nunca insistir a una persona a que tome. El autoengaño, esto tiene más salidas que enfrentar la verdad, aceptar lo que tenemos, si sequimos engañandonos creyendo que las cosas no son tan serias como las pintamos.

Deshonestidad, hay muchas personas que quieren dejar la adicción pero cuándo se empieza a trabajar con la persona los miembros de la familia que tienen que dar el apoyo el preceso se corta y la recaída sobrevive. Dejar los amigos y las personas que le apoyan la addicción es difícil para el proceso de recuperación. Decir la verdad parece ser sencillo pero no es así, porque la persona ha vivido mintiendo, se engaña la familia, los amigos y las amistades, la persona deja de tener una emoción de lo que es la verdad. Hay una incapacidad real de la propia persona para ver la realidad. La defensa, para evitar esto hay que hir creciendo días tras días si tenemos el deseo de cambiar. Desesperanza, distinquir las expectativas que pueden fallarnos, porque están en manos de Dios pedir la gracia de la esperanza y la fé para lucharla.

EL TRATAMIENTO DE LA FAMILIA

El tratamiento de la familia tiene ciertas actividades que son por un terapista con el propósito de ayudar a solucionar el problema de la familia en una manera constructiva entre los miembros de la familia. Siempre se incluye más de un miembro de la familia en cada sesión la pareja de cónyuges y uno de los padres del hijo. La familia es considerada como un sistema en lugar de varios individuos.

El tratamiento de parejas es en grupos, al cliente se le observa los reflejos de sus problemas. Éstos reflejos se pueden observar en otra pareja con la búsqueda de una solución común al problema. El tratamiento para los padres se dan en grupos de padres, adolescentes que están en tratamiento. En primer lugar se da el tratamiento individual a uno de los padres, para luego integrar el grupo.

Psicoterapía familiar, este es el más común. El tratamiento es en grupo de la familia con el fin de ayudar a los miembros de la familia a reconocer el problema, para que compartan y se acepten cómo individuos, clarificando, indentificando sus normas y patrones de comunicación y de comportamiento. La terapía puede se psicodinámica, según el proceso de comunicación entre la familia. La importancia de la pérdida y la ansiedad por las deparaciones se enfatizan a la estructura de la familia, así cómo el papel que se desarrolla dentro del sistema de la familia.

En la terapía familiar hay tres (3) puntos que son muy importante para el terapista que es la intervención, buscar cuáles han sido los daños y la evaluación del problema.

Lo importante es el comportamiento de la persona y cómo poder cambiar este patrón de mal comportamiento a un patrón positivo entre los miembros de la familia.

Dentro del sistema de la familia es de suma importancia el estimúlo del comportamiento de cualquiera de los miembros de la familia es evidente un miembro de la familia pueda influir a cualquiera otro de los miembros.

La meta de amillaramiento es diseñar un tratamiento efectivo para la familia. Ésta reconocido que el comportamiento de una persona es el patrón de vida que tiene factores interpersonales de situaciones que ocurren por destresas de la vida de una persona, sean sociales culturales entre miembros de la familia. La terapía de la familia es un cambio individual del tratamiento de la persona.

EL PROCESO DE LA DROGA

Unos químicos alemanes en el 1862, extrajeron por primera vez un alcaloide de la coca, con nitrógeno que lo nombraron cocaín, la extración de cocaína con sulfato. La cocaína con permanganato de potasio quedo la trasformación en base o sea una forma de pasta.

La conversión de la pasta con clorhidrato de cocaína de un kilo se pueden obtener 8 kilos de clorhidrato de cocaína. Otra manera de obtener la cocaína es con la hoja seca, diluida en ácido sulfúrico mezclado con cal, gasolina y kerosene. La preparaciòn de la base se refina en laboratorios clandestinos agregándole éter acetona, ácido clorihdrico para sacar el polvo cristalino que es la cocaína. Es bueno conocer el proceso de ésta droga, porque es de suma importancia que los usuarios de ésta droga no conocen los ingredientes que usan para hacer la droga. En el mes de Junio 1999, se registraron dos mil quinientas personas estadounidenses que son adictos a la cocaína. Uno de cada 100 persona han consumido cocaína. En el 1988 un millón 500 mil personas fueron arrestados por el uso de ésta droga. Los reportes indicaron que en la criminidad está envuelta la cocaína. Estados Unidos es el país que más se consume droga. Nuestros jóvenes están usando droga a una edad muy temprana. Desafortunadamente nuestros niños están en el peligro de las drogas. Por lo general las personas que inducen a las drogas son personas conocidas o familiares. Los niños están en peligro porque es la edad que son tan ignorantes que pueden caer en las trampas de los vendedores, son demasiado jóvenes para tomar una decisión. Hay que enseñarle a temprana edad y educarlos a cerca de las consecuencias y los efectos de las drogas. Cómo todos sabemos los niños aprenden mucha más del ejemplo que de los consejos que se le dan. Enseñe a su hijo cómo reacionar frente una situación cuándo le ofrescan drogas, alcohol o cigarrillos. Esto sería un arma poderosa que le permitira tomar una desición inteligente en caso de emergencia. Recuerde que decir no a las drogas no es lo suficiente enséñeles los efectos, el peligro, re rendimiento escolar el desarrollo de la persona y otros problemas que traen las drogas.

Hay ciertas personas que opinan a favor de las drogas y quienes lo hacen lo contrario. Los consumidores ignoran los daños que producen éstas drogas, ya que la mayoría son adolescentes.

Las drogas juegan un paper de gravedad a la sociedad, porque el narcotráfico es un negocio que representa ingresos millonarios. Los vendedores de drogas buscan la manera de consequir clientes sin importales quienes caen en las trampas. Los distribudores buscan personas que se ven solitarias y problematicas o los grupos que buscan conflictos. Casi siempre la primera vez es para poder coger a la persona le dan la droga gratis. A la edad de 13 años es la transiciòn a la adolescencia, la edad más peligrosa para empezar a usar droga. Es importante que a está edad sepan los peligros de las drogas. Los jóvenes que son más propensos a las drogas son aquellos que provienen de las familias disfuncional en donde no hay autoridad, no hay respeto, cariño educación, y un buen ejemplo por parte de los padres. Comunícate con tus hijos escúchalos entérate de las cosas que le interesen. Apóyelos en diferentes actividades escolares, deportivas y religiosas.

LA PROTECCIÓN DE LA LEY

Bajo las leyes estatales las personas pueden buscar ayuda para los problemas de droga. La ley estatal en muchas instancias requiere que los médicos, psicológos y centros de tratamientos de droga y alcohol mantengan confidencial cualquier información recibida de pacientes de droga, si el paciente recibe ayuda federal, puede ser necesario ofrecer información a otros médicos para ayudar en el tratamiento, o las compañias para ayudar a consequir beneficios a los pacientes, esto puede hacerce con el concentimiento del paciente.

Prevención:

Los niños son confrontados con drogas y con la presión de los amigos para usar la droga. Esto puede ocurrir en cualquier lugar que ellos esten. Los jóvenes son apresionados con el alcohol cigarrillos y drogas a una temprana edad. Se les enseña a decir "no" a las drogas, alcohol y a los cigarrillos cuádo se las ofrecen. El propósito de la prevención es proveer a los jóvenes alternativas al abuso de las drogas, alcohol y cigarrillos, buscar alternativas que sean saludables y atractivas para ellos. Esto envuelve la comunidad entera, incluyendo a los jóvencitos a desarrollar relaciones significativas con los otros padres maestros, amigos, miniestros de la iglesia consejeros sacerdotes, policias y personas de la comunidad.

Estos estudios hechos recientemente a los adolescentes que usan mariguana demostraron que un 60 por ciento de los estudiantes de escuela superior han usado droga unas cuántas veces.

Un 8 por ciento de los niños de 12 a 13 años de edad informaron que habían fumado mariguana por lo menos dos veces y la mitad de ese grupo eran usuarios corrientes. Los jóvencitos de 14 y 15 años de edad habían un 32 por ciento que usaron droga. Un 17 por ciento usan droga semanal. Mucho de los jóvenes entre las edades 12 y 17 indicaron que habían usado mariguana cuándo todavía estabán en la escuela primaria.

Las investigaciones demostraron que los efectos de las drogas afecta el aprendisaje, deteriora el pensamiento, disturba la comprensión, la lectura y las estrezas verbales. Los jóvenes necesitan aprender cómo tomar decisiones, manejar el éxito y arreglarse con el fracaso. El abuso de las drogas obstaculiza el crecimiento de los jóvenes para el desarrollo y el crecimiento para la madurez y la responsabiliad que necesitan tener para un buen futuro. Las encuestas nacionales reportaron que el abuso de droga en el 1985 demostraron que en tres grandes grupos de edades entrevistadas entre las edades (11-15-16-) (17-18-19-23) años de edad el abuso de drogas ilícitas era más prevelente entre los jóvenes de 19-23 años de edad.

LA RECAÍDA

Muchas personas para iniciar una recuperación de drogas o alcohol o otros problemas relacionados con la dependencia química han buscado tratamientos efectivos privados o públicos para ayudarse al problema que los agobia. Actualmente todo lo que se está haciendo en términos de intervención con todos los programas de tratamiento hay que poner atención en altos porcentajes de recaída. Hemos tenido varios pacientes que después de varios largos años de sobriedad han recaído de nuevo otra vez. La recaída puede tomar diferentes direcciones.

Algunos de los clientes aprenden de esas experiencias, hacen un esfuerzo para mantenerse libre de drogas o el alcohol. Otros sufren una serie de problemas hasta llegar la recuperación y otros nunca se recuperan.

Los malos pensamientos describen el marco de un cliente cuyas actitudes parecen reflejar su personalidad antigua. El deseo de usar droga o el alcohol es mayor que su deseo de permanecer sobrio. Muchas recaídas se dan como resultado de exceso de confianza o bajar la guardia.

La pérdida del amor, el orgullo, la confianza en si mismo junto al remoldimiento, el sentimiento de culpabilidad, parecen prevenir la recuperación, hay que enseñarle a reconocer que una recaída no es lo último para ellos, si no que es parte de la enfermedad. El regreso a las drogas o al alcohol es un retorno a la locura, después de una recuperación temporal. Una recaída sique un período de pensar en forma irracional durante unas cuántas semanas o meses. La recuperación depende en poder mantenerse en buenas actitudes forzadas por ciertas disiplinas prácticadas regularmente para evitar las viejas constumbres.

Síntomas que conducen a la recaída:
1. Agotamiento: Dejarse llevar a un estado de cansancio o mala salud, el descanso es importante.
2. Deshonestidad: Esto empieza con un patrón de mentiras o engaño con sus familiares, amigos compañerros de trabajo, excusas para hacer lo que no debería hacer, esto se llama racionalización.

3. Impaciencia: Las cosas no suceden rípido, los otros no están haciendo lo que usted quiere que ellos agán.
4. Discusiones: Indica una necesidad de tener siempre razón buscando una excusa para usar Drogas o alcohol.
5. Depreción: Desesperación sin razón y sin explicaciones.
6. Frustaciones: Las cosas no salen como yo quiero.
7. Conmiseración: ? Porqué las cosas me suceden a mi ?.
8. Alarde: Situaciones en las que debe para probar a otros que usted no tiene ese problema.
9. Exceso de Confianza: Usar droga o alcohol es lo último en que yo puedo pensar.
10. Dejar la disiplina: Meditar el inventario diario, rezar asistir a las reuniones, eso puede evaporarse por exceso de confianza o aburrimiento.
11. El uso de drogas: Sí tienes la necesidad de facilitar las cosas con una pastilla, es el modo más fácil de tener una recaída.
12. Desear demasiado: No se proponga metas que no puedes cumplir, la felicidad no es tener todo lo que se quiere.
13. Esto no me puede suceder a mi: Recordar que tiene una enfermedad que se acrecienta con el tiempo y si recaes sera lo peor que te puede pasar, porque una segunda recaída es más difícil de recuperarse.

COMUNIDADES TERAUPETICAS

La primera comunidad teraupética fué en Synanion, fundada en el 1958. Hoy en día hay más de 600 programas en los Estados Unidos con servicios a más de 15, 000 pacientes.

La mayor parte de estas comunidades han sido diseñadas especialmente para las personas de bajo ingreso, personas que las drogas le han consumido la vida, para personas que han cometido crimenes después que salen de la cárcel usan los servicios de las comunidades teraupéticas.

Un 80 por ciento de estas personas han sido arrestadas, y la mitad no trabajan. Más de la mitad han sido tratados antes de entrar a T.C. Comunidades teraupéticas provee un substituto familiar en la cual las reglas son extrictas y buen comportamiento es necesario, son forzadas através de gratificación a un castigo, que son suplementados por grupos de terapía o las terapías individual.

El cliente es constante vigilado, los residentes cada uno es reponsable por los quehaceres domésticos y asumir responsabilidad y privilegio en una jerarquía interna según van mejorando.

Ellos aprenden con los otros miembros que han sido anterior adictos.

El abuso de las drogas se considera como una enfermedad de emociones que requiere transformaciones de pensamientos, sentimiento y comportamiento que los lleva a desarrollar confianza en si mismo. Los residentes estan 6 meses a un año en el programa de tratamiento. Las comunidades teraupéticas han sido desarrolladas especialmente para los que abusan de las drogas especialmente la heroína, ahora hay otras drogas que abusan de ellas que necesitan tratamiento.

T.C. también ofrece servicios a pacientes que no son residentes (out patient). Hay otros programas de corta duración. Uno de los programa más importante es el de los adolescentes y para las madres con niños, otros programas residenciales para los que son dependencia química. Este tratamiento a veces es llamado "Minesota" este programa es diferente al T.C. Dependencia química es diferente en el tipo de persona, el tiempo y en las aptitudes hacia un control profesional los quehaceres y el mantenimiento lo hacen los profesionales. Los pacientes son mayormente de clase media que tienen el problema de alcohol, con el programa que tenga una unidad para alcoholicos. El programa incluye consejería individual, grupos de terapía, grupos de reuniones usando los 12 pasos de los alcohólicos, y terapía familiar.

El cuidado después del programa (after care) dura de 3 a 4 meses y hasta un año. Éste programa tiene más de 12, 000 mil pacientes en los Estados Unidos. En los Estados Unidos hay más de 50, 000 mil capítulos de Alcohólicos Anónimos (AA), un 45 por ciento de lo mienbros son referidos por los programas de drogra y un 35 por ciento son de otras agencias y un 27 por ciento van por sí mismo. En las reuniones los miembros cuentan sus historias y discuten ciertos tópicos incluyendo los 12 pasos. Cada miembro tiene un padrino cuándo la personas tiene una crisis o un problema ese padrino lo ayudará le dara terapía y consejería. Los miembros tienen que asistir a las reuniones diarias. Hay muchos casos que después que se rehabilitan vuelven de nuevo a usar droga o alcohol. Un 35 por ciento caen de nuevo, un 20 por ciento empiezan el programa y lo terminan victorioso. Los clientes crean una dependencia al grupo de la comunidad, la vida se les hace más fícil sin el grupo. Ciertas personas han sido victoriosos y se han hido a la escuela para estudiar consejería en droga y alcohol para trabajar en las agencias de la comunidad.

En europa fué dónde primero se crearon las primeras comunidades teraupéticas. En éstas comunidades teraupéticas se desarrollo el concepto principal del programa que es nutrir el crecimiento personal del cliente. Ésta meta es consumida cambiandóle el estilo de vida del cliente.

El cliente tiene que tomar un paper activo en el progreso del tratamiento, responsabilidad de su rehabilitación, sequir las reglas del programa para ser aceptado en el programa. Los miembros son introducidos a los Alcohólicos Anónimos y ha los Narcóticos Anónimos durante la primera étapa del tratamiento.

Los padres de familia tienen que participar en las reuniones de grupo para que puedan entender los cambios de la persona mientras se le da apoyo y estímulo al cliente. El cliente tiene que participar en todas las actividades educativas sobre los efectos y las consecuencias de las drogas y el alcohol. Se le da entrenamiento vocacional actividades recreativas. Los reglamentos son puesto por la agencia.

T.C.T. es la segunda fase del programa, los primeros 6 meses son de transición durante esa étapa el cliente es asignado a un departamento del programa. Las mismas responsabilidades de los empleados es aplicable al cliente, un ejemplo es reportarse a tiempo a trabajar, tener buena asistencia y trabajar como un profesional. Cuándo el período de transición termina el cliente tiene que estar preparado para buscar brabajo o hir a la escuela.

T.C.3. Ésta étapa es la final, vivir fuera y trabajar fuera de la agencia. En ésta étapa del programa provee cuidado después del tratamiento para estar seguros que el cliente ha demostrado aptitudes positivas libre de drogas, ajustar las cosas para empezar a buscar trabajo y tener un ambiente familiar. En ésta fase provee a las personas que no son residentes del programa que tienen problemas familiares con el alcohol y las drogas se les da servicios de rehabilitación diario a los miembros que son recidentes y especialmente a los que están en probatoria o en livertad condicional.

LA NUTRICIÓN Y LA REHABILITACIÓN

La nutrición que se puede aplicar para las personas que abusan de las drogas y el alcohol. Con resultados positivos para una buena recuperación completa, segura, eficiente, nutritiva y sana.

La medicina nutricional es una rama que provee la cantidad apropiada de nutrientes necesarios para una destoxificación. Esta medicina nutricional fué descubiera por el doctor Pauling, que tuvo muchos años de investigaciones en las vitaminas y las enfermedades mentales. Esto envuelve una cantidad grande de ciertos nutrientes como las vitaminas, minerales, ánimo ácido, las enzymas y otras sustancias que son importante en el desarrollo de un cuerpo sano y una mente sana. Los requisitos diarios para prevenir una deficiencia nutricional como la anemia, beri-beri y otras enfermedades que son causadas por falta de alimentación apropiada.

El doctor Pauling publicó un reporte que fué controversial en la concentración de las sustanicas eran encontrada en las personas de cuerpos sanos y mente saludable. Las controversias y los argumentos duraron por años, pero más tarde los especialistas y los psiquiatras publicaron una documentación y el apoyo del concepto de la nutrición para los alcohólicos y los adrogadictos. El doctor Pauling recibió su inspiración del trabajo de ciertos trabajadores en el campo de psiquiatría, que trabajaban con los esquisofrinicos "llamados enfermos mentales' usando ciertas cantidades de vitaminas C -B 3- B 6- y niacin. Los clientes se recuperaron antes del tiempo indicado. Para ese tiempo llegó al mercado y a las farmacias los depresores y los tranquilizantes. Para las enfermedades mentales como la depresión psycosis, esquisofrinicos y hasta el presente se desconoce y no se ha descubierto el origen de estas enfermedades y los efectos. Una enfermedad que continua en la persona para toda la vida.

Una vez que la biochemical del metabolismo la dependencia la deficiencia sea corregida, el paciente tendra la oportunidad de vivir una vida mejor. Los nutrientes disultos en agua no tuvieron nigún contratiempo ni ninguna mala reacción. Según fueron pasando los años los pacientes fueron tratados con estos nutrientes, añadiéndóle más técnicas al repertorio de las vitaminas, minerales, ánimo ácido, y los remedios herbarios, con un cambio en la dieta removiendo el azúcar, huevos, carnes rojas, productos lácteos y los productos que causan alergías y que producen reaciones a ciertas personas. Muchos doctores usaron este método y tuvieron grandes resultados positivos.

Luego los doctores y los nutricionistas empezarón a tratar párkison, alzheimer, fatiga, crónicas y otras condiciones significativas a las medicinas tradicional convencional. El cuerpo humano ésta compuesto de protoplasma vivientes y el constituyente básico que son las moléculas que componen el cuerpo. Los que abusan de las drogas o el alcohol pierden la fuerza muscular, por esta razón son aplicables las vitaminas y los nutrientes a las personas para la recuperación. Creando nuevas células a la memoria al cuerpo y al sistema circulatorio de la sangre, dejando el hábito de usar la droga o el alcohol. Hay ciertos pasos que sequir que pueden ayudar a la persona. Primero es la destoxificación del cuerpo, segundo remover las toxinas del cuerpo y tercero añadirle vitaminas y nutrientes para perfeccionar las moléculas que están dañadas.

En el planeta tierra hay miles de químicas en el aire, tierra, y en las comidas que son dañinas para el cuerpo. Por medio de esto consumimos éstas químicas, respirando el aire, comiendo y bebiendo llega al sistema del cuerpo. Todas éstas químicas afecta la memoria sangre, tegidos y todos los órganos del cuerpo, esto no permite que los nutrientes y las vitaminas trabajen bién. Ésta contaminación celular no hace susceptibles a la adicción. Cuándo empezamos a disminuir la cantidad de droga o alcohol, la persona siente los síntomas de retirada de la droga.

Hay un momento psicológico del deseo de tener la droga otra vez la persona tendra síntomas de fatiga, depresión, ansiedad, confusión, y nerviosismo, inquietud. Cuándo la personas empieza a tomar o a comer cosas dulces a usar cafeina, cigarrillos o alguna droga fuerte para superar el deseo, tan pronto la persona le da gusto al antojo, el ciclo de addicción continua y es perpetuo.

? Como romper la addicón?

Lo primero es estar consiente que uno tiene una addición. La persona tiene que dejar de usar la droga o el alcohol. Usar cosas que perjudiquen la memoria y el cuerpo no es bueno.

Remover las moléculas y los residuos del cuerpo y de la sangre. La persona tiene que remplasar las sustancias apropiadas a la composición del cuerpo. Cuándo ésto se cumple la persona se siente diferente "mejor" y la addicción psicológica va desapareciendo.

Métodos de la destoxificación:

Superar y controlar al cliente, estar en ayuna de agua y liquidos. Aumentar la oxigenación del cuerpo y la memoria por medio de la terapía de oxígeno el uso de vitaminas y nutrientes.

Comer frutas, vegetales, ensaladas, esto le ayuda por la cantidad de vitaminas y nutrientes que contienen las frutas y las ensaladas, los vegetales, minerales y las enzymas.

Hacer un examen para saber si eres alérgico alguna comida y saber la cantidad de nutrientes que tu cuerpo necesita. Una buena dieta balanciada, rotativa, para no sobre cargar el sistema inmune.

Un tratamiento de nutrients, vitaminas B1-B6- B- 12 ácido folico biotin, omega que se encuentran en el pescao, minerales, zinc, magnesium, minerales, potasio, fósforo y las enzymas.

RESPONSABILIDAD PERSONAL

Enseñe a los niños a ser responsables desde que son pequeños para que desarrollen una imagen personal sólida. Asígneles tareas importantes que requieran del uso de sus capacidades mentales y físicas, tareas de las cuáles ellos serán finalmente responsables. Asegúrese que sean capaces de desarrollar estas tareas y el proceso ayúdelos y aconséjelos pero insista en que cumplan sus tareas.

Cuándo se les dan trabajos sin importancias los niños se sienten ofendidos.

Capacidad para formar opiniones y tomar decisiones:

Estas son erramientas muy valiosas que le ayudarán a sus hijos a poder resistir aquellos que les ofrecen drogas. Estas experiencias las adquieren los niños cuándo crecen entre gente madura que saben tomar decisiones. Al opinar o tomar decisiones se les ofrece a los niños la oportunidad de pensar en lo que ellos harían en la misma situación. Es conviniente que usted permita que sus hijos formen opiniones y tomen decisiones a menudo en casos indicados. Insista en que piensen en las distintas opciones que tienen y en las consecuencias de cada uno.

Capacidad para dar y recibir amor sin condiciones:

Ame a su hijo tal como es, sin tomar en cuenta sus logros no la manera en que se desempeña.

Aún cuándo usted se enfade y tenga que reprenderlos a causa de su cariño y respeto como persona nunca confunda la reprimienda o el castigo con el rechazo. Cuándo sus hijos se enfaden con alquién ayúdelos a distinquir entre el enfado y los buenos sentimientos que tienen hacia esa persona. Los niños necesitan ejemplos positivos, ellos imitan a los adultos que los rodean.

Trate de llevar un estilo de vida sana que sus hijos puedan emitar. Vínculos positivos que mantenga buenas relaciones con su cónyuque sus hijos y sus amigos relaciones de consideración y apoyo. Aprenda a reconocer las tensiones emocionales y físicas, manéjelas de manera constructiva, enséñeles a su hijo hacerlo. Evite el uso de alcohol o drogas para aliviar presiones su hijo lo imitará.

Ejercicios y buena alimentación:

Práctique ejercicios que sean agradables y que puedan continuar en el futuro. Los niños necesitan que le preste atención especial. En la búsqueda de identidad los niños necesitan sentirse como individuos importantes. Dedique tiempo para estar a solas con su hijo. No importa lo que hagan siempre al hacerlo remueve la fortaleza y los lazos entre ustedes. Es importante que escuchen a su hijo cuándo le hable. No importa que su hijo sea pequeño que le hable sin temor y franqueza si lo haces desde niño lo hara cuándo sea grande.

Pídale a su hijo opiniones respecto a problemas y decisiones familiares, quizas tienen mucho que ofrecerle. Enseñele a su hijo a jugar y a divertirse. A veces los niños experimentan con drogas porque parece algo entretenido. Enseñéles a divertirse con actividades de recreación y desarrollar otros intereses y pasatiempos. De esa manera se puede evitar que usen drogas para entretenerse y así reducir el aburrimiento. Piense en la manera en que usted se divertía cuándo eras niños.

Pregúntale a sus padres y personas mayores lo que ellos hacían cuándo eran niños. Ofresca a sus hijos una variedad de actividades y recreaciones para que no se aburre.

No menosprecie a su hijo: A pesar de que los padres son mayores que los hijos todos son seres humanos iguales que merecen respeto mutuo. Si ustad no respeta a su hijo desde niño éste no lo respetará a usted más tarde. Es muy importante pasar períodos de tiempo juntos con la familia compartir tradiciones familiares, comidas y otras actividades. Trate de que el tiempo que se dedique a la televisión sea mínimo. Aproveche esas ocasiones para juegos, conversaciones generales y expresar sentimientos de algría y de agravios. A veces los miembros de la familia están tan ocupados con projectos y relaciones familiares que no tienen tiempo para los hijos. No permita que esto le suceda a usted. Déle a los miembros de su familia amor y atenciones.

Ayude a su hijo a desarrollar una buena disciplina:

Los niños necesitan una definicíon clara de lo que se espera de ellos y de las consecuencias resultante si actúan de otra manera. En su responsabilidad es necesario establecer límites. Es necesario que usted afloje gradualmente las riendas. Elógelos cada vez que hagan algo bueno. Explore la manera de mejorar las cosas cuándo ellos tienen problemas.

En los niños de poca edad es mucho más importante inculcar conceptos positivos que proporcionen información basada en hechos. Sin embargo, los niños mayores se les deben enseñar los hechos.

EL ALCOHOL Y EL TRABAJO

El problema del alcohol afecta un 15 por ciento de la población tanto a los adultos como a los jovenes. Más de dos tercera partes son personas que trabajan y son padres de familias.

Las compañias de trabajo han tomado interes en nuestra población productiva para proveer y identificar aquellos que tienen problemas con el alcohol. En una época el polio, la tuberculosis las enfermedades del corazón fueron tratado cómo una enfermedad, el alcoholismo fué tratado cómo una práctica médica no estabán preparados para bregar con este tipo de enfermedad, lo que es el alcohol una efermedad progresiva en los hospitales no querian tratar las personas alcohólicas.

A la misma vez ésta reflecion de aptitudes prevalecio a las compañias de trabajo ayudar a los empleados alcohólicos auque fueran empleados del gobierno o compañias privadas. Hoy día esto ha cambiado tenemos un compromiso nacional para coordinar y atacar los problemas relacionados con el uso y el abuso del alcohol y las drogas, y para resolver estos problemas tenemos la Institución Nacional de Alcohólismo. La División Ocupational de los programas devotan su tiempo, energia con personas profesionales de buena experiencia, con la ayuda de los fondos federales estos problemas se han podido resolver.

Para muchas personas que quieren curarse de esta horrible enfermedad que los destruye lentamente y muy sútil. Desde 1940 se identificaron las caracteríticas del mundo del trabajo como el sitio ideal para identificar a las personas y a la misma vez como motivación por ciertas corporaciones acerca de sus trabajadores, instituyendo pólizas y programas para identificar al empleado alcohólico. El empleado se reconoce cuándo tiene problemas en la productividad del trabajo, por las ausencias o disgustos personales. No solamente un empleado sufre de cambios en el trabajo debido al alcohol sino que puede tener problemas personales o tienen problemas de droga también.

Los alcohólicos anónimos es el sitio ideal para resolver el problema del alcohol. Si tienes problemas con el alcohol visite unos de los centros en tu comunidad. No esperes que sea muy tarde, las cosas a tiempo tienen remedio. El alcohol ésta presente en proporciones significativas en los eventos violentos y agresivos. Según las estadisticas el alcohol tiene un enlace con los eventos violentos. Hay tres (30) elementos en el alcohólismo que son el agente o sea el bebedor el individuo y el huesped, los rasgos y las experiencias que afectan la persona y los efectos del alcohol. En el medio ambiente esto es lo fisico, social, expuesto al agente.

Los aspectos del alcohol relacionados con la violencia ha aumentado en los ultimos años. Los estudios y los experimentos en el sistema neural el mecanismo que envuelve el serotonin de la memoria es afectado por el alcohol. Largo más de dos décadas las explicanciones del comportamiento cuándo una persona esta intoxicada es aceverar la norma de como la persona toma. Un 60 por ciento de las personas arrestadas han sido por el abuso de drogas y el alcohol. Según los estudios echos la mayor parte de las personas violadoras tienen problema con el alcohol.

LOS VALORES

Los valores es la herencia moral que los padres dejan a los hijos. Los valores son efectivos cuándo los hijos los adaptan los aprenden y los disfrutan libremente. Los valores no son conocimientos ni conceptos, sino sentimientos y actitudes, que se trasmiten porque los padres tienen la oportunidad y la responsabilidad de ofrecerles a sus hijos.

Los niños adaptan sus valores comenzando desde la infancia, ésta étapa es prolongada hasta la edad de siete años. La conciencia moral se identifica con la obedencia a la autoridad.

Cuándo un niño en la predolescencia comienza su propio sistema de valores ya tiene un sentido moral basado en opciones libre persponal.

Las étapas de moralidad, obedencia, cooperación hay la oportunidad de plantar las semillas de los valores en el corazón desde que son niños. Los valores sociales son los que preservan la armonía de la convivencia entre todos los miembros de la comunidad, porque mantienen un equilibrio entre cada individuo y los intereses comunes. Entre ellos tenemos la justicia, la solidaridad, la lealtad y la generosidad.

Uno de los valores mas importante para los adolescentes es tener un buen amigo que sea leal honesto, sincero, que lo apoye cuándo lo necesita. Existe un valor supremo que inspira y abarca todos los demás que es el "amor" que palpita en el corazón de todos los seres humanos, todos las leyes y normas de conductas.

La trasmisión de los valores puede darse a nivel social de la relación paternofiliar.

En el plano social se adaptan los valores que forman parte de sus tradiciones y se encarnan en el ambiente, formado una especie de código de conducta que los jóvenes perciben desde sus más tiernas edades. Un niño que es criado con el amor de los padres con respeto y buen ejemplo los padres no tienen porque preocuparse en que los hijos van a usar droga, alcohol y cigarrillos a una edad temprana.

ALERTA PADRES

?Esta tu hijo experimentando con drogas?
De ellos pueden ser indicadores las siquientes situaciones.
1. Si tiene los ojos vidriosos y enrojecidos y las pupilas dilatadas
2. Si se notan marcas de pinchazos en los brazos
3. Si su camisa muestran manchas de sangre en las mangas
4. Si esta soñaliento con gran frecuencia
5. Si se observa nervioso, inquieto y se irrita con facilidad
6. Si tiene constante secreción nasal
7. Si le falta el apetito
8. Si abosteza a menudo
9. Si se encuentran quemaduras en la cama, en la ropa o en las manos
10. Si fuma más de la común
11. Si la persona gasta mucho dinero sin que se vea en qué
12. Si se encuentra en su poder recibos de casa de empeño
13. Si de la casa comienzan a desaparecer cosas de valor
14. Si se le encuentran en su cuarto o otro lugar de la casa pequeños pedacitos de papel
15. Si se ausenta mucho de la escuela sus notas bajan
16. Si se muestra irresponsable y falta de entusiasmo o indiferencias por las cosas
17. Si se aleja de cosas comunes en la vida diaria y observa actitud introvertida.

LOS USUARIOS Y LA AYUDA

?Cómo los usuarios y los adictos llegan a un punto que se les puede proveer ayuda?.

La adicción y la adnegación son poderosa, por lo general argumentar con ellos es inútil.

No se puede razonar con una sustancia química. A veces el adicto se cansa de estar enfermo "Toca Fondo." Frecuentemente, muestra benebolencia efectivamente previene que el adicto alcansa este punto crítico.

La mayor parte de los adictos escapan de las drogas inicialmente porque no tienen alternativas están encarcelados o en un centro de rehabilitación. La familia se ven obligados a recurrir a los servicios públicos de la ciudad para obtener tratmiento para la familia. Cuándo el escudo de sustancias químicas se retira, el adicto estará en mejor posición de poder escuchar lo que se le dice. Usualmente es una combinación, la intervención es más efectiva cuándo se inicia con interes si la persona tiene interes en curarse. Algunos de los comienzos del proceso de asistencia sí siquen las instrucciones se pueden ayudar de la siquiente manera.

1. Buscar la rehabilitación en una agencia especializada en ésta clase de servicios.
2. Buscar los servicios sociales, cómo el sistema judicial oficinas del bienestar público.
3. Buscar consejeros especialistas en droga y alcohol.
4. Buscar un programa de ayuda de empleo.
5. Buscar un sacerdote, rabino, que tengan experiencia en droga y alcohol que le den consejos Pastorial.
6. Buscar un médico, una enfermera, trabajadora social en una institución médica.

Hay puntos importantes acerca del tratamiento de adicción primero no importa cuáles sean las causas originales del abuso de drogas o alcohol, la adicción debe ser tratada lo antes posible.

Segundo, la recuperación es un proceso de largo tiempo y es bastante costoso o quizás vitalicio se incluye la selección correcta del cuidado de la persona. Un cuidado continuo y la participación de la familia para ayudar al reajuste social y evitar la recaida otra vez.

Continuar las reuniones de grupos, las consejería, la educación sobre las drogas el alcohol los efectos y las consecuencias.

Es muy importante orar, leer la biblia para encontrar a Dios.

ENVENENAMIENTO DE DROGA

1. Llamar la ambulancia o la policía no pierda tiempo buscando un médico pues son pocos los médicos que están equipados para dar un tratamiento de emergencia.
2. Proteja al paciente
3. No permita que personas afectadas emocionalmente por la situación obstaculicen su labor
4. Dele respiración de boca a boca o respiración articial
5. Volteé boca abajo al paciente si está vómitando
6. Si no está vómitando cúbralo ligeramente
7. Consíga toda evidencia posible sobre frascos, potes vacíos, medicinas que estuviera tomando
8. No use ningún tipo de estimulante
9. La persona será admitido en el hospital para hacerle las observaciones. Estará bajo tratamiento médico en lo que pasa la crisis.

AFRONTAR EL PELIGRO

Cada día un mayor número de adolescentes caen en la drogadición por no tener suficiente conocimientos acerca de los efectos y las consecuencias de las drogas y el alcohol, el peligro y los problemas que traen las drogas. Caen en las trampas de los vendedores de droga como nuevos clientes para el vicio. Hay un refrán que dice en "querra avizada no muere gente" así es con las drogas los que se educan acerca de las drogas y el alcohol no caen en los vicios. Los padres tienen que educar a sus hijos acerca del peligro de las drogas, y el alcohol las consecuencias y los efectos que producen.

Se dice que el engaño explota la ignorancia y la manipulación aprovecha las motivaciones de los adolescentes o la debilidad de su carácter, por eso hay que prepararlos y protegerlos para afrontar el peligro de las drogas el alcohol y los cigarrillos a una edad temprana. El peligro tiene dos elementos muy importante la información sobre el fenómeno, las condiciones y el fortalecimiento del carácter. Para no caer en el engaño nuestros hijos necesitan información sobre todas las sustancias que hay en la calle.

Enseñarles las diferentes clases de drogas, cuáles son los síntomas los efectos y cuáles son los nombres que usan en la calle, cómo se promueve la venta de las drogas. El negocio de los traficantes de drogas es encontrar sustancias fuertes que puedan producir sensaciones nuevas y diferentes a los jóvenes. Cada día aparecen nuevas drogas que son más fuertes que producen sensaciones nuevas y diferentes a los jóvenes, ahora tenemos el éxtasis que es muy usada por los jóvenes en las discotecas, ésta droga es muy peligrosa.

Hay que recordar que los jóvenes reafirman su propia identidad durante la adolescencia como parte de ese proceso revelan ciertas tendencias hacia la reveldía. Los mensajes breves claros y consisos sobre las drogas ayudarían mucho a los jóvenes. Hay que ser pesimista repetirle el mensaje amenudo, hablar con confianza, darles buenos consejos, buenos ejemplos para que cuándo sean adultos ese patrón que le enseñastes lo pongan en práctica.

HABLA CON TUS HIJOS

Los niños que usan drogas a temprana edad tienen problemas en el desarrollo mental físico.

En las comunidades donde viven las personas de bajo ingreso se puede ver el patrón de los niños a temprana edad usando droga alcohol y cigarrillos. Para muchos padres esto puede resultar un hecho aislado que no toca a sus hijos. Desafortunademente, los niños están en riesgos por lo que en todos los sitios por lo general las personas que los invita a usar la droga son sus amigos, o quizá un familiar suyo. Es de evital importancia educar a los hijos sobre las drogas, alcohol y los cigarrillos, el peligro que traen las drogas y las malas consecuencias.

Es importante que cuándo el niño tenga siete (7) años se le debe de empezar a educar sobre los efectos y las consecuencias de las drogas, alcohol y los cigarrillos. A está edad pueden aprender y estar concientes sobre el peligro. Recuerde que los niños aprenden más rápido del ejemplo que de los consejos. Establecer un ejemplo positivo en lugar de enseñarle que pensar, cómo pensar sobre las drogas. A ayude a su hijo a razonar frente a una situación peligrosa, esto le ayudara a tomar decisiones inteligentes en un futuro. Hablar con su hijo sobre las drogas, alcohol, cigarrillos y sus efectos, no te limites a decir que son nosivas para la salud, ayúdelo a desarrollar pensamientos claros para que pueda llegar a una buena conclusión acerca de las drogas.

Pregúntele a su hijo cuánto sabe sobre las drogas, luego darle información sobre las drogas y las Consecuencias cirle decir no a las drogas no es lo suficiente que llegar a las conclusiones así te sentiras más seguro sobre el tema.

? CÓMO PUEDES AYUDAR A TU HIJO ?
1. Darle educación sobre las drogas, alcohol y los cigarrillos.
2. Comunícate frecuentemente con él.
3. Darle importancia a la recreación tanto en la escuela cómo en la casa.
4. Tratalo cómo persona adulta, en tomar desiciones darle la oportunidad de tener razón tienen derechos para opinar y participar en la vida de la familia.
5. Valores sus capacidades y el desarrollo de la misma.

6. Tu, cómo padre participas en las actividades escolares del hogar.
7. Darle la oportunidad de tener inicativa.
8. Prepara actividades para el tiempo libre (halgo que hacer).
9. Desde muy jóven enseñale respecto, normas, disciplina, responsabilidad, esto le ayuda a crecer sano y saludable.
10. 10.Enséñele amor a Dios.
11. Hablale acerca de la presión negativa de los amigos y los grupos.
12. Explícale los mensajes que son trasmitidos por medio de la comunicación.
13. Conosca quienes son sus amigos y los padres de ellos.
14. Enséñele a que se estimen y se respeten a sí mismo.

LIGA ROBERTO CLEMENTE
NEWARK, NEW JERSEY

La liga Roberto Clemente se fundó en el 1978, por el profesor Luis Lopéz, es principal en una de las escuela en Newark. Luis ha sido presidente de esta organización de juegos de pelota de los jóvencitos de 13 años. Esta liga comenzó con 7 equipos de niños después que terminaban las clases se reunian para formar este equipo que es tan importante para ellos.

Actualmente la liga cuenta con 32 equipos de peloteros. Se le brinda ayuda a más de 400 jóvencitos entre las edades 6 hasta 16 años. El equipo de estrellas de 13 años y el de 14-15 han jugado en campionatos mundiales, siendo los ganadores en diferentes ciudades y países. Han viajado a diferentes sitios a jugar con otros equipos.

Este grupo de padres, miembros de la comunidad de personas voluntarias hacen un esfuerzo por mantener esta organizaciòn de niños para que continuén creciendo libre de drogas y alcohol.

Estos jóvencitos del Barrio Norte de Newark, se sienten muy orgullosos de pertenecer a ésta organización que es tan importante para ellos para el futuro que los espera. Le dan gracias a los padres y demás miembros por el tiempo que éstas personas ofrecen y a los auspiciadores que apoyan a ésta congregración de jóvenes. Esto le

216

ayuda mantener a sus hijos fuera de los malos amigos, drogas, alcohol y los cigarrillos, en un ambiente familiar y una calidad de vida saludable.

El deporte requiere una mente sana y un cuerpo saludable para un futuro sano. Ésto es un ejemplo para que los padres ayuden a sus hijos a pertenecer a grupos que sean sanos como la Liga de Roberto Clemente y como otras ligas que hay en diferentes sitios ciudades y escuelas.

Si usted padre quiere que su hijo tenga un futuro brillante registrelo en un grupo de deportes o cualquier otro grupo que le guste. Apóye a su hijo.

EL CUERPO

El cuerpo se compone de diferentes pates, una parte que este mala se descompone el resto del cuerpo. Nuestro mundo esta enfermo, no es el propósito de Dios que la humanidad este tan cargada de violencia, dolor, y de tantas enfermedades. Las leyes establecidas por Dios son para vivir la vida, son transgredidas, el pecado entra al corazón, y el hombre se olvida de que depende de Dios para la salud y para la muerte.

Entender las leyes fisicas que rigen el cuerpo y armonizar con estas leyes las prácticas de la vida que es importante en nuestro desarrollo de la vida. Se necesita conocer los factores que atribuyen a la felicidad de la familia, un hogar alegre y sano. Cuándo aparecen las enfermedades recurimos a diferentes factores para fortalecer la salud del cuerpo.

Los estimulantes y Narcóticos son sustancias que alteran la mente irritan el estómago, envenenan la sangre y excitan los nervios. Los usantes buscan la excitación de estimulantes porque en algunos momentos producen sensaciones agradables, es un agente activo para provocar la degeneración y el decaimiento fisico.

El termino estimulante se aplica a varios grupos de drogas que tienden a aumnetar la agudez mental y la actividad fisica. Algunas personas emplean los estimulantes para contrarestar la somnolencias y el sentimiento de cansancio producido por las píldoras para dormir. Éste ciclo de estímulo da depresión es sumamente perjudicial para el cuerpo y peligroso. Las anfetaminas cocaína, cafeína son drogas estimulantes que son peligrosas cuándo se abusan de ellas.

Mantener un cuerpo sano es muy importante para la salud de tu cuerpo, se refleja en tu piel y en tu fisico tu cuerpo representa tu salud interior, si lo cuidas debidamente siempre tendras salud. No dejes de comer frutas, vegetales y tomar vitaminas. Aléjate de las drogas el alcohol y los cigarrillos. No comas muchas cosas que contengan azúcares, sal y grasas. No le pongas químicas a tu cuerpo en exceso si te quieres conservar joven, con salud siques estos consejos.

EL ALCOHOL Y LA VIOLENCIA

El alcohol es una de las drogas más frecuente entre los jóvenes. Muchos de ellos empiezan a usar alcohol a temprana edad o sea a los 12 años, tanto los varones como las hembras. La mayor parte de estos jóvenes aprenden a tomar bebidas alcohólicas porque lo ven en la casa con la familia. Sí por una casualidad el jóven sufre una frustración, una pena, un engaño, un fracaso huir de un problema es lo suficiente para empezar a tomar. Después del alcohol vienen los cigarrillos y quizás después las drogas. Al ellos tomar se sienten más adultos y independientes.

Auque el jóven conosca los riesgos y las consecuencias del uso del alcohol pueden desarrollar una dependencia inmediata. Las características y la calidad del núcleo familiar influye mucho en el desarrollo de la personalidad del jóven. Las relaciones entre los miembros de la familia cuándo hay relaciones sanas y positivas ayuda al jóven a crecer en un ambiente de amor y respeto.

La prevención de las adicciones comienza desde temprana edad. Según las entrevistas que yo he hecho con los clientes que han sido referidos a nuestra agencia para hacerle una evaluación, casi todos los casos son jóvenes que han empezado a usar alcohol a la edad de 12 años.

En un hogar dónde hay amor, respeto, comprensión, disciplina creencias religiosas y hay normas de principios se establecen sanas relaciones con otros niños que tengan la misma edad, buena conducta llevan al niño a un futuro de buenas cualidades dónde prácticara lo que aprendio en la casa. La disciplina, los hijos comienzan a independisarse de la familia para buscar nuevas amistades y experiencias fuera de la casa. Los jóvenes no quieren salir con los padres, prefieren la compañia de los amigos. Comienzan a reclamar más livertad de lo que pueden manejar.

Se adaptan a la cultura juvenil, tal como la forma de vestir la música, el lenguaje, esto es una étapa de desarrollo que hay que cuidar al niño. Enseñarle buenos modales y buenos ejemplos.

La permisividad es dejar que el niño haga lo que quiere sin importarle su conducta. El execeso de rígidez es imponer límites y controles tan esctrictos que le impidan al jóven llevar una vida social con su edad. Los padres que no toman encuenta la necesidad de socialización de su hijo le prohiben todas las actividades de su edad le imponen normas fuertes, es un peligro para el jóven porque puede recurrir al engaño o a la rebeldía o escaparse del ambiente del hogar.

La comunicación entre los padres y los hijos es el factor más importante que hay en el desarrollo del jóven. La confianza mutua tener serenidad, sabiduría necesaria para obrar bién y acertar en todas las decisiones necesarias. Los conflictos en el hogar de la familia son problemas serios que van aumentando, las consecuencias que trae al desarrollo del niño son más tarde lamentables.

El niño crece en un ambiente desagradable, la estabilidad y la sólidez de la familia constituye la base de sentimientos, seguridad, confianza, en el medio ambiente social del niño que atravéz del tiempo será más amplio y complejo a medida que el niño crece cuándo en el hogar hay peleas y disgustos feos, el niño vive todo esto en una tristeza. El niño se siente desemparado porque percibe la desaparición de su primer mundo de refugio y seguridad. La destrucción de la relación conjugal repercuta en factores de riesgos a que el niño pierda la confianza en si mismo y queda deprimido y desconsolado. No es posible criar a un hijo en una urma de cristal aislado de la sociedad en que vive. Hay que prepararlos para que sean capaces de resistir las influencias negativas.

Los padres tienen que preparse para realizar ésta misión la cuál no es fácil, estudiar los factores de riesgo social. Darle buenos consejos y un ejemplo es lo primordial. Los amigos, los jóvenes tienen la necesidad de ser aceptado por los miembros de un grupo social a que pertenecen. Estos grupos tienen sus normas, valores y conducta. Los amigos son los elementos que más influyen en el comportamiento del individuo en todas las étapas de la vida. Cuándo en los grupos hay influencia negativas porque algunos de los miembros han tenido problemas con las drogas o el alcohol, los demás miembros tienen un alto riesgo de sequir los pasos de los que tienen problemas con los vicios.

El amigo íntimo puede ser la persona más importante para el adolescente en un momento dado.

Éste amigo es el que guarda todos los secretos. Un buen amigo íntimo le brinda comprensión fidelidad, apoyo y consuelo. Además de la familia, la escuela, el colegio, la universidad es dónde los jóvenes pasan la mayor parte del tiempo si es que ésta estudiando. La filosofía de los maestros ejerce una influencia en la formación de estos jóvenes, o sea su comportamiento y su futuro. Uno de los problemas más común es la falta de comunicación entre el profesor y los padres del estudiante. La educación es el proceso formativo del jóven, dónde el tiene la oportunidad de crecer, de obrar en forma autónoma y dependiente, no concuerdan con los años que tienen. Las personas tímidas inseguras, vacilantes, y vulnerables a las presiones del medio ambiente por su incapacidad estos son algunos de los rasgos de la personalidad que los jóvenes pueden caer en malos vicios de las drogas o el alcohol.

Según las investigaciones dicen que el amor de los padres es lo fundamental del ser humano.

Garantiza las condiciones ideales para crecer sano y feliz. Los padres que son amorosos con sus hijos se preocupan por darle a su hijo lo mejor de si mismo y lo mejor en materia de alimentos educación y recreación. El amor auténtico siempre hace bién, el amor es el equilibrio emocional del hijo, lo mismo que el alimento para su salud y su cuerpo. El amor de los padres nutre el corazón de su hijo. Cuándo los padres trasmiten el amor a los hijos ellos lo reciben en su corazón. Amar a un hijo es aceptarlo tal como es con sus defectos o sin defectos con cualidades lindo o feo, bueno o malo, el sentimiento en obras, palabras, gestos son importante en el desarrollo del niño.

Con permiso del editor: Como Proteger a su Hijo de las Drogas
Por Carlos E.Climent LM.D. y María C. de Guerrero
Editorial Norma, 1990 Santa Fe de Bogota.

DEJANDO EL VICIO DE LAS DROGAS

Abandonando el hábito del uso de droga y alcohol, usando la teoría funcional, acercarse a la eliminación de la dependencia creando un aspecto saludable en los tegidos del cerebro, el cuerpo las arterías, la sangre que corre por todo el cuerpo, ésta teoría de eliminar éstas sustancias del sistema del cuerpo y el cerebro es posible que un buen plan de tratamiento, el adicto podra dejar de usar las drogas o el alcohol. Usando el proceso básico al organismo del cuerpo es considerable saludable para el adicto. Para el tratamiento de la adicción es recomendable un especialista en la materia de drogas y alcohol. La adicción en Estados Unidos se ha esparcido por todas partes entre los ricos y los pobres. Creando un gran problema a los jóvenes, a pesar de la cantidad de centros de rehabilitación y hospitales alrededor de la nación, además de los programas de grupo de los que se han rehabilitado y están ayudando a otros a recuperarse incluyendo consejeros especializados, grupos religiosos ha sido un gran esfuerzo, pero todavía no se ha podido resolver el problemas de las drogas y el alcohol.

El problema de las drogas es muy complejo, complicado que ha enfermado la vida de tantas personas jóvenes, mujeres, niños y hombres. El doctor Hodes ha estudiado por 15 años la salud humana, la nutrición, enfermedades, percepción, alergías y otras enfermedades que son muy comunes a las personas de todas las edades. La apropiación inicial es la mala nutrición que tiene el adicto o el alcohólico. Después de un tiempo es algo fisiológico la dependencia de la droga.

La salud de la persona cada día empeora. Como resultado del abuso de las drogas o el alcohol empiezan los cambios cerebrales, la química del cuerpo, el nerviosismo, el metabolismo, hígado visión corazón las emociones y el estado de ánimo de la persona empieza a deteriorse emocionalmente y psicológicamente, la persona queda en un estado de desorganización y de una enfermedad progresiva para toda la vida.

La necesidad del adicto de usar más droga o alcohol pone al usuario en un comportamiento atisocial esto trae crimen robos para mantener el vicio. La visión, el espacio y tiempo de la adicción se convierte en una distorción poniendo a la persona en un comport-amiento inapropiado.

Los valores y las aptitudes en la mayor parte de los adictos y alcohólicos son inapropiables, la mente y las motivaciones, interes, y los pensamientos negativos no son aceptable a la sociedad.

Para dejar el vicio el usurio tiene que empezar por dos semanas de ayuno, bebiendo suficiente agua y líquidos, bastante descanso respirar aire fresco, la persona tiene que estar supervisada por un profesional. Otros aspectos son considerados por ejemplo hacer ejercicios diarios, caminar esto ayuda al cuerpo a excretar los tóxicos del cuerpo producidos por las comidas y las sustancias nocivas. Después de ésta limpieza del cuerpo los tegidos, los nervios, los músculos empiezan los síntomas de retiro. La administración de cantidades altas de calcium y magnesium en forma de dolimita le ayudara a reducir un poco el dolor de los síntomas de retiro de la droga.

La segunda parte de la limpieza del sistema se usa un suplemento de vitaminas, vegetales minerales, frutas y jugos. La tercera fase constituye un super-plan nutritivo aumentando la dieta para evitar ciertos residuos de azúcar, almidones y grasas. Doctores y los especialistas usan la terapía de dieta.

Esto consiste en darle al cliente una nutrición apropiada de vitaminas, minerales, amino ácido enzymas, niacin, delenium, fósforo potasium, para prevenir las enfermedades como la esquizofrenia. Después del uso de ésta super dieta nutritiva se ve el cambio en la persona luciendo más radiante y saludable. Tendra cambios en su comportamiento sus aptitudes y en su manera de pensar, sera más positivo. La cuarta face de la rehabilitación sera la educación acerca de los efectos y las consecuencias de las drogas y el alcohol. Las terapías individuales y las de grupos son para que la persona se valla ajustando a un estilo de vida normal y saludable.

Es importante tener un examen médico. Éstas investigaciones sistémáticas y científicas continúan para tener una comunidad libre de drogas y que nuestra juventud que están usando drogas puedan rehabilitarse para un futuro mejor.

EL ALCOHOL EN EL CUERPO

Corazón: El alcohol tiene un efecto tóxico en el corazón hasta el punto de causar daño irreparable en el muscúlo cardíaco. Una persona que beba diariamente durante dos años acumula grasa en el corazón esto se trasforma en un funcionamiento anormal.

Hígado: La cirosis, es una deganeración del tegido sano del hígado es ocho veces más frecuente entre los alcohólicos que entre los abtemios. Los bebedores habituales también tienen depósitos de grasa en el hígado y sufren daños en las células de dicho órgano.

Instestino Delgado: El alcohol impide la absorción de diversas sustancias útiles indispensable para el buen funcionamiento del organismo, la tiamina, ácido, fólico, grasa, vitamina B1 B12 y los aminoácidos.

Sangre: El alcohol une los glóbulos rojos de la sangre en grupos pegajosos que hace la lenta circulación y privan de oxígeno a los tegidos. Además causa anemia al reducir la producción de glóbulos rojos.

Manos y Pies: El alcohol causa polineuritis, o inflamación de los nervios, como resultado de la deficiencia de vitaminas. Este es un mal que todos los alcohólicos sufren. La polineuritis provoca sensaciones parecidas a quemaduras y punzadas en las manos y los pies.

Cerebro: El alcohol mata las células del cerbro. Auque el cuerpo puede reparar sus células cuándo éstas son destruidas no pueden trabajar lo mismo con las del cerebro, por eso cualquier daño causado al cerebro es permanente. El alcohol también provoca pequeñas hemorragias cerebrales y taponamiento de los vasos capilares. Finalmente, el alcohol hace que el cerebro disminuya el tamaño y se torne esponjoso. La ingestión de bebidas alcohólicas durante años puede causar daños irreparables a la memoria, capacidad de aprender. Por otra parte, se perjudica la personalidad y su capacidad de funcionar normalmente en la sociedad.

Páncrea: El uso excesivo del alcohol causa inflamción de la páncrea. Una vez inflamado es posible que no se recupere si no que continúe degenerándose. En las formas aguda se producen más más hemoragias en la páncreas.

Glándulas Endrocrinas: El alcohol entorpece el funcionamiento de todas las glándulas endrocinas tiroides, suprarrenales, hipósfisis.

Glándulas Sexuales: El alcoholismo produce envejecimiento prematuro incluyendo mal funcionamiento de degeneración de las glándulas sexuales. Estudios realizados han demostrado repemtinamente que el escritor inglés Shakespeare tenia razón cuándo dijo que la bebida "despierta el deseo, pero dificulta su satisfacción".

Huesos: El alcohol produce células ebrias las que hacen que los huesos se tornen quebradizos.

Antiquamente se cria que los alcohólicos tenían más fracturas de huesos porque se caían con más frecuencia.

Los investigadores han demostrado que las mismas caídas que no causan daños a los abstemios hacen que los alcohólicos se les rompan los huesos. El alcohol puede producir glóbulos blancos en la médula de los huesos.

Infecciones: El alcohol disminuye la resistencia del cuerpo a las enfermedades al limitar la producción de los glóbulos rojos y blancos. El alcohol es conocido como un estimulante, pero no es así, en realidad es una sustancia deprimente. La persona se siente animoda porque le quita en efecto el freno de las restriciones. Una persona que puede tolerar el alcohol en cantidades moderadas no tiene efectos perjudiciales. En cambio, si el beber se convierte en exceso puede tener efectos desastrosos. Los placeres del alcohol constituyen mayores peligros, porque crea una atmósfera de tensiones, pero su uso en excesivo afecta la voluntad y el control de la persona.

La cerveza contiene menos alcohol que el vino, en el proceso de fermentación es detenido antes de que todo el azúcar haya sido transformado en alcohol. Se hacen varios tipos de cerveza utilizando clases y cantidades diversas de cereales y tratándolos en diferentes formas.

La ginebra, aguardiente, wisky, son bebidas destiladas que pueden contener 50-100 por ciento de alcohol. Después que la pasta de grano ha sido fermentada se calienta hasta hervir permitiendo que el alcohol y las sustancias químicas contienen el aroma hasta que se destilen.

El alcohol tiene un punto de ebullición más bajo que el agua, de modo que el alcohol sale por destilación primero. El alcohol es una grasa de 100 gramos líquido esto sería 500 calorías.

La concentración del alcohol de etilo en los productos comerciales está indicada por el terminó de prueba (proof. La acción del alcohol sobre el cuerpo humano explica su importancia más que las otras drogas. Los efectos son según la cantidad de alcohol consumida. Su acción directa es sobre el cerebro que actua cómo depresor no cómo estimulante. La idea de que el alcohol es una bebida de placer al igual el vino que en cantidades moderadas es bueno para las personas adultas según los cientifícos.

A pesar que las industrias de vino y los medios de comunicaciones han podido manejar que se ponga un rótulo en la botella que diga "consulte a un doctor acerca de los beneficios y consución del vino."Esto ha generado un sin número de ideas falsas acerca del alcohol y sus beneficios.

Lo dicho acerca de que el alcohol puede ser saludable para la salud es una cosa minima. Después de tantos estudios alrededor del mundo, se compara con beneficios moderados que tienen un promedio de 20 por ciento de que la persona muera del corazón. El alcohol en cantidades moderadas puede actuar como estimulante y puede limpiar el colesterol, pero no hay seguridad.

Puede reducir los cuabúlos de sangre que pueden dar ataque al corazón, estos cuabúlos se pueden romper y la sangre puede correr más rápido. Según las teorías entre más tiempo la persona usa el vino rojo en cantidades moderadas sera beneficioso para el colesterol. Esto sería tres veces a la semana, más de esa cantidad es perjuicioso para la salud, cantidades altas dañaría las membranas del corazón.

Otro posible riesgo para la mujer es el cáncer del pecho, enfermedades del hígado, alta presión problemas emocionales esto puede llevar a la persona a ser un alcohólico. Según los estudios que se han realizado que los hombres de 48 años están propensos a altos riesgos.

una mujer que halla pasado la menopaucia puede tener beneficios de bebidas controladas de vino que sean moderadas. Personas que tienen familiares que son alcohólicos, que tienen alta presión o que usan medicamentos antidepresivos es un peligro usar bebidas con alcohol. Mujeres que están embarazadas, jóvenes que son menores de edad deben de evitar el uso de alcohol. Es importante saber que la mujer tiene menos cantidad de agua en el cuerpo que los hombres auque tengan el mismo peso, por está razón la mujer se puede embriagar más rápido con pequeña cantidades.

Se ha comentado que el alcohol es un sedante que puede ayudar a las personas a conseguir el sueño rápido, a un principio el sueño ocurré, pero después de par de horas la persona despierta y se le hace difícil volver a dormir otra vez.

Recomendaciones:

Tomar demasiado es peligroso, especialmente en días festivos puedes tener un accidente fatal.

Cuándo valla a salir haga una promesa y decida cuántas copas vas a tomar, no rompas la promesa.

Dígale al que sirve las bebidas que no le ponga mucho alcohol.

Asegúrese de comer antes de tomar cualquier clase de bebida tomar con el estómago vacio no es bueno podras emboracharte rápidamente.

Deje un espacio entre copa y copa.

Tome despacio.

No manejes si te has pasados de las copas.

EL CULTIVO DE LA MARIGUANA

El cultivo de la mariguana se describe con ventajas y desventajas al uso de ésta planta. Desde el 1942 el uso de esta planta se descubrió que habia peligro para la salud por el T.H.C. que afecta el sistema nervioso. Por miles de años atrás se usaba ésta planta para la fabricación de cordería en diferentes paises del continente, especialmente en la China y paises Ocidente.

No fué hasta el 1950, que todas las cuerdas usadas en los barcos eran del cañamo, también se hicieron telas y canvas, una lona que se usa en los barcos. En los estados de Kentucky y Missouri el cañamo era importante hasta que llegarón las fibras importadas que eran más baratas para la cordería desde entonces la produción del cañamo declino en América.

Las Indias Orientales y los Filipinos estabán en manos de los Japoneses, el cañamo americano volvio a llenar las necesidades del Ejercito de la Marina, así como la industria en general.

Se plantaron por invación del gobierno 36 acres de cañamo en el año 1943, y la cantidad subio a 50 mil acres más tarde.

Para cultivar el cañamo legalmente se necesita un registro del gobierno federal y un cello de impuestos. Los Estados Unidos es el número uno (1) de la mota aparte de ser el primer consumidor. La confederación Mundial de Antidroga patrocinado por la organización Pride (instituto nacional de padres de familia) para la educación antidroga que se llebó acabo en Orlando Florida, se dijo que para el 1989 el cultivo de la mariguana en los Estados Unidos fué mayor que el cultivo de maíz.

En los Estados Unidos existen entre 90 a 149 mil cultivadores comerciales de mariguana.

Durante la presidencia de Regan la produción de mariguana fué al triple llego a 4 millones de toneladas. Sabemos que la coca (cannabis) es una planta que se conoce en todas partes y se ha usado por miles de años en diferentes formas. Según la historia esta planta esta mencionada en un tratado de herbolia china del siglo 2700a.d., como analgéstico y sedante. Para los árabes el hashi es un tipo de mariguana más potente que se obtine de la recina de la planta de la mariguana.

En Alaska el cultivo doméstico para el uso personal es legal. En algunos de los países bajos se puede comprar mariguana en las cafeterias siempre y cuándo la cantidad sea pequeña y los dueños de los establecimientos no esten envueltos en drogas duras. Los estados de más produción son California, Arkansas, Florida, Misouri, Carolina del Norte. La ley considera que el cultivo de mariguana en tierra nacionales es un crimen federal. Hay documentos del gobierno dondé se explica que "no se puede esperarse que los países extranjeros emp-rendan acciones vigorosas si nosotros somos capaces de hacer lo mismo en casa. Hace poco se descubrió que los bótanicos localizaron las primeras plantas del cañamo en Siberia en el norte de la India.

LOS TRAFICANTES DE DROGA

En Estados Unidos a declinado el consumo de droga desde el principio del año 2000. Los traficantes y vendedores están buscando nuevos horizontes para la trasportación y la venta.

En europa es dondé la venta de droga es más permitida que ningún otro país. Los reportes que se dan ha conocer los tráficantes están buscando nuevos mercados, es decir que se necesita la ayuda de europa para aguantar el tráfico de la cocaína que proviene de Colombia, Perú y Bolivia. Grandes cantidades de droga fueron confiscadas en europa durante el año 1999 incluyendo a España y sus alrededores.

El consumo:

Las noticias, los periódicos, los reportes, y demás fuentes de información dicen que 15 millones de estadounidenses actualmente consumen drogas ilícitas. Según informaciones dadas se reveló que el consumo de cocaína se duplicó en Gran Bretaña y Suecia. El control de Narcóticos informó que un aumento de las drogas ilegales se había duplicado en los últimos años. La prevención en estos países es difícil dónde el consumo de droga es visto como un fenómeno cultural y normal. Ellos tienen la creencia que la cocaína no es un problema de salud pública.

Esto es un ejemplo de cómo europa se ha convertido en uno de los principales mercado de droga.

No sólo la cocaína también la mariguana, la heroína, y otras drogas que son peligrosas para la salud de las personas. Cada vez aparecen nuevas drogas y más potente, ahora tenemos la droga de la juventud el éxctasis, una droga sintética. Sabemos que ningún tipo de droga es buena para el cuerpo a menos que no sea recetada por un doctor por una enfermedad que sea peligrosa.

En los últimos años 130 toneladas de droga llegaron a europa, las confiscaciones llegan a 50 toneladas. Otros países como Belgica Portugal, han tenido grandes cantidades de droga.

Los golpes que han sufrido los cárteles de la droga en Colombia Perú y México, no se habia visto el mercado de europa y Estados Unidos tan masivo el tráfico de droga como en los últimos años que se ha extendido a otros países como Chile y el Caribe, con la astucia de los cartels que usan sus propios aviones, buques y barcos para la trasportación y la distribución de la droga, dondé miles y miles de toneladas de droga llegan a los puertos y a los areopuertos pequeños bajo el control del muy conocido Fabio Ochoa, cómo el autor del contrabando de droga.

En el 1982, cuándo Regan era presidente instalo las oficinas DEA en Miami en la lucha contra las drogas. La CIA también puso sus oficinas y sus agentes para velar toda clase de trásito que entre y salga del país. Desde hace mucho tiempo Estado Unidos tiene nuevas áreas de operaciones de vigilancia entre Colombia, México, Miami, Panamá Chile, Las Vegas, Perú, Santo Domingo Puerto Rico, Bolivia, Venezuela, Las Vegas, Atlantic City, España, Chicago, California, Detroit y Filadelfia. Los tráficantes de droga de México pasan la droga de Colombia a Estados Unidos. En una operación en el mes de Enero del año 2002 desarticularon un lavado de dinero del narcotráfico. Fueron detenidos 37 personas con una cantidad de ocho millones de dólares y un cargamento de cocaína. Ésta operación empezó hace unos meses en la lucha contra las drogas a pesar de los problemas que han surgido en New York.

Para estos corredores de lavado de dinero que son la mayor parete Colombianos, Estados Unidos pedirá la extradiciòn para ser sometidos a un juicio en Estados Unidos. Las mayores ciudades de distribución son Atlanta, Chicago, Detroit, Dallas, Houston, Filadelfia Boston, New York. La droga llegaba de México a Texas, California Tijuana, también hubieron otras operaciones en Puerto Rico, Miami Chicago y New York. En Enero se confiscaron 40 bariles de cocaína y mariguana que venian en un cargamento de café en una linea aerea de Venezuela. Habián 600 libras de mariguana 10 toneladas de cocaína.

En el caribe va de Santo Domingo, Puerto Rico y Jaimaca. En Puerto Rico el muy conocido José Toledo, hijo del jefe de la policia de Puerto Rico era uno de los traficantes de droga en el caribe.

La droga llegaba por avión, rápidamente era transladada a las lanchas y barcos de pesca que esperaban el cargamento. La entrada de la droga era por el pueblo de Fajardo, para ser distribuida a diferentes partes del caribe. En el 1997, los agentes del DEA confiscaron drogas en el areopuerto de San Juan, los ayudantes era los empleados de la American airlines con 200 kilos ésto fué publicado en todos los períodicos y en la noticias. A fines del 1999, un gran golpe a los traficantes de droga en Puerto Rico en el pueblo de Guánica, 50 personas fueron arrestadas 28 toneladas de droga confiscadas. En Estados Unidos las bandas de traficantes de droga están en el Bronx, Queens, Manhattan, donde residen la mayor parte de los dominicanos. Según las estadísticas es una cifra de más de 500 toneladas de droga fueron distribuidas en el año 2000.

TU DECISIÓN

La mayoría de nuestros jóvenes en Puerto Rico, son muchachos respetuosos, responsables y creativos, mucho de ellos están dedicado a sus estudios, al trabajo y hacia una saludable convivencia familiar comparten actividades de sana diversión con sus amigos y practican su fé religiosa. En la medida en que pueden nuestros jóvenes hacen aportaciones valiosas a nuestra sociedad siendo motivo de orgullo no sólo para ellos mismos, sino para su comunidad y su pueblo. Algunos se enfrentan con determinación a sus problemas o dificultades hasta lograr vencer los obstáculos y salir triunfantes. Sin embargo, esto no significa que algunos jóvenes posiblemente amigos hayan empezado a experimentar con mariguana buscando escape a situaciones defíciles que han confrontado. Esto ha llevado que se generalice la impresión de que toda nuestra juventud hace uso de la mariguana y otras drogas. La responsabilidad de usar estas depende de tí mismo unicamente. El siguiente artículo te ayudará a comprender cómo influye los amigos en tus decisiones y qué podria hacer.

? Qué es la presión de amigos ?

A todos, no importa nuestra edad, nos interesa lo que otras personas piensen y dicen de nosotros.

En ocasiones, tratamos de cambiar de acuerdo a lo que piensen y dicen nuestros amigos haciendo lo posible por sentirnos iguales para lograr su aceptación. Cuándo uno comienza a sentirse independiente la influencia de nuestros amigos es sumamente poderosa y puede no afectar nuestros modo de sentir, actuar, vestir y cómo comportarnos. Ésta influencia se llama presión de amigos.

? Es mala la presión de amigos ?

La presión de amigos que siente de aceptar o aprobar lo que dicen tus amigos puede ser buena o mala. Una buena o influencia de tus amigos sería invitarte a practicar un deporte, unirte a un club aprender juntos a tocar algún instrumento musical, sobresalir en la clase y coloborar en las actividades de la comunidad. Una mala influencia de parte de los amigos sería el exortar a fumar cigarrillos, cortar clases hacer uso irresponsable de bebidas alcohólicas, cometer actos delictivos o no escuchar consejos de las personas que te aprecian y te estiman.

?Que hay de nuestros amigos ?

Cuándo nuestros amigos hacen cosas incorrectas y nos invitan a realizarlas con ellos es duro decirle que no porque uno desea que ellos nos quieran y nos considere parte del grupo.

Algunas veces, estar encontra de nuestros amigos podría llevar a que éstos se enojen contigo y tú pienses que ya no te quieren o que te vas a quedar sólo sin embargo, es bién importante que recuerdes que tú no tienes que hacer todo lo que tus amigos digan para que sean tus amigos.

Posiblemente tú no le agrades a otros porque no los siques cuándo cortan clase, hacen uso inrresponsable de bebidas alcohólicas o fuman mariguana, esto quiere decir que verdaderamente elllos no son tus amigos. Tus verdaderos amigos son aquellos que te aprecian a tí como tu eres.

Has tus propias decisiones cada día tú tienes que hacer decisiones por ejemplo, tú decides cómo vas a vestir, cuándo haces tu asignación y qué programa de televisión quieres ver. Tus decisiones dicen mucha acerca de qué es más importante para ti y qué clase de persona eres.

Cuándo te sientas inseguros trata de hablar con alquién en quién puedas confiar, tus padres, maestros, consejeros tal vez un buen amigo íntimo que no use droga o alcohol. Toma la decisión tú, no le des a otras personas la oportunidad de que decidan por ti, sí éstas familiarizado con las presiones de los amigos que podría inducirte a las drogas apartate de ellos. Cuándo alquién te presiona a usar droga te está deciendo "no pienses por tí mismo has lo que yo hago." Ser independiente quiere decir hacer tus propias decisiones. Cuándo tú conoces los hechos y los riesgos que conlleva el uso de drogas tu decisión será más fácil, piensa acerca de las cosas que pasarían si te descubren que estas fumando mariguana. Recuerda lo que se requiere una buena razón para decir "No gracias."

Razones por la cuál la gente usan drogas:

La gente prueba ciertas drogas por curiosidad, por ejemplo un cigarrillo de mariguana creen que todo el mundo los prueban, piensan que usar droga les ayudará hablar con otras personas. El uso de droga nunca resuleve ningún problema, de hecho te crea problemas dondé antes no existían.

? Porqué tomarte el riesgo de usar drogas ? Es más fácil decir "No gracias." La mayoria de los jóvenes que usan mariguana son introducidas a usarla por sus amigos, familiares, "sus panas".

Estos pueden persuadirte de diferentes formas para que tu las uses sin darte cuenta. Podrían reirse de ti o "gufearte" diciéndote las razones por las cuáles deberías usar mariguna. Un ejemplo puedes estar en una fiesta y pasan un cigarrillo de mariguana y auque nadie te pida que fumes te puedes sentir aislado y fumas para unirte y formar parte del grupo. Tú crearás que estás haciéndo tu propia decisión y realmente lo que haces es unirte a al grupo sobre tí mismo.

Respetar a las drogas es decir "No gracias" Decirno al uso de mariguana o otras sustancias adictivas no es siempre fácil. A tí cómo adolescente tal vez en algún momento puedes que te encuentres en un lugar dondé estén fumado o quizás algunos amigos de los que tú más aprecia estén experimentado con drogas. El no compartir con ellos pueda que te haga sentir fuera del grupo, o pensar que si no fumas con ellos no serán más tus amigos, pero realmente por decisión tuya tienes el derecho de decir que "No"

Queremos ayudarte ofreciéndote algunas sugerencias prácticas que esperamos te sean de ayuda.

Tú puedes practicar algunas para ver cuál te resulta mejor y te hace sentir cómodo.

No gracias, quiero permancer en control.

No gracias, me siento bién sin usar drogas.

no gracias, no quiero tener dificultades con mis padres, amigos maestros en la escuela.

No gracias, no fumo mariguana.

no gracias, me siento alegre sin usarla.

No gracias, esto no es para mi.

No gracias, soy feliz.

No gracias, quiero mantener mi cabeza despejada siempre.

No gracias, los adolescentes verdaderos no necesitan fumar mariguana ni usar drogas.

No gracias, mi vida vale mucho.

No gracias, primero es mi futuro.

Prepárate para diferentes clases de presiónes, sé firme. Tal vez dicidiendo no gracias to lo haras pensar acerca del daño que hace usar drogas, alcohol y cigarrillos.

Matilde Rosa

EL CONSUMO DE DROGA EN LOS ESTADOS UNIDOS

Entre las naciones industrializadas los Estado Unidos es el número uno (1) en el porcentaje más alto de adolescentes que consumen droga. Un cuarenta (40) por ciento de los niños de tercer grado han consumido droga desde 1986. Muchos estudiantes compran y consumen droga en la escuela. En el 1985 las anfetaminas fueron compradas en las escuelas en diferentes lugares.

El problema de las drogas afecta a cualquier clase de estudiante. En todas las regiones y en todas las comunidades hay altos niveles del cosumo de droga. El consumo de droga entre los niños de tercer grado es mayor que el número de blancos y negros. El consumo de droga sucede con mayor frecuencia a una edad muy temprana. Las drogas ocasionan dependencia física y emocional, desarrollan una ansiedad por la droga que no se pueden sostener sin la sustancia.

Drogas que crean dependencia sicológicas, el niño comienza usando la droga para sentirse bién y termina haciéndolo para evitar sentirse mal. Con el tiempo el consumo mismo intensifica las sensaciones. La mitad de los suicidios están relacionados con las drogas.

LAS DROGAS Y LA DEPENDENCIA:

La droga permanece en el cuerpo por largo tiempo auque las halla dejado. Una droga que es retirada del cuerpo depende de la composición quimíca de la droga. Drogas solubles en grasa son la mariguana, fenciclidina, P.C.P. ácido lisérgico y L.S.D. Éstas drogas se depositan en los tegidos adiposos, ocupan las regiones dondé hay grasa, cómo el centro del cerebro tal acumulación de droga se libera y con el tiempo causan efectos retardados.

COMO SE DESARROLLA EL CONSUMO DE DROGA:

Las influencias sociales juegan un papel importante y atractivo para los niños consumidores de droga. Las primeras tentaciones para consumir la droga es en situaciones sociales para aparentar ser adulto pasarla bién al fumar un cigarrillo o tomar alguna bebida con alcohol. Según las encuestas del gobierno los jóvenes usan droga por las siquientes razones:

1. Para estar en armonia con los demás estudiantes
2. Para pasarla bién
3. Por un deseo de sentirse mayor.

Se necesitan los programas de prevención cuándo empiezan los primeros grados. Programas para enseñar a los niños a resistir la presión de sus amigos y compañeros de escuela. Los jóvenes empiezan primero con un cigarrillo, después viene una bebida con alcohol y después un cigarrillo de mariguana. Sus primeras pruebas pueden no producirle un buen viaje pero si continua cosumiendo droga puede alterar sus pensamientos y sensaciones.

El consumo de droga sucede con mayor frecuencia a una edad temprana. Las drogas ocasionan dependencia física y emocional desarrollan una ansiedad por la droga que no se pueden sostener sin la sustancia. Al final del 1982 se hicieron unas encuestas en las comunidades y se reveló que dos millones de personas habian consumido droga en los Estados Unidos, de estos millones de personas tres cuartas parte eran jóvenes entre las edades de 16 a 25.

Las drogas que más problema causan son las alucinógenas que son el polvo de angel, L.S.D. y P.C.P. Éstas sustancias son producidas en laboratorios clandestinos del mismo país, dondé se fabrican. El P.C.P. probocó problemas debido a los efectos que produce la droga. Ésta droga comenzó a disminuir después de un tiempo de usarla causo problemas en ciertas areas del país esto dio razón para clausurar quince (15) laboratorios clandestinos. EL consumo de droga fué subiendo entre los años 1977- 1978. Para fines del 1979 los casos del uso PCP fueron disminuyendo por las restriciones a la produción y al tráfico de droga, ésto dura solamente dos años. Según las entrevistas se cálcula que seis (6) millones de estadounidenses han consumido la droga.

Los usuarios de PCP son atendidos en las salas de emergencias en los hospitales, en su mayoria son del sexo masculino y de raza negra. Para medir el consumo de droga comenzaron a realizarse estudios epidemilógicos anuales a los estudiantes de la enseñanza media en todos los Estados Unidos desde 1975. Ésto hizo evidente cuándo un grupo de indígenas Navajos fueron acusados de violar el código de salud y de seguridad en el estado de California que prohibe la posesión no autorizada del peyote, especialmente los grupos que usan la droga en rituos religiosos.

Estamos preocupados por los peligros que representan el uso de las drogas y el alcohol a nuestra juventud. Las encuestas de oponiòn pública han señalado repetidamente la intolerancia general al uso de droga y alcohol por parte de los menores. El abuso del alcohol y la droga han destruido muchas familias y han destruido muchos jóvenes las comunidades, las escuelas, los sitios de trabajo, colegios, y otros lugares de diversión. Los padres de familia que tienen que educar a sus hijos a temprana edad y buscar la forma de prevenir los problemas antes de que se presenten.

Existen muchas drogas que afectan la mente y el comportamiento de la persona. Estas drogas pueden ser legales o ílegales. Sabemos que las drogas tienen efectos psicológicos y físicos.

Las drogas legales son aquellas cuya venta ha sido probada mediantes recetas médicas.

Las drogas que expanden con recetas son aquellas que se ha determinado que son inocuas eficaces y legales, sólo cuándo se administran bajo la dirección de un médico licensiado.

La fabricación y el expendio de estas drogas estan reglamentadas por leyes cuya aplicación está controlada por la administración y los gobiernos estatales. Si se consumen en forma inapropiadas algunas personas pueden volverse físicamente dependientes del uso de ciertas drogas que se expanden con recetas médicas, un ejemplo de esto lo es la morfina y el valium.

ESTADÍSTICAS DE DROGA Y ALCOHOL

Los analísis de este documento de los tratamientos de droga y alcohol hay diferencias según el estado, la edad, el genero, raza, educación y la nacionalidad. La divisiòn de adicción continúa los esfuerzos de proveer lo mejor del tratamiento a los ciudadanos americanos. La cooperación de las agencias de droga y alcohol fué essencial para completar este reporte. Las personas que están en tratamientos de droga o alcohol pasan de 850 mil personas. En el estado de New Jersey hubieron 35, 698 personas arrestadas por quiar intoxicados. El abuso de droga y alcohol ha estado en conexión con cinco (5) mil muertes en el estado de New Jersey cada año.

En adicción fatal por dosis excesivas de droga asociadas con el sida han muerto miles de personas. Los abusadores de droga tienen un porcentaje alto en tuberculosis y otras enfermedades que son difícil de curar. El estado de New Jersey tiene el porcentaje más alto en personas con el sida, miles de casos fueron reportados en el 1999, la mitad de éstas personas se inyectan la droga y un diez (10) por ciento fueron por contacto sexual. Éste fué uno de los primeros reportes en el estado de New Jersey acerca del abuso de las drogas, hecho por el Departamento de Drug Abuse Data System, indicó que en admisión de tratamiento, recuperación de heroína, cocaína, mariguana y otras drogas que son peligrosas al usarlas, un 95 por ciento de las agencias de tratamiento participan en el sistema ADADS (alcohol drugs abuse system).

Los fundos para los tratamientos son del gobierno federal y estatal. Hay aproximadamente 800 familias en tratamientos de droga y alcohol en el estado de New Jersey. Las dos formas más prominente de los tratamientos de alcohol son 28 días y los tratamientos teraupéuticos son de 6 a 18 meses. Los clientes que no son residentes varian según la persona. ADADS continúa haciendo reportes de droga y alcohol entre los adultos, jóvenes, estudiantes de todas las edades através del estado. El sistema de alcohol y drogas comenzó en Julio del 1991 para los tratamientos en el Estado de New Jersey. Un 65 por ciento de los clientes eran residentes de New Jersey, un 5 por ciento eran de New York, Pennsylvania y Delawere.

Según los reportes las siquientes tablas son limitadas a los residentes de New Jersey. Clientes que fueron referidos y admitidos al tratamiento fué un 48 por ciento, ésto incluye 1.2% en casa de transición (half way house). Un 48 por ciento eran no residentes. Un 12 por ciento fueron referidos a tratamientode metadona. Un de cada tres personas entraron en tratamiento voluntariamente. 40 por ciento fueron referidos por las familias, amigos, agencias sociales o por el sistema judicial. El sistema judicial el programa de intoxicación fueron responsables por 1/4 parte de las personas que fueron admitidas en rehabilitación. 72 por ciento eran hombres, 28 por ciento eran mujeres, 33 por ciento eran de las edades de 32 años. Tres de cada 5 personas eran de las edades de 17 hasta 32. Un 25 por ciento eran de las edades 35 a 40. Los jóvenes menores de edad de 17 fué de un 5 por ciento. Un 35 por ciento de los que entraron a rehabilitación eran de la raza negra, 12 por ciento eran hispanos y un 8 por ciento eran de otras nacionalidades.

Tres de cada 5 persona eran solteros, 17 por ciento eran casados 33 por ciento estabán separados de las esposas y el resto estaban divorciados y viudos. Un 40 por ciento de éstas personas no trab-ajaban, 46 por ciento habían terminado el cuarto año, un 13 por ciento tenían 2 años de colegio y otros tenían una educación de quinto grado.

Un 20 por ciento usaron cocaína y crack, un 12 por ciento usaron mariguana, un 25 por ciento usaron heroína y un 50 por ciento usaban alcohol. Un 36 por ciento habían estado en tratamientos más los hombres que las mujeres. Todas éstas personas no tenian dinero para pagar el tratamiento. Los fondos públicos cuentan con un 75 por ciento de los gastos de tratamientos de droga y alcohol.

LA COMUNICACIÓN

No siempre resulta fácil mantener una efectiva comunicación entre padres e hijos.

Los niños y los adultos tiene estilos diferentes de comunicarse y distintas formas de responder en una conversación. Además la oportunidad y la atmósfera pueden determinar el grado de éxito de una comunicación entre los padres e hijos y la familia.

Los padres deben encontrar tiempo para hablar con sus hijos en forma tranquila y sin apuro.

Los siquientes datos tienen por objeto facilitar el éxito de la comunicación.

1. Prestar atención
2. No interrumpa
3. No prepare lo que va a decir mientras su hijo está hablando
4. Reserve su juicio hasta que su hijo haya terminado y le haya solicitado una repuesta.

Observe: Este atento a la expresión facial y al corporal de su hijo. ?Está nervioso o incómodo?

(Frunce el entreceja) tamborilea con los dedos, mueve un pie, mira el relog o parece relajado sonríe y le mira a los ojos? Observe estos singnos y le ayudarár a los padres a saber cómo se sienten su hijo. Durante la conversación muestre que ha oído lo que su hijo está diciendo inclínese hacia delante si está sentado, pásele el brazo sobre su hombro si están caminando asiente con la cabeza y haga contacto visual.

Responda: Me preocupa mucho o "comprendo que a veces es difícil" son mejores formas de responder a sus hijos que comenzar por boberias o "si yo fuera tu" o "cuándo yo tenia tu edad"

Hablar en términos de lo que usted está sintiendo resulta más cordial y su hijo probablemente no lo tomara como reprimensa o una repuesta atomática. Su hijo le dice que no quiere oír, no lo ignore.

No ofresca un consejo en repuesta a todas las declaraciones de su hijo. Es preferible escuchar atentamente a lo que está diciendo y tratar de comprender verdaderos sentimientos que hay detrás de las palabras. Asegúrese de que entiendas lo que su hijo quiere decir. Repítelo para confirmarlo.

DETECTIVES EN LAS CALLES

El departamento de la policia de la ciudad de Newark ha puesto a trabajar detectives en las calles de la ciudad para combatir el tráfico de droga. Los detectives estarán patrullando las calles en la comunidad dondé hay más concentración de droga. Éstos detectives están entrenados y especializados en las técnicas de narcóticos enredadas por venta de droga y otras tácticas claves en trabajo encubierto contra los narcóticos. De este modo la lucha contra las drogas se podra controlar mejor la venta de droga y controlar el crimen. El director de la policia le dara los recursos necesarios a cada distrito para las operaciones de venta y compra de droga para poder coger a los vendedores.

Ellos podrán hacer compra y venta desde $10:00 dólares hasta $20:00

Ellos estarán vestidos en ropa civil. Éstos detectives tienen la experiencia en la comunidad y han desarrollado gran interes y mejores contactos para combatir el problema de las drogas entre los jóvenes y los adolescentes de las escuelas en la comunidad.

Con la creación de nuevas drogas cómo las metanfetaminas el éxtasis las están usandólas sin saber los efectos que tienen. Éstas drogas son las metanfetaminas que son estimulantes my poderosos que aceleran el corazòn, suben la presión de la sangre y acelera el metabolismo del cuerpo grandes cantidades causa la muerte.

Los estimulantes son recetados por doctores como supresores de apetito. Se consiquen en cápsulas o tabletas. Los efectos duran 12 horas. Los efectos que causa ésta droga es euforia, la persona se pone habladora. Las metanfetaminas trabajan en el circuito del placer, son similares a dos poderosos neurostramisores que causan placer.

La dopamina y la norepinefrina, éstas drogas hacen que se segrequen en el área del cerebro incluyendo el nucleus accumbens que afecta las emociones. Al usar ésta droga llegan a la corteza prefrontal que juegan un paper crítico en la parte de la memoria o sea el striatum, área del cerebro que envuelve el movimiento.

Éstas sustancias pasan fácilmente por las membranas de los neuronas y entran a los sitios de almacenaje llamados versículos que contienen dopamina y norepinefrina. También bloquean las enzimas que rompen los neurostrasmisores que causan sensación de placer y euforia.

La norepinefrinas la responsable de la sensación de estar alerta y evita el cansancio.

Éstas drogas causan dolores en el pecho, náuseas, vómitos, y diarrhea.

Pueden causar hemorrragias celebral, pérdida del habla, destruyen las células nerviosas que producen la dopamina.

LA DROGA EN OTROS PAÍSES

El narcótrafico internacional ha sido uno de los negocios más rápido en los ultimos años. La droga ha sido un problema mundial de lo que estamos seguros y consientes. Uno de los países que ha dado un ejemplo lo fué Singapur que desde el 1974 cualquier persona con posesión de 15 gramos de heroína, mariguana, opio, hashis o morfina tiene la oportunidad de una sentencia de muerte. En el 1983, en Malasia tuvo unas leyes similares a las de Singapur. En Thilandia por presión de los Estados Unidos se impusó la pena de muerte. Desde 1979, cualquier persona que tuviera en posesión de una cantidad de 98 gramos de heroína con intensión de venderla tenia una sentencia de muerte. En Árabia Saudita, los Emiritos árabes impuzierón la pena de muerte sin exepción de persona, traficantes o consumidores. En la ciudad de Dubia hay un elevado de dinero por droga. Irán es otro país que tiene la pena de muerte por droga. En la China ejecutan a los traficantes de droga. En el Japón en la década del ochenta (1980) el consumo de droga aumento casi medio millón de personas usaron drogas. En Oceanía, Australia, Nueva Zelandía, el consumo de heroína cocaína, mariguana y otras drogas aumentaron en proporciones alarmantes. Argentina, Chile, Colombia, Ecuador, Uruguay, México el consumo de estimulantes creció con mucha rápidez através de los años.

El problema de las drogas sique creciendo cada día más en los Estado Unidos, Ásia, Lejano Oriente, Europo Ocidental y Oceanía. En el Sur de América se ésta usando la cocaína y al norte de América se esta usando el crack (free base.) En Ásia y el Lejano Oriente la heroína ha llegado a un nivel bastante alto. Baghades, India y Sri Lanka, la costumbre de fumar opio es una tradición de riesgo. En ciertos países las personas mayores de edad son los que usan el opio y la mariguana es usada por los jóvenes de 15 a 19 años de edad. Según las encuestas del servicio de drogas figuran que un 37 por ciento de los jóvenes américanos entre las edades 11 y 15 han tratado algún tipo de droga. En los Estados Unidos la droga entra por todas partes aire tierra mar o por debajo de la tierra. El descubrimiento del canal (tunnel) construido a un alto costo de millones de dólares, con una técnica abanzada en una residencia en la Meseta de Billar en Agua Prieto, Sonora México, con un almacén para la distribución en las ciudades de Douglas Arizona y los Estados Unidos. El canal tenia una profundidad de 10 metros de largo, se operaba por medio de un sistema hidraúlico.

En los Estados Unidos en el 1980 se gastarón millones de dólares para terminar el mercado interno de la heroína, cocaína y la mariguana. En el 1988 se gastarón 4 millones en programas de prevención. Es difícil conocer las cantidades de dinero del tráfico de droga, los precios son diferentes en todas partes. Las agencias federales, la guardia costanera, aduana, policía federal piden más dinero para combatir la querra de las drogas. Las muertes por drogas pasan de 200 mil personas al año. El consumo de droga en Suisa se estima en dos millones de francos suizos. Para usar la droga diaria el usuario necesita 800 francos diarios. En Dinamarca sentencian a la persona que cojen con droga a dos años de prisión. En Gran Bretaña y Irlandia es perpetuidad. Grecia y Francia es de 20 años de prisión, dependiendo del tipo de droga. En Grecia no se persique a la persona que es descubierta por primera vez con droga. En España ha despenalizodo la posesión personal de droga. Francia, Dinamarca Belgica, Irlandia y Luxemburgo equipan las posesiones con el tráfico de drogas, el uso de estupefacientes no ésta prohibido. Alemania España, Italia Dinamarca las ciudades Inglesas, los países bajos hay una distribución controlada de la heroína.

Francia, Irlandia, Portugal reprimen todo el uso, pero aplican diferentes castigos. Países como Checoslovaquia, Polonia, Portugal España, Noruega, es dondé los jóvenes usan los disolventes y los inhalantes. En Zurich la droga cuesta más que Amsterdan en dondé el problema de la droga continua creciendo. Hay más de 20, mil personas que usan heroína, combinada con otras sustancias. Un 29 por ciento de los enfermos de sida han usado heroína. Los muertos por drogas pasaron de 210 mil personas al terminar el año 1988.

Los Estados Unidos y España son los dos países dondé se consume más droga. España tiene la puerta abierta en europa para los latinos y para los narcotráficantes colombianos. El tráfico de droga callejero es cada más amplio en las grandes ciudades. En Madrid Barcelona se vende el hashis en la calle como si tal cosa. Este hashis es de Marruecos y la mariguana es de América. No se castigan a los que cojen con pocas cantidades de drogas, siempre y cuándo sea para el uso personal. De vez en cuándo se puede leer en los periódicos noticias de confiscación de hashis cocaína o heroína. Un 45 por ciento de los jóvenes españoles han usado algun tipo de droga. En Marbella que son los lugares turísticos, la cocaína está de moda, la llaman la "gasolina nocturno." El 20 por ciento de la droga enviada a España se consume en el mismo país.

La policía en España tiene alrededor de 675 agentes que se didican a combatir la drogadición Con un prosupuesto de 11 millones de pesetas. A españa entran 35 toneladas de cocaína al año. Los programas de rehabilitación tienen 16, 889 personas en tratamiento. El Consejo General de Emergencia reportó 5 millones de españoles consumieron algún tipo de droga, 3.5 millones de personas usaron cannabis, un 64 por ciento de la población es adicta a las drogas, 700 mil personas han usado anfetaminas, un 11 por ciento han usado cocaína, 660 mil han usado heroína casi 5 millones tiene problemas con las drogas. En el 1889, murieron 200 personas por sobredosis de droga. Las principales entrada de droga en europa es Holanda y España, por el puerto de Belga de Ambores, la heroína entra por Alemania desde el Oriente y es trasportada por tierra. Suiza el país más perfecto, el ingreso per capita es el más alto del mundo, tiene problemas con las drogas es casi igual a España y Holanda.

LA DROGA EN MÉXICO

En el 1996 en México se confisco una tonelada de marijuana, tres hombre fueron arrestado. El presidente Cardenas del Rio organizó en el 1934 una unidad centralizada de narcóticos en el gobierno. Después de la segunda Guerra Mundial Los Estados Unidos le pidió a México la compra de opium para usarlo cómo medicina o sea convertirlo en morfina para los soldados que estabán heridos de la guerra. El opium fué uno de los productos de más cultivo de opium y así termino la conexión Francesa. La droga entraba a los Estados Unidos desde México. El gobierno Méxicano empezó a destruir las fincas de opium. Desde el 1997, incremento el tráfico de la Cocaína un 35 por ciento de la heroína venia de México a Estados Unidos. Hay evidencias que el esfuerzo de Estado Unidos y México perdieran la guerra de las droga. Empezó el tráfico grande de la droga la corrupción, el crimen y los asesinatos.

La droga fué llevada en los aviones y barcos privados del cartel de la droga, entró por California Massachusetts y Texas. En la parte sur Colombia la droga es dirigido por el conocido Pablo Escobar que es el jefe del cartel de Medellín. En el 1970, se averiguo que Fernando Galeano era el que manejaba las pistas de aterisaje para los aviones que llegaban con la droga a México Puerto Rico, Bahamas y asi llegaba a Haití que era la base principal de Escobar. Al sur está el cultivo de la coca en Colombia, al oriente están las querrillas, al norte los contrabandistas que son los que velan la salida de la droga. En el 1987, distribuian la coca a Miami por las areolíneas de la Eastern.

Los narcotráficante colombianos descubren la heroína, que cuesta mucho más que la cocaína.

La heroína fué llevada a Colombia por los carteles de México. Los que reciben la droga se encuentran en diferentes ciudades y estados como Florida, Texas, Arizona, New York, California y el caribe. Las organizaciones del tráfico de droga son los carteles de Cali y Medellín.

Para los narcotráficantes es importante tener asegurada la vía de salida de la droga desde Colombia dónde se almacena la droga, para ser distribuida diferentes países a las personas de contacto para ser vendida en las calles de New York y las otras grandes ciudades.

Mucha de la droga es enviada desde colombia en productos agrícolas congelados, Panamá y Honduras fueron los primeros países que recibieron la droga en productos congelados. En poco tiempo tenían una suma de millones de dólares. Éstas operaciones se extendieron a España Guatemala, para ser enviada a Estados Unidos en grandes cantidades. Según las estadísticas la mayor parte de esta droga llego a Estados Unidos pero fué confiscada. En el 1970, el control de droga aumento incluyendo la prohibición de cocaína con destino a Estados Unidos. En ese mismo año la produción de marijuana, opium, bajo drasticamente. El gobierno de Estados Unidos se intero que la mayor parte de la cocaína, heroína, mariguana las anfetaminas que se consumian en Estados Unidos venia de México. Para controlar la droga tuvieron que destruir la agricultura del opium y la mariguana. Después del 1990, hubo un incremento en el precio de la droga que venia de Colombia a México. El gobierno Méxicano y Estados Unidos trabajaron juntos para controlar el tráfico de la droga. Las tensiones entre México y Estado Unidos aumetaron y han cuestionado la abilidad de que México redusca el tráfico de droga.

Las organizaciones de la mafía se hayan en todas partes con sus jefes para manejar el territorio y el lugar dónde ellos son los que controlan y no permiten a nadie que no sea del clan. Las organizaciones grandes son las que prestan servicios a los demás para la distribución y almacenamiento y el lavado de dinero. La droga le ha traido a Colombia un alto índice de violencia, crímenes, secuestros incluyendo niños, jòvenes que son inocentes. ?Cómo es posible que un grupo pequeño de personas puedan haber destruido tantos hogares, familias, destrución de la juventud en diferentes partes del mundo por causa de la droga? Hasta la fecha casi todos los tráficantes de drogas los han arrestados otros los han asesinado y otros los han matado. Esperamos que el problema de la droga pronto tenga un final, porque si no hay compradores no hay vendedores.

En México con la nueva elección del presidente Fox hay posibilidades de que hayan ciertos cambios, México es el único país que produce grandes cantidades de opium y heroína.

La mayor parte de los usuarios Méxicano usan la marijuana y los inhalantes. Las cosechas de opium en México es ilegal, solamente envuelve un grupo pequeño de personas. El opium no es cultivado en tierras privadas, crece en tierras que son del gobierno. La coca es legal cultivada en Perú y en Bolivia. Las cosechas de opium en México nunca han sido el centro social, cultural, o de la agricultura de la economía del país. En el 1970, México fué el primer país en empezar el primer programa herbario de opium que hasta la fecha continua. El control de droga ha sido importante entre los dos países desde el 1960. Desde la muerte del agente del DEA Enrique Camarena en el 1985, el problema de la droga ha sido un asunto bilateral. El gobierno de México tomo en serio el problema, estableció la ley del control de droga. Con la muerte de Enrique cogieron unos cuántos que eran los responsables. A pesar de los esfuerzos el tráfico de droga continua en México. El control del opium se estableció desde la convención en el 1911 en Shanghai cuándo Alvaro Obregon era presidente de México.

El Alcohólismo en México

En esta ciudad un cincuenta (50) por ciento de los jóvenes entre las edades 13 y 23 son alcohólicos. La cifra en general de alcohólicos entre los chicos y las personas adultas llega a ocho millones de alcohólicos. La mayor parte viven en la ciudad de acuerdo a las últimas encuestas hechas en el 1999. Los directores de la comisión de Alchólicos indican que el alcohólismo afecta directamente a un 25 por ciento de todos los habitantes del país.

Las clinicas y los centros de rehabilitación necesitan más dinero para poder dar mejores servicios a los clientes que están enfermos con esta terrible enfermedad, que es progresiva y destructora.

La mayor parte de los suicidios han sido diagnósticados por el abuso del alcohol y las drogas.

Las salas de emergencias indican que las personas que más acuden a las salas de emergencia son los que tienen problemas con las drogas y el alcohol. Un 45 por ciento de las personas atendidas en el hospital son por leciones causadas por las drogas y el alcohol.

En México existe el abuso del alcohol entre los jóvencitos menores de edad y los adultos.

Las drogas están acabando con las comunidades, tanto los jóvens como los adultos.

Los padres tienen que estar alerta con sus hijos, éduquese sobre los efectos y las consecuencias de las drogas y el alcohol.

LA COCAÍNA EN BOLIVIA

Bolivia es uno de los países que más produce cocaína. Ésta hoja seca se viene utilizando en la elaboración de la cocaína con destino a los mercados de Estados Unidos, Europa y el Ocidental.

Ésta droga que ha sorprendido a tantas personas y al gobierno con el negocio ilícito de la cocaína que ha dañado la mente de los que la usan y a la sociedad en general. Bolivia uno de los países primero en el ilícito de la cocaína, es el instrumento de una venganza historíca. A través de dicho tráfico la sociedad Andina toma revancha de la moderna sociedad del consumo anglosajón.

El antiguo Kallasuy, luego el Alto Perú y Bolivia permitió que la prosperidad de las sociedades blancas anglosojonas y las latinas fueron de los primeros en el mercado de las drogas.

La coca es una planta cuyo uso ha sido de los más contravertido, a pesar que se conoce ésta planta tres mil (3, 000) años atrás en el campo botánico y de la arqueología, el uso de esta planta varia entre los millones de indígenas en Sur América. Hay dos (2) clases de coca una es erythroxylaceas que contiene uno 250 especies, la otra es Novogranatense. De todas éstas clases las que crecen en América alrededor de 200 especies sólo dos se cultivan que son Erythroxylum y la novogranatense que es la más importante. Las hojas son las más aprovechosas, una tiene las hojas gruesas, anchas, verde, delgadas y más amarillentas. La otra clase de hoja son verdes y lanceoladas. Algunas de las otras especies silvestre no las usan para mascar, se utilisan con fines medicinales. La silvestre no tiene un contenido de alcoloides.

La E. coca se conoce en Bolivia como Huanuco, en la actualidad es la más importante en el punto de vista económico y se halla distribuida a todo lo largo de los Andes desde Bolivia hasta el Ecuador con partes de la Amazona. El habitat natural de ésta especie se encuentran entre 500 y los 2, 000 metros sobre el nivel del mar. La E. coca de la montaña crece en al cuenca del Amazona. La coca que se cultiva en Chapare de Cochabamba crece mejor que la de Yungas de la Paz. La segunda clase de coca es la E. Navogranatense está en la parte norte de Colombia y su varieda Truxillense esta al norte del Perú. La coca Colombiana es más resistente porque crece en zonas secas en tierra baja y húmeda. En los tiempos precolombianos se cultivo y se extendió por todo el caribe y parte de América Central. Esta clase de coca que los españoles tuvieron su primer contacto fué la especie que se exportó a África y Asia. La coca preferida de los incas era la tupa.

El campesino Andino es un toxicómano dependiente de la cocaína que se encuentra en las hojas secas. En los analísis que se han echo sobre estas hojas secas tienen diferentes sustancias al porcentaje de alcaloide. Los aceites aromáticos que posee la coca, según varios autores son inversamente proporcional al porcentaje de cocaína. Los campesinos prefieren las hojas más dulces y aromáticas en lugar de las amargas, que tienen major cantidad de alcaloide.

Los campesinos de Yuncas de la Paz confirmarón ésta evidencia. Según las investigaciones el cultivo de esta planta va desde el norte hasta el sur. Hasta el momento es en el Ecuador dónde se ha podido hallar la fecha más antigua del uso de la coca, casi 3, 000 mil años antes de nuestra era. Luego le sique la parte Norte del Perú, con 1, 750 años y ultimamente Asia con 1, 300 años.

La forma más usada en las culturas andinas es la masticación"de las hojas secas de la coca.

En Bolivia se llama acullicar. Las tribus de la amazona usan la coca diferente, las hojas y luego muelen para hacer un polvo la cual agregan las cenizas de algunas plantas tropical. Las tribus acullicu tienen ciertas creencias de norma rituales y tradiciones arraigadas al alma del campesino andino. Según los españoles la descripción sobre el uso de la droga, en la región del caribe, fué por Ramón Pañe y Thomas Ortiz. Los informes que dió Américo Vespuccio sobre la hoja divina de los Incas se refiere a la coca. Los primeros accidentes sobre la coca, fueron los misioneros españoles encargados de la población Indo-Américana. Los españoles querían saber el porqué los indígenas usaban la coca, ellos le contestaron porqué le daba fuerzas y le quitaba el hambre.

Los españoles si querian tener una produción más rápida en las minas o en el trabajo de los minerales, pues estaban de acuerdo que usaran la coca como algo tradicional. Este movimiento anual de hojas de coca llegó a un millón de pesos. Reconocieron la coca como un estimulante.

Algunos autores dicen que la coca logró penetrar en ciertas partes de la sociedad española metiza desde el siglo XVI hasta la actualidad.

La burocracia internacional, Edward Von Poepping alemán, natural-ista pasó muchos años visitando el Perú, el maestro de la escuela anti-coca comptemporanea en el 1836, público un artículo dondé decía de todos los males que producia la coca y el opio. Para ese tiempo no se había logrado aislar el elemento activo de las hojas de coca.

Los autores abolicionista matuviron todos los errores y falsedades que había encontrado el señor Edward Poepping. Después de un período de tiempo los ataques contra la coca alcanzó su perfección, en la década de los 40's y principalmente en Perú, el uso de la coca para el campesino es un estigma. La condena de la coca por parte de la sociedad, precidió mucho y por parte de los países capitalistas indus-trializados proporcionó nuevos argumentos y un ataque contra un hábito nativo. En el 1992, la Camara de Disputados dijo que el problema de los indígenas era toxicalógico. Los organismos internacionales que tienen relaciones con el control del uso y abuso de la droga ha sido anti-droga. La reacción que hubo en los países indust-rializado entre 19001920 fué la edad de oro de la cocaína. Una ignorancia de la farmacología de las drogas incluso el opio que ya era conocido muchos años atrás.

La cocaína que era una droga prodigiosa que todo lo curaba a fines del siglo pasado, paso a ser la "plaga" de la humanidad. Después se descubrieron otras drogas más peligrosas como el L.S.D.

A principios del siglo la cocaína era de origen terapeútico. Los consumidores se dieron cuenta que podia ser también aspirado por la nariz, y por ese mecanismo de contagio mental la droga comenzó a usarse en grandes cantidades en todas partes del mundo. En el 1961 apareció un reporte en un periódico que decia así, La coca es respondable de la triste historia de nuestro pueblo, grado avergonzante mental y físico. Los efectos de un droga, tanto psicológico varían según la vía por la cuál es introducida al cuerpo. Ésto sería la dosis, la velocidad de administración, la frecuencia del consumidor, el medio ambiente y las experiencias personales.

El clorhida de la cocaína tiene 13 alcaloides, además de varios aceites essenciales, vitaminas, y minerales. Se desconoce los efectos que pueden tener esta combinación de elementos sin cortar el alcaloide que se encuentran en la hoja de la coca. Los siquientes factores contribuyeron al flujo de la demanda.

Factores políticos determinó que Bolivia se convierta en uno de los principales provedores de la coca a los mercados mundiales. En los Estados Unido país capitalista mundial, tiene los indices más alto de la drogadición, el alcohólismo que ocupan el primer lugar segundo la marijuana, heroína, cocaína y otras drogas más. En Europa Occidental el problema es casi igual que los países socialistas, por ejemplo la Unión Soviética no existen tantos los problemas de droga pero el alcohólismo tiene un vivel superior que los países capitalistas. Yugoslavia, el más abierto de los países socialista según las Naciones Unidas en el 1982, la heroína ocupó el primer puesto en venta. Segundo fué Alemanía, después Italia, Turquía, y los apaíses bajos estos países tienen motivos disconformidad através de la drogadición. En el Perú el tráfico ilícito de cocaína es de 800 millones de dólares anuales. La produción anual ilícita de coca en el Perú acendió a 28 mil toneladas cultivadas. La produción legal es de nueve (9) mil toneladas sembradas. Sólamente cinco mil son comercializadas por la Empresa Nacional de la Coca.(ENACO) estos datos se encuentran publicados en el períodico Meridiano el 7 de Junio 1982.

A principio del año 2002 se reporto que los campesinos desafíaron a los policías en la zona de Sacaba dondé los campesinos quieren ocupar el mercado de la venta de droga para comerciar la hoja de la coca. Esto causo un motín dondé hubieron muertos, heridos y unos cuantos vehículos encendidos. El gobierno prohibe el mercado de expendio de la coca. Los campesinos exigen el cultivo libre de la coca. Según la ley 108 de la coca y sustancias controladas no penalizan la coca.

Matilde Rosa

LAS ESTADÍSTICAS DEL SIDA

De acuerdo a los estudios recientes del Departamento de Salud y Bienestar Público indicó que la cantidad de pacientes con el Virus del Sida en el condado del Essex en la parte Norte de New Jersey acendio a 14, 194 personas infectadas con el virus, pero el total en todo el Estado de New Jersey es de 36, 424 personas. Personas que han muerto pasan de 13, 690. Las infeciones del Sida entre las mujeres ha aumentado en el Estado de New Jersey. Entre las muchachas jóvenes cada vez va aumentando el número de pacientes con el virus. De acuerdo a la División del Control y Prevención entre las mujeres y las muchachas jòvenes hay un 30 por ciento de los casos del Sida. Desde el 1974, habían solamente un 25 por ciento de los casos, actualmente hay un 60 por ciento de los caso de mujeres. Entre los áfricanos hay 1, 193 casos entre los américanos hay un 65 por ciento de casos. A fines del 1999 habián un total de 26, 430 casos de Sida de esa cantidad 12, 970 eran casos de personas residentes de New Jersey.

Los casos de niños nacidos con el sida llegan a 8, 995 en el Estado de New Jersey. Estos son casos que las madres han sido infectadas con el virus por no protegerse en sus relaciones sexuales.

Entre los blancos hay un promedio de 8, 970 casos de Sida en el Estado de New Jersey, de esa cantidad 1, 899 son mujeres blancas. En la raza blanca en general hay 13, 980 casos. La trasmisión de este virus ha sido mayormente por el uso de drogas tanto en los hombres como en las mujeres. Desde el año 1999 hasta el presente la cantidad de persona que han muerto con el sida se ha reducido a un 35 por ciento, gracias a las nuevas medicinas y al interes que la gente ha tenido en los tratamientos. Un 10 por ciento de los clientes que fueron referidos a mis oficinas para las evaluaciones eran positivos al sida y otros tenían el sida.

En el 1999, murieron 17, 200 personas con el Sida. En el África dónde hay tanta probreza el porcentaje de sida es mucho más alto que en los Estados Unidos. Una cantidad de 160, mil personas están bajo tratamiento usando la nueva medicina el bloqueador proteasíco. Apesar que la medicina tiene raciones en ciertas personas incluyendo dolor de estómago, diarrhea, insomnio dolor de cabeza. Estudios hechos en 1999, determino que el virus del sida puede mutar para convertirse en distintos tipos de sangre y el semen del paciente sugiere que el mal puede ser más difícil de combatir de lo que se esperaba, según los analísis echos hasta el presente. Los descubrimientos contradicen la creencia de que un individuo puede tener sólo un tipo del virus.

Un estudio reciente indica que 11 hombres con el virus indicó que algunos hombres habían recibido tratamiento antes del estudio, tenían varios tipos de sida que habían mutado y desarrollado resistencia a las drogas contra el virus. Los voluntarios con esos virus resistente se determinó que su esperma y su sangre contenían diferentes tipos virales. Un 72 por ciento de los espermatizoides tenían buena movilidad, pero en los fumadores la cifra llegó a 58 por ciento según los investigadores. Los investigadores señalan que dos tercera partes de los hombres tienen líquido seminal infectado con bacterias.

En el presente las mujeres de bajo nivel económico señalan que hay una cantidad mayor de mujeres jóvencitas que están infectadas con el virus. Se han estudiado miles de personas entre las edades de 16 a 21 año con un 49 por ciento mayor que entre los hombres jóvenes de las mismas edades. 1

La cantidad más alta ha sido en la raza negra, 5 de cada mil personas salieron infectados con el virus. Entre los hombres hispanos infectados con el virus la cantidad es al doble a las mujeres. Un millón de personas en los Estados Unidos están infectados con el virus del sida.

La mayoría de las personas infectadas tienen de 25 a 50 años de edad, estas personas que están infectadas tienen miedo de que se le desarrolle el sida. El sida es peligroso, es grave, es mortal.

Si estas infectado y siques las reglas del doctor no tienes que tener tanto miedo. La persona desarrolla el sida cuándo el sistema inmunológico ésta debilitado, porque no puedes combatir las infecciones de la enfermedad. Recuerda que el sida no descrinina cualquier persona puede contraer el virus si no se cuida. Se puede tardar 10 años para que el virus se desarrolle aún cuándo no sientas los síntomas.

El virus daña las defensas del cuerpo, solamente un exámen de sangre puedes saber si tienes el virus. Sólo un doctor puede diagnosticar el sida. Hay personas infectadas en los 51 estados de la nación. Actualmente los analísis de sangre son un 99 por ciento precisos. Después que una persona se infecta toma pocas semanas para que un número suficiente de anticuerpos se desarrollen y se puede detectar en la sangre. Si la persona se contagió recientemente la prueba puede no demostrar que ésta infectado. Hasta el momento no hay ninguna vacuna para contrarestar el virus. Existen algunos medicamentos que ayudan a los síntomas del sida, ninguno de los medicamentos pueden prevenir la infección.

Tú puedes protegerte del virus con los siquientes pasos:

1. No tengas relaciones sexuales sin protegerte, puedes infectarte con sólo una experiencia sexual.
2. Evita el contacto con la sangre, fluidos, semen, fluidos vaginales de otra persona
3. No uses agujas que otra persona halla usado
4. Siempre usa condón latex, para cualquier relación amorosa sexual porque tu no sabes si tu pareja ésta infectada.
5. Comparte esta información con tus amigos, familiares compañeros de trabajo.

Para más información puedes llamar gratis 800-344-7432 o visite el Departamento de Salud Pública en tu comunidad.

Se estima que 2 millones y medio de personas están positivas al virus, esto es un reto que sorprendo a la persona que éstan positivo esto es como una sentencia de muerte. Tan terrible como puede haber sido para ti el haber dado positivo. Ahora sabemos más sobre el VIH y se han formados muchas organizaciones alrededor del mundo para ofrecer apoyo e información a las personas que están viviendo con este virus. Tu estado emocional puede oscilar desde tristeza enojo miedo, confusión, depresión, son reacciones completamente naturales al saber que tienes el virus. Tu reacción a la idea de enfermarte o morir podria manifestarse en un dilema para ti.

Puedes pensar que difinitivamente vas a morir y que no habrá manera alguna de que este virus se cure. Esto es lo que se conoce como negación, rehusarse a comtemplar algunas de las posibilidades de vivir con el virus. Trata de tener fé en Dios tener esperanza de sequir viviendo una vida si te cuidas lo podras lograr. Hay muchas personas que tienen el virus y viven una vida normal. Comenzar a vivir una vida nueva, consequir apoyo es lo más importante que puedes hacer. Tu vida de ahora en adelante sera diferente, no pierdas el control de tu vida podria causarte una gran ansiedad y angustias decide lo que es razonable para ti.

EL CASO DE YVONNE

Me contó Yvonne la historia de su vida, cuándo apenas tenía siete años, la mamá me contaba que estaba buscando a alquien que me cuidara porque ella como madre no queria tener la respondabilidad de cuidarla. En ese tiempo mi mamá era muy jóven, tenía solamente 17 años y mi papá tenía 50 años. Ella quería venir a Estados Unidos a casa de una hermana que vivia acá para dejarme al cuidado de ella pero todo le fué imposible y no le quedo otro remedio que cuidarme.

Viví en casa de una tía por largo tiempo, estaba disgustada porque el esposo la maltrataba a ella y a los hijos. Mi abuela decidió quedarse con migo, abuela era muy buena con migo, me daba cariño, me sentia feliz, fué el mejor tiempo de mi niñez. A la edad de 8 años regrese a vivir con mi mamá en ese tiempo a mi papá lo mataron, después de un tiempo mi mamá empezó a vivir con un amigo, quedo embarazada y tuvo una hija, tuvo la mala suerte a este esposo también lo mataron. Más tarde mi mamá conoció a otro hombre que vivio con ella y la ayudaba en todo.

Mi mamá empezó a tomar alcohol y cuándo se emborachaba rompia todo lo que habia en la casa.

Ella era diferente cuándo no tomaba, por esta razón este esposo que tenía la dejó.

Después conoció a otro hombre la cual vivio con ella por largo tiempo, este era hijo de una comadre de ella. Yo tenía 12 años viví una infancia de peleas y disgustos por culpa de mi mamá.

Este hombre que tenía la maltrataba, yo tenía que defenderla cuándo el le pegaba. Todos estos sufrimientos me causaron un trauma en mi vida. Con tantos disgustos decidí hirme de la casa me fuí a casa de una tía mía, ya no podia aguantar tanto sufrimientos. Los problemas de mi mamá me rompieron el corazón. A veces me pregunto el porqué yo tenia que vivir esta vida tan amarga a una edad tan jóvencita, esto destruyo mi destino para los restos de mi vida.

Estando en casa de mi tía tuvo la oportunidad de hir a la escuela pero en casa de mi tía habían muchas discusiones el esposo le pegaba la maltrataba. Yo empeze a salir con mis amigas solamente tenía 14 años, yo no fumaba y no usaba droga ni alcohol, pero me gustaba el ambiente alegre de mis amigas. Un día en una fiesta me dio con tomar una bebida con alcohol. Yo tenía una prima que usaba droga y me dio a probar cocaína, este fué el error más grande de mi vida desde entonces sequí usando droga y alcohol, la cual destruyo mi vida y troncho mi destino.

Cuándo mi mamá se entero que yo estaba usando droga y alcohol me queria matar, me daba pelas de muerte para que no tomara y usara droga. Mi mamá queria ponerme en un instituto de muchachas jóvenes, pero yo no quise. Conoci a un hombre que me gustaba mucho, me puse a vivir con el por un timpo. Este hombre habia estado preso porque vendia droga y la usaba.

El robaba, un día lo cogieron preso tuvo que servir tres (3) años en la cárcel pero se fugo de la cárcel yo le ayude para que se fugara. El se fué a la República Dominicana, al tiempo yo fuí a verlo me quede par de meses con el, quedé embarazada de mi primer hijo.

Después el se fué a Puerto Rico y lo cogieron preso otra vez, lo trajeron a New Jersey para ponerle los cargos. Yo regrese a Patterson para poder trabajar y cuidar a mi hijo cómo la situación económica estaba mal yo me puse a vender droga y a usarla. En ese tiempo mi mamá ya estaba usando droga también.

Me fuí a casa de mi prima y ella estaba usando droga también. Conocí a un hombre dominicano que era el que vendia la droga en el area de Patterson, yo queria robarle la droga para yo venderla, pero que pasó que me enamore de el, empezamos a vivir juntos con el nada me faltaba tenia todo lo necesario. Yo le buscaba el dinero de la droga en los mejores hoteles de la ciudad. Esto me duró poco tiempo, me cogieron con la droga encima y estuve par de meses presa. Cuándo salí empeze a vender la droga otra vez. Llendo a cobrar el dinero a las tavernas me cogieron presa otra vez, de nuevo regrese a cárcel. Ya el vicio me dominaba, no podia vivir sin la droga.

En el transcurso de todo esto me dieron un balázo en una pierna por un problema de un primo mio. Me llevaron al hospital y me dejaron, pero al otro día me fuqué del hospital, me cogieron presa otra vez, esta vez estuvo presa por largo tiempo. Yo tenía 21 año de edad, mi mamá queria dejar el vicio de las drogas y el alcohol pero ya era muy tarde, el alcohol le había perforado el hígado duro muy poco tiempo. Ella tenía solamente 40 años de edad cuándo murió. Este sufrimiento me descontroló para los restos de mi vida. Empeze a usar droga y alcohol todo los días, ya no me importaba nada en la vida ni mi hijo auque nunca lo maltrate.

Otra vez estuve preso por vender droga, me dieron una penitencia de 2 años de prisión mi hijo lo deje con mi prima. Después de la muerte de mi mamá quedé casi loca andaba con un martillo para matar al primero que me diera problema. Un día por poco mato a mi esposo con el martillo me pusieron de nombre la (martillera) yo me sentí sola mi único amigo era el martillo. Sequí usando droga y alcohol, lleque a un extremo que me pintaba el pelo de diferentes colores para que la policia no me reconociera. Me cambiaba el nombre cada vez que me mudaba. Cuándo fuí a visitar a mi prima me cogieron presa en Passaic, New Jersey. Ya estaba cansada de esta vida me separe de Dios, cuándo estuve presa la última vez decidí pedirle a Dios que me ayudara, yo no queria usar droga ni tomar alcohol. Estar en la cárcel es duro y triste, todos se olvidan de uno, el padre de mi hijo era el único que hiba a verme.

En la cárcel había mucho problema con las mujeres, especial-mente las lesbianas. Tuve la mala suerte que una de ella se enamoro de mi, éstas mujeres son peligrosas. Gracias le doy a Dios que me pude librarme de ella. En la cárcel me ofrecian droga, lo pense dos veces pero dije que "no"

Otro problema que habían en la cárcel era que hablabamos en español con las que eran hispanas y las negras no le gustaba que hablaramos español y formaban peleas. Habían más de 200 mujeres especialmente hispanas, éstas me ofrecian droga todo los días. Le pedia a Dios que me dieran fuerzas para resistir esta presiòn. Cuándo sali de la prisión me llevaron a un centro para la rehabiltación. Gracias a Dios esto fué mi salvación, aprendí a aceptar las cosas que no podia cambiar. Esto fué una buena lessión para mí y una gran experiencia. Hoy estoy rehabilitada veo la realidad de la vida, me comparé con un árbol cuándo pierde las hojas en el invierno, pero las raices no mueren, porque en el verano vuelven a renacer y echan hojas verde otra vez.

Ahora me siento feliz, estoy viviendo una vida diferente, puedo apreciar lo que son las drogas y el alcohol, el daño que yo misma me estaba haciendo.

Cuando termine la rehabilitación me voy a estudiar para hacerme de una carrera para poder tener un buen trabajo y educar a mi hijo y darle un buen ejemplo. Enseñarle a las personas que me vieron en la calle endrogada, boracha que hay remedio para todas las cosas de la vida. Lo más importante es aceptar que tienes un problema de droga o alcohol, y buscar ayuda para resolver el problema de la mejor manera que se pueda.

UN CASO DE ABUSO DE DROGA

Delgado, es un jóven de 30 años de edad, hispano su primera intoxicación fué a los 12 años, una edad demasiado temprana. Al comienzo empezó con cerveza y vino era lo preferido. Delgado comsumia una pinta de vino y seis (6) latas de cerveza diaria. A los 15 años empezo a usar sustancias volátiles, luego siquio usando mariguana y otras drogas. Bajos los efectos de las drogas sufrió muchas depresiones, amarguras, nervisiosidad, desvelo, disiluciones, enferme-dades.

Este vicio le costaba 100 pesos semanales.

Este cliente fué referido del hospital a la agencia Cura para una rehabilitación. La primera entrevista después de haber sido admitido al programa fué por la consejera Matilde Rosa, que estaba haciendo los estudios de la Universidad en droga y alcohol. Delgadfo fué muy coperativo se sintio tranquilo, tuvo momentos de sinceridad y honest-idad. Delgado no sabia hablar inglés.

Cuándo buscaba ayuda para rehabilitarse no encontro cupo en ningún sitio. No tenia a nadie que lo ayudara. Al ser referido a Cura dónde los trabajadores hablan dos idiomas se sintio feliz y dónde habian más jóvenes con el mismo problema que el tenia. Se sintio tranquilo, más entusiasmado. El puso mucho interes en rehabilitarse estaba cansado de las drogas y el alcohol.

Los primeros días dio seña de haber sufrido mucho. Su juicio estaba intacto y aceptable. Su tono de voz era suave, su memoria estaba clara, conciente de los problemas de la familia y de la adicción que tenia a las drogas y al alcohol.

Las consecuencias psicologícas:

Delgado era incapaz de mantener un trabajo fijo, tenia poca relación con su familia. Este jóven sirvio mucho tiempo en la cárcel por las consecuencias de las drogas y el alcohol. La historia educativa de Delgado empezo a los 6 años y termino a los 11, dejo la escuela, perdio el interes a la escuela y le puso el interes a las drogas, alcohol y a los amigos. El primer trabajo que tuvo fué a la edad de 14 años en mantenimiento en unos programas de verano de la ciudad. Después no pudo conseguir trabajo por un tiempo. A los 15 años cogio un curso de mecánica de carros.

Al terminar este entrenamiento consiquio trabajo areglando carros, se ganaba $300 pesos semanales. Por causa de las ausencias y las tardanzas fué suspendido del trabajo. Luego consiquio otro trabajo giando camiones ganaba buen dinero pero le duro muy poco por el problemas de las ausencias y tardanzas. Estuvo colectando los beneficios de desempleo por par de meses. Cuando de le terminaron los cheques empezo a robo para comprar la droga y el alcohol. Delgado fué arrestado unas cuantas veces, la primera vez fué por robo, la segunda por mala conducta, la tercera por robar carros, y la última por un roboa a mano armada, en total sirvio 6 años en al prisión.

La historia de la familia:

El padre de Delgado se caso muy jóven, el matrimonio le duro poco tiempo, porque ella era alcohólica. Delgado sufrió mucho con la separación de sus padres. La madre murio jóven y Delgado quedo huérfano, desde entonces empezaron los problemas para Delgado. El padre los abandono y Delgado fué criado por un familiar. Después que este jóven paso por tantas cosas malas en su vida, llego a ser una persona adulta. Después de la rehabilitación se fué a la escuela para estudiar mecánica de carros, termino sus estudios y consiquio un trabajo.

Delgado es otra persona después de la rehabilitación. Delgado continua con las reglas de la rehabilitación. Delgado ayuda a los muchachos jóvenes que están en problemas con las drogas está activo en las actividades de la comunidad. Va a la iglesia cosa que nunca hacia antes. Delgado modifico su patrón de vida. De la misma manera que este jóven lucho por su rehabilitación, puso de su parte, así pueden hacer muchos que necesitan rehabilitarse. Buscar un estilo de vida saludable para el, la familia y la comunidad.

CASO

Flores, un jóven de 35 años de edad, pesa 160 libras, mide 5 pies con 10 pulgadas. Flores es el cuarto hijo de la familia Pérez. Son cuatro (4) hermanos. Su padre era un hombre de pequeños negocios su madre trabajaba en una fábrica de ropa. La mayor ambición de la familia era que sus hijos tuvieran éxito en sus vidas através de los estudios y el trabajo.

El señor Pérez presionó a sus hijas desde pequeña para que estudiaran pero no presionó a los varones, creando en la familia resentimiento inestabilidad emocional. Una de sus hijas tomó la iniciativa de un paper perfecto muy estudiosa y brillante, los varones pensaban en hirse de la casa y hacer sus propias vidas fuera de los padres.

Flores, fué el hijo que más problema tenia, malos amigos, en la casa no le aceptaban los amigos.

Estos amigos lo introdujeron a las drogas y al alcohol. Flores salia de la casa y cuándo regresaba venia boracho o endrogado. Me cuenta Flores que las discusiones que habian en la casa eran tremendas, el padre le gritaba y le hablaba malo, la madre intervenia cuándo el esposo trataba de agolpiar a sus hijos, muchas veces para evitar una desgracia ella le ocultaba las cosas a su esposo.

Flores dejó de hir a la escuela sin que sus padres lo supieran, hasta que un día un amigo de el le dijo la verdad al padre de Flores. Cuándo los padres de Flores se enteraron que no hiba la escuela el padre racionó con mucho coraje. Flores se fué de la casa con uno de sus amigos. Venía a la casa cuándo necesitaba dinero o tenia un problema los hermanos y la mamá le ayudaban con lo que podian.

Flores conoció una muchacha la que se enamoro de ella, después de un tiempo de ralaciones vivieron juntos, los dos trabajaban, auque siempre andaba con los amigos. Todo le hiba bién hasta que tuvieron el primer hijo. Flores continuaba con los amigos usando droga y alcohol.

Flores perdió el trabajo por las tardanzas y las ausencias, también perdió la licencia de manejar por no tener dinero para renovarla. Las promesas de Flores que le hacia a la esposa nunca las cumplia, cada día la situación empeoraba.

Un día tuvieron una discusión y la esposa se fué de la casa con el niño. Flores empezó a robar para mantener el vicio que lo dominaba. Su personalidad empezó a deteriorarse, estaba usando todo tipo de droga, cocaína, heroína, mariguana, alcohol, metadona. Flores estuvo preso por robo, por vender droga, cuándo salio de la cárcel obligatoriamente tuvo que hir a un centro de rehabiliatación. Después de la rehabilitacións queria volver a ser lo que era antes, siquio la rehabilitación cuándo terminó cogio un entrenamiento en mecánica consiquio un buen trabajo también se dedico ayudar a otras personas que tenian problemas con las drogas y el alcohol. Empezo una nueva vida, regreso a la iglesia, daba consejería a los muchachos jóvenes en la comunidad. Siempre asistia a las reunioness de grupos para ayudar a otros miembros que tenian problemas. Flores decidió hir al colegio para sacar un bachillerato para consequir un mejor trabajo. Gracias a Dios que todo le fué de maravilla, esta muy contento. Volvio con su esposa tienen un niño están felices. Esto es un buen ejemplo que otros pueden sequir.

CASO

José Luis, apenas tenía 13 años cuándo empezó a usar droga con sus amigos y compañeros de clase en la escuela. Estos eran un grupo de jóvencitos que no querian estudiar, tenían problemas en la casa. Este grupito de niños le destruyeron la vida a José Luis un amiquito de la escuela.

Desde muy jóven José Luis dejó la escuela por estar con sus amigos en la calle usando droga alcohol y fumando. Este grupo se unió a una pandilla de otros grupos que eran mayores de edad.

Este grupo de jóvencitos se la amanecian en la calle aver lo que la noche le traia, para ellos esto era de mucho estímulo se sentian más adultos. Cualquiera persona que le diera problemas tenían al grupo para pelear.

Cuándo José Luis dejó la escuela empezó a vender droga solamente pensaba en el dinero que se podia ganar vendiendo droga sin pensar los problemas que podia tener más tarde.

Lo cogieron preso por vender droga a un menor de edad en la escuela. Estuvo tres años en la cárcel, cuándo salió empezó a usar droga y a venderla otra vez. Un día fué a una fiesta con sus amigos y se formo una pelea por culpa de la droga, alquien disporo un tiro y cogió a Jose Luis, el quedo paralítico en una silla de rueda para los restos de su vida.

José Luis se siente triste por no haber cogido los consejos de su familia, hoy día se encuentra en una silla de rueda. Ninguno de sus amigos lo vienen a ver, por causa de las drogas perdió toda su juventud, su futuro. Un mal amigo le puede destruir la vida a cualquier jóven. Hoy día José Luis quiere ayudar a los que se encuentran con problemas de alcohol y drogas, para que no le pase lo que le paso a el.

En los Estdos Unidos hay miles de grupos de jóvenes que estan en pandillas, estos grupos éstan en las comunidades. Si hay un grupo de pandilla cerca de ti no te unas a ellos, estos grupos dañan los amigos y las comunidades. Es cometer un error, escucha mi consejo. Mira el ejemplo de lo que le paso a José Luis. No uses drogas, no vendas droga, dedícate a estudiar lo que te guste, o epecializate en un trabajo que puedas ganar dinero para tus gastos, asi no tendras que vender droga para vivir. La más bonito en la vida es tener salud para poder trabajar, vivir una vida tranquila, es el regalo más valioso que Dios nos ha dado. Si tienes problemas con las drogas o el alcohol recuperate ahora, no pierdas tiempo, para que puedas vivir una vida feliz.

CASO

Pedro tenia 17 años cuándo su padre lo abando, su madre quedo sola contres hijos jóvenes. La familia decidió mudarse a otro sitio para que sus hijos pudieran estudiar y trabajar. Se mudaron para Brooklyn cerca de los Sures, aqui empezó una nueva vida para la familia. La madre asisto a los servicios públicos en lo que consequian trabajo. Como la situación económica estaba mal, Pedro empezó a vender droga pero más tarde empezó a usarla, el vicio lo dominaba y no podia trabajar.

La madre no sabia que Pedro estaba usando droga, ella creia que él estaba trabajando, al interarse de la vida de Pedro con sus amigos esto le causó un trauma a su mamá. La madre de Pedro tenía miedo que los otros hijos empezaran a usar droga. Uno de sus hermanos le vió unas marcas en los brazos y le pregunto de que eran, Pedro no pudo contestarle se sientio avergonzado no quería que su hermano empezara a usar drogas desde entonces Pedro se fué de las casa con los amigos que vendian droga.

Un día de casualidad Pedro se encontró un amigo que fué compañero de escuela, su amigo no podia creer en las condiciones que Pedro se encontraba. Su amigo los aconsejo le dijo los problemas que podia tener si sequia usando droga. No tardo mucho tiempo cuándo lo cogieron preso, paso par de meses en la prisión. Cuándo salió de la cárcel decidio hirse a un centro de rehabilitación, a los dos meses se sentía una persona diferente. Este permaneció un año en el centro de rehabilitación, quería estar seguro que cuándo saliera de la rehabilitación estuviera bién curado. Tan pronto salio de la rehabilitación se registro en la escuela de noche para especializarse en mecánica de automóbiles para poder trabajar y ganar buen dinero.

Su comportamiento, la fé que puso en Dios lo ayudó a rehabilitarse. Cuándo estaba en la droga nunca se acordaba de Dios que lo podia ayudar a rehabilitarse. Casi todos los adictos no recuerdan que hay un Dios supremo que es podersos y hace milagros. Pedro le da gracias a Dios porque vio el cambio que pudo dar de lo contrario estaría en la cárcel todavia. Pedro después que termino la rehabilitación se registro en la escuela para terminar un bachillerato se graduo ahora tiene un buen trabajo, se caso tiene una familia ésta contento, tiene un hijo que lo quiere muchísimo, se siente feliz con la nueva vida. Esta ayudando a los jóvenes que tienen problemas con las drogas y el alcohol.

LOS DIEZ PASOS DE LA DROGA

1. Parar de usarla

2. Botar toda clase de material o accesorios

3. Romper todos los contactos con los vendedores y los usuarios

4. Un límite de tener dinero encima

5. Planear los días limpios

6. Indentificar las pesonas, sitios, cosas y emociones

7. Indentificar el sistema de apoyo

8. Indentificar si tienes un problema

9. Cogélo suave, un día a la vez

10. La recuperación sin excusas

Matilde Rosa

EL SIDA LLEGA A LA IGLESIA

Según las noticias el sida llega a la iglesia. El sida ha sido la causa de muchos sacerdotes diagnosticados con el virus del sida, en los Estados Unidos y en otros países, auque otras causas podrían constar en sus certificados de difunción. Según los examenes los certificados de muerte y entrevistas con los expertos indican que son muchos los sacerdotes que han muerto de sida y otros están enfermos con el virus. Los sacerdotes que respondieron a los cuestionarios confidenciales dijeron saber de algunos sacerdotes que viven con el sida. El obispo Raymond Boland de la diócesis de Kansas City dijo que los sacerdotes son seres humanos igual que las demás personas del mundo y que por mucho que lo lamenten esto demuestra que la naturaleza humana es la "La naturaleza Humana"y le puede suceder a cualquier persona.

Hombres que quieren entrar a la orden religiosa tendran que hacerce la prueba del sida antes de la ordenanza. De acuerdo a la doctrina católica que enseñan el perdón y la compación y que también considera la relación homesexualidad un pecado. Creo que se le debiera de educar a los sacerdotes acerca de la sexualidad cuándo entran a un seminario. Los consejeros que han entrevistado a los sacerdotes con el sida dijeron que habían otros compañeros que tenían el virus.

La cantidad pasa de 200 sacerdotes en los Estados Unidos desde el 1990 hasta el presente. Sacerdotes que han muerto del sida pasan de 100 personas, según las encuestas del 1980. Las averiguaciones que se han hecho por otros expertos del sida dicen que una cantidad muy alta de sacerdotes que tienen el sida y ésto ha sido por contacto sexual.

El 1 de Diciembre fué el Día Internacional del Sida, concerniente al progreso y a la educación prevención y a los tratamientos de esta enfermedad. El desarrollo del Sida que sique en aumento en todas partes y en todos los países. Al final del año 2000, el Centro de Control y Prevención de Enfermedades dijeron que 775, 468 casos de sida han sido reportados en los Estados Unidos y un 82 % eran hombres, 18% por ciento eran mujeres. En los análisis étnicos demostraron que un 43 por ciento eran personas blancas, un 38por ciento eran personas negras, un 18 por ciento eran latinos. Ademas el reporte enseño que un 46 por ciento eran hombres teniendo sexo con hombres, un 25 por ciento fueron por el uso de jeringas contaminadas un 11 por ciento se infectaron a través de la sangre. En las comunidades latinas hay un 30 por ciento de las personas infectadas esto es lo que trae el sexo sin protección.

En el 1985, se desarrollo una prueba para detectar la infección del virus, esta fué llamada Elisa que detecta anticuerpos contra el virus y diagnóstica la enfermedad. No fué hasta el 1986 cuándo se completo la estructura de las proteínas del VIH, las moléculas que participan en la repuesta inmune a la infección. En el 1987 los farmácos descubren una medicina para controlar el virus llamada AZT. El pronóstico para los enfermos es que la mitad de las personas con ésta enfermedad mueren en un término de cinco (5) años.

ARRESTAN SACERDOTE POR DROGA

En San Juan, Puerto Rico fué arrestado un sacerdote por llevar droga a la cárcel Regional de Bayamón, admitió que en unas cuantas ocasiones introdujo sustancias a la institución penal reporto el teniente de la Adalberto Marcado. El sacerdote hizo una serie de admisiones de pasar droga en el presinto de Bayamón. De acuerdo con las investigaciones el sacerdote no usa la droga sino que traficaba la droga, el niega de haber recibido dinero. Los cargos son por posesión con intención de distribuirla y por introducir sustancias contraladas a una institución penal. Al sacerdote le fijaron una fianza de $30, 000.00 mil dòlares por los tres cargos. Salió en livertad provisional tras de entregar el diez (10) por ciento de la fianza. El cardinal Luis Aponte suspendió al sacerdote de sus funciones como párraco de la iglesia Santa Teresita de Bayamón. Las pertenencias del sacerdote fueron removidas de la casa parroquial donde vivia sólo. Burke llevaba tres (3) años como párraco de la ilglesia. El sacerdote fué detenido cuándo fué registrado por un oficial de la custodia de la cárcel de Bayamón.

Según las investigaciones escondia la droga y un teléfono celular en el area de los genitales, y dos billetes que llevaba en los zapatos. El gobernador de Puerto Rico Pedro Roselló y el cardinal Aponte explicó a la prensa que el sacerdote permanecia con un amigo en lo que lo trasladaban a Estados Unidos. Este sacerdote es un hombre religioso, no queda expulsado de la congregración sino más bién rehabilitado. El cardinal Aponte va a segurarse de que el sacerdote comparesca a todos los procedimientos judiciales en Puerto Rico.

Durante la interrogatoria el sacerdote estuvo perturbado, pero muy cooperativo con las autoridades. La posición de droga con la intención de distribuirla las penas son más severas que si fuera consumo. Los vecinos de la iglesia quedaron asombrados al saber la noticia.

El sacerdote acostumbraba sentarse de tardes en el parque y hablaba con los jóvenes y le explicaba porque escogio la profesión que tenia. Explica un vecino de la iglesia que lo veia todas las tardes que nunca lo vieron en nada que indicara que estuviese manejando droga, siempre hablaba a los jóvenes del problema de las drogas. Si lo atento el diablo cayó.

CARTA A MAMÁ

Querida mamá:

Te escribo ésta carta para decirte cuánto aprecio tu decisión de traerme a este mundo.

Quizás ésta carta sea prematura, ya que apenas me estoy formando en tu matriz. Lo que quiero es aprovechar esta oportunidad para pedirte un favor, uno de los muchos que te pediré durante toda nuestra vida juntos. El favor es que no tomes alcohol o uses drogas mientras me estoy desarrollando. Sabes, cuándo tomas, el alcohol atraviesa tu placenta en una forma directa y penetra en todo mi cuerpecito en formación.

Para poder desarrollar mi cerebro y otros órganos necesito toda tu ayuda posible. Lo que tu comas y tomes me ayudará en ésto. Pero cuándo tomas alcohol o usas drogas podrías dañar mis células en formación. Si el alcohol llega a mí en grandes cantidades y repentinamente, puede dañar seriamente y para siempre las células que forman mi cuerpo. Esto es lo que se conoce como Síndrome Fetal del Alcohol.

Estoy seguro de que has oído hablar de ésto en la televisión, la radio o a tus amigos, pero no has pensado tal vez que éste mensaje está dirigido para tí y para mí. No es fácil decir "no" cuándo te ofrecen un trago, pero si quieres que nazca bien físicamente, te pido que digas "no" y mientras estamos en esto. ?No es cierto que tu hermana ésta embarazada? ?sabe ella sobre ésto?

? Y que de tus amigas que también están embarazadas ?

Debes enseñarle a los que no conocen nada sobre el Síndrome Fetal del Alcohol, es el mayor daño que me haces a un feto como yo en mi formación en los primeros tres meses de desarrollo.

Cómo mis células crecen en las primeras semanas rápidamente el alcohol en esa étapa puede ser muy dañino para mi. Mamá te quiero mucho, deseo que podemos pasar juntos una vida larga y saludable para si poderme desarrollar y ser una persona sana, poder estudiar y trabajar.

EL BEBÉ

!Claro que sí! Y precisamente porque lo amas, no quiero que nada le haga daño.

Pero debes saber que si estás embarazada y tomas alguna droga, el medicamento puede causar daño al crecimiento normal del bebé. Cada droga o medicamento que tomes atraviesa la placenta. recibiendo el bebé el impacto completo del insulto tóxico. Los primeros tres (3) meses de embarazo son los más peligrosos, porque el bebé se encuentra en los comienzos de su crecimiento y desarrollo y es en este momento que existe mayor vulnerabilidad.

?Por qué causarle daño permanente a tú bebé?

El daño causado puede ser apreciable cuando el niño nace o puede tardar algún tiempo en manifestarse. A mayor consumo de drogas o medicamentos, el bebé en formación se está exponiendo a que nazca con defectos físicos, mentales y permanentes. Si estás embarazada recuerda no tomar ninguna clase de droga o alcohol, ningún medicamento a menos que fuera absolutamente necesario bajo el control de un doctor. Para comprender la conducta del niño que se esta desarrollando hay que tener en consideración muchos factores.

La conducta más sencilla es el resultado de múltiples influencias diferentes. Fundamentalmente éstas influencias quedan comprendidas en cinco categorías que son muy importantes.

1. Variables biológicos genéticos.
2. Variables biológicos que no son genéticos por ejemplo falta de oxígeno en el momento del Parto, mal funcionamiento de las glándulas pituiraria.
3. El aprendisaje del niño.
4. Su ambiente psicológico, social inmediato.
5. Medio social y cultural en que se desarrolla el niño.

Las dos primeras son las fuerzas de naturaleza, las otras tres son las fuerzas del ambiente (crianza).

La conducta, la personalidad del niño son producto de la continuación recíproca de la naturaleza y de la crianza.

La vida comienza en el momento de la concepción. Las partículas llamadas genes son las portadoras de la herencia del niño. El período de desarrollo prenatal, el período fetal se extiende desde el segundo mes de embarazo hasta que nace. Durante este tiempo los diversos sistemas corporales se van desarrollándose. Es importante que la madre tenga una buena dieta.

El feto obtiene lo que necesita para su nutrición del organismo materno. Si el niño recibe drogas alcohol, cigarrillos se daña la formación de mielina esto daría a un desarrollo mental retardado.

Si el niño nace con defectos anatómicos tendra muchos problemas en el desarrollo. Las drogas, el alcohol y los cigarrillos afecta el desarrollo del embrión y del feto. Estos niños nacidos de madres que usan drogas, quimícas tendran trastornos respiratorios.

Por eso te pido mamá que no uses drogas, alcohol o cigarrillos. Déjame nacer saludable.

LAS ALTERNATIVAS

? Qué otras alternativas puedes tener si abusas de las drogas y el alcohol ?

Sí te gustan tanto las drogas o el alcohol sabes que estas jugando con tu vida, que tienes la vida en peligro. ? Porqué no piensas antes de usarlas ? Lo más importante es lo fundamental de tu existencia, de tu yo, tu espíritu que es la existencia de tu vida, tu porvenir, tu futuro. Lo más esencial en tu vida es la fé que pongas en Dios, el es el único que te puede ayudar a resolver tu problema el está esperando por tí para que comienzes una vida nueva con estusiasmo, amor fé y tranquilidad.

? Porqué usar drogas ? Sabes que las drogas te dañan la mente, pudiendo vivir una vida tranquila en paz y unión de tu familia, que puedes luchar igual que los demás. Tener todo lo necesario un trabajo una educación, un hogar afectuoso, tener religión, tener buenos amigos, andar con la cabeza alta, no sufrir hambre y miserias, no tener que robar, ayudate tu mismo, rehabilitate ahora que puedes no lo dejes para más tarde, es la mejor alternativas que puedes hacer. Tú y la familia se sentiran orgulloso de ti, cuándo te recuperas de las drogas o el alcohol.

? Porqué vivir una vida tan negativa ? pudiendo andar por un camino claro y derecho, reconocete tu mismo. Dejas a un lado las dificultades y la maldad, el vicio, porqué cuando éstas bajo las influencias de las drogas o el alcohol no sabes lo que haces, tu mismo no te reconoces, pierdes la memoria no seas esclavo de las drogas o el alcohol, usa el dinero en otras cosas mejores.

Eres un ser humano que puedes llegar a lo que tu quieras, llegar a tener grandes logros en tu vida.

No te dejes dominar por el vicio de las drogas, alcohol y los cigarrillos, que no te llevan a nada bueno, lo que te puede pasar es coger una enfermedad, como el sida o estar en una prisión.

Dios te dio como ser humano un espíritu, te dio sabiduria, entendimiento, inteligencia, para que las uses inteligentemente. Dentro de tu alma y tu corazón están las mejores ideas y razones el valor que necesitas para salir de los vicios, el engaño, la mentira, la maldad. Recuerdas que estamos en éste mundo por un tiempo muy corto aprovechalo, vives una vida productiva. Pero sí siques usando drogas o alcohol no podras disfrutar de la vida. Dale mérito a tu vida y siques por el camino que Dios te puso en este mundo. Dios espera por ti no lo desprecies, no tengas miedo ten valor y resistencia, por que la vida es tan bonita, pero muy corta. Estas son las alternativas que puedes desarrollar de ahora en adelante por tu bienestar, por tu salud, y por tu familia.

LAS CONSECUENCIAS DE DROGA Y ALCOHOL

Las siquientes personas han pasado por las consecuencias de las drogas y el alcohol. Solamente se han usado las iniciales del nombre de la persona para proteger al cliente.

Nombre G.R.
Edad 42
sexo masculino
educación 10 grado
droga de uso cocaína, heroína
tiempo de usar la droga 5 años
prisión 8 años por matar a una persona
rehabilitado y recuperado
raza negra

Nombre J.J.
Edad 31
sexo masculino
educación 11grado
droga de uso cocaína, heroína
tiempo uso la droga 3 años
prisión 3 años cargo por posesión de droga
raza negro

Nombre L.B.
Edad 46 sexo hombre
educación 4 años de colegio
droga de uso cocaína tiempo que uso la droga 10 años
raza negro

Nombre A.M.
Edad 41
sexo masculino
educación 12 grado terminado
droga de uso cocaína, alcohol
Tiempo de uso 25 años
prisión 7 años
cargos por vender droga

rehabilitado y recuperado
raza negro

Nombre J.P.
Edad 28 años
sexo masculino
educación 12 grados
tiempo de uso 5 años
prisión 5 años, cargos por robo
raza blanco hispano

Nombre O.G.
Edad 48 años
sexo masculino
educación 7 grado
droga de uso cocaína y alcohol
tiempo que uso la droga 30 años
prisión 1 año cargos por posesión de droga
raza negro
rehabilitado

Nombre W.D.
Edad 34 años
sexo masculino
educación 10 grados
droga de uso mariguana, cocaína, weed
tiempo que uso la droga 18 años
raza negro
rehabilitado

Nombre W.B.
Edad 33 años
sexo masculino
educación 12 grado
droga de uso cocaína, alcohol
tiempo de uso 18 años
raza negro
rehabilitado y recuperado

Nombre P.F.
Edad 31 año
sexo masculino
educación 12 grados
droga de uso cocaína, mariguana, alcohol
tiempo de uso 4 años
prisión 1 año cargos por vender droga
raza negro
rehabilitado

Nombre G. F.
sexo masculino
educación 9 grado
droga de uso cocaína, heroína, alcohol
tiempo de uso 7 años
prisión 1 año cargos por vender droga
raza negro
rehabilitado

Nombre A. H.
Edad 33 años
educación 12 grado
sexo masculino
droga de uso cocaína, heroína, píldoras
prisión 2 años por vender droga
raza negro
rehabilitado

Nombre R.M.R.
Edad 32 años
sexo masculino
educación 12 grado
droga de uso cocaína, heroína, píldoras, P.C.P. L.S.D.
Tiempo de uso 14 años
prisión 3 años
raza Italiano
rehabilitado

Nombre J.T.
Edad 21 años
sexo masculino
educación 12 grado
droga de uso pcp, lsd, heroína, heroína
tiempo de uso 3 año
prisión 3 años cargos por robo
raza Italiano
rehabilitado

Nombre W.V.
Edad 17 años
sexo masculino
educación 9 grado
droga de uso mariguana, alcohol
tiempo de uso 5 años
raza negro
rehabilitado

Nombre A.L.P.
Edad 33 años
educación 11 grado
sexo femenina
droga de uso mariguana, cocaína
tiempo de uso 7 años
prisión 6 meses cargos por posesión de droga
raza negra
rehabilitada

Nombre M.C.
Edad 37 años
educación 11 grado
droga de uso mariguana, cocaína
tiempo de uso 7 años
prisión 6 meses cargos por posesión de droga
sexo femenina
raza negra

rehabilitada

Nombre W.E.
Edad 33 años
educación 12 grado
sexo femenina
droga de uso cocaína, heroína
tiempo de uso 10 años
raza negra
rehabilitada tiene dos niños

Nombre O.G.
Edad 48 años
educación 7 grado
sexo femenina
droga de uso cocaína, heroína
tiempo de uso 30 años
prisión 6 meses por posesión de droga
raza negra
rehabilitada

LAS FUNCIONES DE UNA EVALUADORA EN DROGA Y ALCHOL

Matilde Guerrero de Rosa, especialista en evaluaciones, consejera de droga y alcohol por 25 años.

La función de una evaluadora requiere bastante educación y entrenamiento. Entrevistar al cliente referido de diferentes agencias del gobierno, hospitales, centros de rehabilitación, la cárcel con el propósito de adquirir información del cliente para integrar y cordinar todos los métodos de los exámenes que se le dan al cliente para saber las estrezas positivas y negativas.

Los exámenes son los siquientes:
1. Exámen de performas
2. Exámenes psicométricos
3. Accesoramiento
4. Educación
5. Información médica
6. Información social
7. Aptitudes
8. 28 exámenes manuales y lectura

Cordinar reuniones, programas apropiados para el cliente, según la edad de la persona y la educación terminada. Darle orientación relacionada con el programa, los reglamentos y condiciones de los exámenes. Las evaluaciones son conducidas através de un taller usando los exámenes del sistema vocacional (jewish vocational system). Medir las abilidades, interes motivación, puntualidad comportamiento, comunicación, frustraciones, carecterísticas físicas tolerancia, como viste el cliente, higiene del cliente, hacer recommendaciones según el interes de la persona y las metas que el cliente quiere sequir.

Usando los exámenes apticon 5 para determinar las aptitudes, lenguaje, matemáticas, visión de colores. Si el cliente tiene problemas buscar la mejor manera de ayudarlo a resolver el problema.

Hacer un reporte en general de todo lo observado del cliente. Dar recomendaciones según los resultados del exámen y la experiencia de la persona. Muchos de los clientes quieren sequir estudiando y otros se quieren especializarse en un entrenamiento otros se van a trabajar.

Exámen de performas consiste de 25 exámenes de diferentes clases, esto incluye matemáticas, lectura, distinción de colores, medidas de reglas, espacio, organizar piezas con tornillos, saber leer resistores asamblar resistores, organizar una escalera.

El exámen opticon no 5 son los siquientes:
1. Lenguaje
2. Matemáticas
3. Observaciones de objetivos
4. Áreas de interes
5. Aptitudes
6. Lecturas
7. Apariencia personal
8. Puntualidad
9. Interes
10. Higiene

La meta del programa es poner a trabajar al cliente o a estudiar lo que le guste.

LA HISTORIA DE LA CASA INTEGRITY

A mediado del 1960, Dave Kerr, era un oficial del departamento de la policia en Newark.

El conocio la necesidad de un sistema de apoyo para ayudar a los adictos recidentes de Newark.

Por tres (3) años estuvo estudiando y investigando el problema de la adicción de droga y cómo buscar una solución al problema en forma de tratamiento. Dave empezó su propio programa con los grupos de consejería y organizó su propia junta social.(social club). Richard Crossklaus, se encargo de trabajar en la junta con las actividades, todo era para ayudar a los adictos para que se mantuvieran libre de drogas. Con mucha rápidez la junta del club creció demasiado grande.

En el 1968, la junta se mudo para Belleville New Jersey, durante una sessión un adrogadicto entre al lugar con un cuchillo y amenazo a uno de los clientes, esta persona no era miembro del club.

Esto resulto que los vecinos de Belleville no querian esa junta en su localidad dieron quejas y se tuvieron que mudar antes de 30 días sin tener un lugar para dar las reuniones. Richard consiquió un lugar en Lincoln Park en Newark.

Dave dejó el trabajo de la policia para dedicarse a trabajar con los adictos sin salario. En Agosto del 1968 la junta social se incorporo a Intregity House, nombre que quiere decir integridad, honestidad unión, este nombre se lo puso la mamá de Dave. En Octubre Dave y cuatro policias se mudaron a la nueva residencia, auque no tenian en donde sentarse, no habia calefacción quemaban madera en la chimenea (fire place) para calentarse, necesitaban todo clase de ayuda.

Dave, durante el día hiba a la escuela de Social Reserch a estudiar la situación del problema.

Richard trabajaba en la academia de la policia, los residentes estabán supuestos a trabajar y dar una donación para poder mantener el lugar. Dave y Richard fueron asaltados unas cuantas veces durante los primeros seis (6) meses en Newark. Al final de Marzo del 1969 uno de los residentes le robo todo lo que tenian en la casa. Dave penso que tenia que ver una mejor manera de cómo tratar a los adictos. Con la buena suerte recibio un cheque de $1, 000.00 dólares de la fundación Atlantic para apoyar el programa de Integrity.

Karl, un recidente que estuvo en rehabilitación tenia la experiencia de cómo trabajar con los adictos. Surgio la idea que era importante la disciplina y la supervisión a los adictos.

Dave cogió las recomendaciones de Karl, y buscó más información de cómo trabajar con los clientes de droga y alcohol. Investigo cómo desarrollar lo básico de una agencia, lo que es hoy día Integrity House.

Hoy en día Integrity es muy diferente a cuándo empezó. Integrity ésta registrado y licenciado por el Estado de New Jersey para trabajar con los adictos alcohólicos y los presos.

En Integrity trabajan personas que se han rehabilitado de los programas, además tienen personal profesional que nunca ha usado drogas o an tenido problemas con el alcohol. Muchos son certificados como consejeros. Integrity también trabaja con los colegios y Universidades para los que quieren continuar una carrera educativa en drogas y alcohol.

Integrity le da servicios a 1, 600 clientes al año. Desde el 1981, más de 350 miembros han sido certificados en los siquientes países, Estados Unidos, Canada, Italia, Alemania, Ireland, New Zealnd, Brazil y Philipinas. Los programas son de seis (^) meses dependiendo del cliente.

Tienen programas para adultos y adolescentes, hombres y mujeres.

Los programas son los siquientes:

1. Baye Day Programa residencial para los adolescentes de 13 a 21 año de edad que han usado droga y alcohol. Programa de seis meses (6) para los jóvenes, tienen que estar de 8:00 de la mañana hasta las 5:00 p.m. incluyendo consejería personal y familiar

2. Mother Goose: Programa de cuidado de niños que ofrece educación juvenil, prevención incluyendo a los padres que usan droga o alcohol

3. Prevención, Intervención, Educativa: Este programa es para ayudar a los jóvenes que han empezado a usar sustancias antes de que se desarrollen problemas más serios, los padres tienen que acompañar a los hijos para las entrevistas.

4. Programas residenciales para adultos usando el modelo comunidad tereúpetica.

NEWARK TARGET CITY

En los últimos años un gran aumento dramático en el abuso de las drogas ha ocurrido en los Estados Unidos. La adicción y los trastornos ha aumentado através de la nación costando millones de dólares al año en tratamientos de salud en servicios sociales y en el crimen.

La tragedia del abuso de las drogas es dolorosa y evidente en nuestros centros de las comunidades donde la necesidad para los que necesitan los servicios ha llegado a una proporción epidémica.

Los servicios necesarios para resolver el problema son los siquientes:

1. La intervención
2. Tratamientos
3. Rehabilitación
4. Recuperación, estos servicios son fragmentos insuficiente inacesables.

CAST: (center for abuse treatment) emergió en el 1992, por mandato congresional bajo la dirección Federal Substance and Mental Health Administration (samsha) que es una rama de los servicios públicos (csat) que hace los esfuerzos de identificar, desarrollar sostener los programas y las polizas que expanden los tratamientos de los servicios a los adictos. CST hace esto para asegurar la ayuda del gobierno para dar los entrenamientos y asistencia a los programas de drogas y los que trabajan con el cliente y especialmente con la gente de recursos económicos y los pobres.

El proyecto Target City fué designado para asistir partes urbanas en dónde hay grandes problemas de droga, en conjunto con el departamento de salud. El esfuerzo del programa es poner al cliente en rehabilitación. En el presente hay nueve (9) programas de Target City en operación.

El propósito y la filosofía del programa es mantener estabilidad y coordinar servicios a través de la comunidad, esto incluye intervención, clinica, plan de servicios, educación, y medicinas.

Target City está en el quinto (5) año de operación con fondos federales del centro de Sustance Abuse Treatment. Uno de los once (11) programas de Target City está en Newark, N.J.

Hay 15 diferentes tratamientos de adicción en la ciudad de Newark, a través de la unidad central con un manejo automático del sistema (MIS). El objectivo de Target City es aumentar los tratamientos de adicción relacionados con la salud, viviendas bienestar público, la justicia entrenamiento de trabajo, educación, y otros programas sociales. El proyecto Target City le da servicios a todas las personas que abusan de las drogas y el alcohol. El tratamiento que se le da al cliente es importante.

Indentificación de raza:

Áfricanos americanos, latinos, hispanos, hombres y mujeres que son indigente. La mayor parte de éstas personas no trabajan, no tienen seguro social y están muy mal de salud. Los siquientes centros de rehabilitación que Target City le ayuda.

1. Integrity House
2. Mt. Carmel Guild
3. N.J. Campus
4. Renaisance
5. Cura
6. 6.Essex Sat 1
7. Turning point
8. La casa don Pedro
9. Choice
10. Spectrum

Fondos del Estado para la Delicuencia Juvenil

1. Cura
2. Dayton
3. Integrity House
4. New Hopoe
5. Monmouth CDTC
6. Newark, Renaissance
7. Phonix House
8. Straith Narrow
9. Bonnie Brae

Cantidad de Clientes atendidos:

En Octubre del 1995, la cantidad de clientes atendidos fué de 550 personas.

78 por ciento eran adictos a la heroína

33 por ciento no tenían ninguna clase de entrada de dinero

39 por ciento ha estado preso por crimen

28 por ciento eran jòvenes que usaban drogas

18 por ciento son referidos por la corte
75 por ciento son negros americanos
11 por ciento son feferido del sistema judicial
13 por ciento son de las edades 18-24
3 por ciento eran niños
3 por ciento muchachas jóvenes embarazadas
9 por ciento eran de otras razas
7. Por ciento tenían problemas mentales

QUIENES SOMOS COMO SERES HUMANOS

Cómo seres humanos, somos creados por Dios con un espíritu viviente, llenos de savidurias para elaborar nuestros pensamientos según vamos viviendo nuestras vidas para un mundo mejor.

Amar a Dios sobre todas las cosas y a los seres humanos cómo buenos cristianos para poder vivir una vida feliz, en paz y prosperidad.

Sabemos quienes somos en esta vida, estar conciente de nuestras acciones, nuestros centimientos de nuestra voluntad de nuevas percepciones y de nuestro interior. Estar con una mente positiva por más difícil que sea el problema, que a veces recibimos diversas reacciones emocionales negativa, nuestra mente las juzga, las cataloga y las llevas a difundir en diferentes maneras nuestra voluntad decide nuestra forma de actuar.

Ser sincero, honesto con nosotros mismos, tener fé en Dios es la llave que abre los corazones, es el fruto de la fé, la esperanza, la seguridad, y la paz interior que un ser humano puede tener.

Los sentimientos son las emociones que determinan el estado de animo del ser humano, es el regalo más hermoso que Dios nos ha dado.

Dejar de culpar a los demás tomar responsabilidad por toda una vida, convertirse en la persona más positiva y entusiasta que conoscas. Medir la gente por el tamaño de su corazón, por sus actitudes y por su forma de ser. Demostrar respeto por todas las cosas que son vivas.

No olvidar que lo más importante para cualquier persona es sentirse apreciado, demuestra respeto por el tiempo de los demás.

Nunca desperdicies una oportunidad de decirle a alquien que lo amas. Comienza el día con tu música favorita. Dale siempre a las personas el beneficio de la duda, nunca le quites a nadie la esperanza pueda que sea lo único que tiene. Se valiente, aún cuándo no lo seas, nadie notara la diferencia. Si pudieras vivir de ésta manera seria una felicidad. Darle buen ejemplo a tus hijos para que en el manaña no tengan problemas.

WORK ORIENTED REHABILITATION INSTITUTED

El programa work oriented rehabilitation instituted (wori) dió comienzo en el 1971, cuándo los servicios vocacionales recibieron ayuda para la ciudad de Newark. WORI se originó en el 61 de Lincon Park, era una casa rentada que pertenecia a Integrity House. Se trabajaba especialmente con los clientes que eran adictos y alcohòlicos.

La división acepto los privilegios y los conceptos a los prisioneros que estaban bajo palabra que eran adictos o alcohólicos referidos de la corte a la casa Integrity. En el 1974, el programa cambio a ser una organización privada sin fines lucrativos asociados a Jewish Vocational Service.

Después se trasladaron al 15 de Roseville Ave en Newark, dónde residieron en este local por 16 años. En el 1977 se añadieron los servicios a los alcohólicos, adrogadictos referidos por la cárcel.

En el 1996 se mudaron para el 2 de Park Place en Newark, hasta el 1998. La meta del programa era poner a trabajar a los clientes que esten rehabilitados de las drogas y el alcohol, según la abilidad de la persona, la educación, la experiencia del trabajo, la salud de la persona, se serán referidos a trabajos, entrenamiento o a una educación.

El programa WORI acepta solamente clientes que están en el tratamiento de rehabilitación, o que ya se hallan rehabilitado. Se le da consejeria, orientación se le hace una evalución para saber el estado de ánimo en que se encuentra la persona. Las evaluciones son hechas por medio de un taller de manualidades y por medio de los exámenes psicométricos y psicológicos. El cliente tiene que ejecutar ciertos trabajos manuales, capacidad y rasgos necesarios para entrar en el mundo del trabajo, tienen que hacer un resumen, llenar aplicaciones, ajustamento de trabajo, higiene personal, responsabilidad, ésto le da al cliente una oportunidad a ser referido a trabajos.

Una vez que el cliente es referido al programa por las diferentes agencias del gobierno, centros de rehabilitaciones o referido por la corte, el consejero revisa el proceso y el cliente es referido al programa de la División de Rehabilitación (DVR), después pasa a las oficinas de J.T.P.A. (Job training act) para ser certificado para el programa. Para ser elegible al programa se necesita lo siquiente, ser residente de Newark, tener targeta del seguro social, si es posible licencia de manejar, prueba de ingreso, certificado de nacimiento pasaporte prueba de residencia, y que sea mayor de 16 años.

El cliente estará en exámenes todo el día de 8:30 hasta las 3:00 p.m. La agencia de DVR le paga.

$6:00 diario para la trasportación. La agencia JTPA le dara $10:00 para el almuerzo.

Los clientes haran trabajos voluntarios en diferentes lugares como los hospitales, parques, oficinas de la ciudad, ésto es parte del entrenamiento de trabajo.

Las evaluaciones son las siquientes:

1. Observación del cliente
2. Aptitudes positivas o negativas
3. Interes y entusiasmo
4. Habilidad de trabajo
5. Problemas emocionales y fósicos
6. Coordinación del cuerpo manos, pies, y ojos
7. Habilidad de aprender
8. Retención de la memoria
9. Higiene personal
10. 10.produción de trabajo
11. Espacio de trabajo
12. Pruebas de lenjuajes
13. Matématicas
14. Leer
15. Comportamiento de la persona
16. Salud de la persona.

Las funciones de la Evaluadora:

Entrevista del cliente, llenar aplicaciones necesarias, verificar la agencia que refiere al cliente con el propósito de adquirir información, integrar y coordinar todos los métodos de los exámenes psicométricos, psicológicos, y manuales, dar accesoramiento, obtener información médica psicológica, educacional, y social. Coordinar programas apropiados para el cliente, conducir orientación, explicaciones de las reglas y condiciones del programa.

Las evaluaciones son conducidas por medio de un taller usando los exámenes psicométricos y manuales de JVS. Medir las abilidades

de interes, aptitudes, comportamiento, motivación, hábitos de trabajos, puntualidad, relaciones con otras personas, tolerancia, higiene.
Usando el exámen Apticom 5 para determinar matématicas, lenjuaje,
aptitudes. Hacer un reporte final del cliente y dar recomendaciones
según la habilidad del cliente. Analizar el resultado de los exámenes.

La agencia pone a trabajar más de 150 personas al año que se han
rehabilitado de las drogas y el alcohol. Muchos de estos clientes
prefieren continuar la escuela y otros van a trabajar o coger un
entrenamiento de trabajo. Si tienes el deseo de rehabilitarte de las
drogas y el alcohol si éstas positivo a dar un cambio en tu vida, deseas
trabajar, estudiar, visita cualquier oficina de rehabilitación. No lo
dejes para más tarde haslo ahora que puedes.

AGENCIA CURA

35 LINCOLN PARK
NEWARK, NEW JERESY
TEL. 973-622-3570
OSVALDO FIERRO, DIRECTOR

La agencia Cura se estableció en el 1974 con el propósito de ayudar a la comunidad hispana, para los adictos y alcohólicos. Un programa de rehabilitación residencial libre de drogas y alcohol de 9 a 12 meses. Rehabilitación para jóvenes de 18 años en adelante. Tiene programa de alcohol por 28 días. Prevención en la comunidad circundante para jóvenes de 12 a 17 años que esten en alto peligro de droga o alcohol.

Servicios suplementarios, que incluyen evaluación vocational, preparación para los exámenes de equivalencia, exámenes médicos actividades recreational, y entrenamiento de trabajo.

Cura tiene empleados profesionales bilinque, todos con buena experiencia en la materia.

Algunos de los empleados han sido graduados del programa del tratamiento que Cura ofrece.

Los clientes de Cura son referidos de New Jersey, Pennsylvania y Puerto Rico.

Los programas para los clientes internados son los siquentes.
1. Exámenes de salud, fisicos y laboratorios
2. Terapías individuales y familiar
3. Clases educativas
4. Entrenamiento de computadora
5. Actividades recreativas

PROGRAMAS DE PREVENCIÓN

Tratar a los usuarios de droga, indentificar a los jóvenes hispanos de 12 a 18 años de edad que están en peligro de las drogas o el alcohol. El programa consiste de 12 semanas que son 24 clases de información sobre las drogas y el alcohol. Estos jóvenes tendrán clases de arte, baile operación de computadora y otros programas más. El programa le da una oportunidad a los jóvenes de usar el tiempo libre constructivo en un ambiente familiar.

PROGRAMAS DE LOS PACIENTES DE AFUERA (out patient)

Este programa esta acesible a los individuos que tienen problemas de drogas, que por razones

personales no pueden entrar al programa residencial. La mayor parte de las personas trabajan

1. El paciente es entrevistado una vez a la semana.
2. Le dan exámenes de orina
3. Terapías familiar
4. Servicios médicos
5. Asistencia de empleos
6. Actividades recreational
7. Consejería

SI TIENES PROBLEMA CON LAS DROGAS O EL ALCOHOL, LLAME ACURA O VALLA EN PERSONA.

INSTRUCCIONES PARA LA VIDA

1. Deja de culpar a los demás, toma responsabilidad por toda tu vida.
2. Lee cuidadosamente cualquier cosa que requiera tu firma.
3. Vorviéndote en la persona más positiva y entusiasta.
4. Mide la gente por el tamaño de su corazón, no por el tamaño de sus cuentas de banco.
5. Demuestra respeto por todas las cosas vivas.
6. Dale lo mejor de ti a tu patrón.
7. Evita la gente negativa.
8. Demuestre respeto por el tiempo de los demás.
9. Regálate un mensaje el día de tu cumpleaño.
10. Nunca desperdicies una oportunidad de decirle a alquien que lo amas.
11. Comienza cada día con tu música favorita.
12. Dale siempre a las personas el beneficio de la duda.
13. Nunca le quites a nadie la esperanza, puede que sea lo único que tenga.
14. Se valiente aún cuando no lo seas, nadie notará la diferencia.
15. No uses alcohol, drogas y cigarrillos en exceso.
16. Darle gracias a Dios todos los días porque te alevantastes con vida.
17. No dejes de orar todos los días antes de dormirte, no faltes el domingo a iglesia.
18. Si tienes hijos darle el mejor ejemplo, apóyalos en todas las cosas buenas.
19. No uses palillos de dientes en la boca en público.

LA VIDA

1. La vida es un regalo de Dios, hay que aceptarla en las buenas o en las malas
2. La vida es el don que Dios nos ha dado
3. La vida es un misterio de Dios
4. La vida es un reto que hay encontrarlo conocerlo y cuidarlo
5. La vida es una ventura que tiene desafios y provocaciones
6. La vida es un dolor, una pena, una pesadumbre de arrepentimientos que hay que vencer
7. La vida es una tragedia que tenemos que afrontar
8. La vida es un deber que hay que llevarlo acabo, ejecutarlo y desarrollarlo
9. La vida es una oportunidad que hay que llevarla a una conclusión
10. La vida es una jornada que termina cuándo mueres
11. La vida es una promesa que hay que cumplirla, desarrollarla y llevarla acabo
12. La vida es una lucha que hay que combatir fuertemente
13. La vida es bella hay que apreciarla porque en ella se encierra el elogio, el dolor y la alabanza la pena, y el sufrir, hay que gozarla saludablemente como mejor se pueda
14. La vida es una meta que hay que realizar con amor a Dios
15. La vida es un crucigrama que hay que resolverlo pedazo a pedazo para disfrutarlo
16. La es una tongola
17. La vida es un estado de actividades funcionales propio de la materia organizada
18. La vida son los seres vivientes que están constituido por diferentes células y organismo
19. La vida es el distintivo esencial de los seres humanos, es el recuparar las fuerzas por medio de la alimentación, respirando y la buena fé para vivirla
20. La vida es raccionar contra el mundo exterior para adaptarse a él

21. La vida es un misterio que nadie la entiende, solamente Dios con su santo poder
22. La vida es el espacio de tiempo desde el nacimiento hasta la muerte
23. La vida es la existencia del alma después de la muerte

ORGANIZACIONES ESTATALES DE DROGA Y ALCOHOL

1. Alabama
2. Alaska
3. Arkansas
4. Arizona
5. California
6. Colorado
7. Connecticut
8. Delaware
9. Distrito de Colombia
10. Florida
11. Georgia
12. Hawaii
13. Idaho
14. Illinois
15. Indiana
16. Iowa
17. Kansas
18. Kentucky
19. Lousiana
20. Maine
21. Maryland
22. Massachusetts
23. Michigan
24. Minnesota
25. Mississippi
26. Missourri
27. Montana
28. Nebraska
29. Nevada
30. New Hampshire
31. New Jersey
32. New México
33. New York
34. North Carolina
35. North Dakota
36. Ohio
37. Oklahoma
38. Oregón
39. Pennsylvania
40. Rhode Island
41 South Carolina
42. Tennessee
43. Texas
44. Utah
45. Vermont
46. Virginia
47. Washington
48. West Virginia
49. Wisconsin
50. Wyoming
51. Guam
52. Puerto Rico
53. Islas Virgenes
54. América Samoa

LA ADICCIÓN Y EL TRATAMIENTO

Los programas de tratamientos contra la adicción a las drogas y al alcohol cada día van aumentando de clientes nuevos que quieren rehabilitarse. Estos problemas de salud están afectando a mucha gente al rededor del mundo. América Latina es uno de estos países que están afectados con este problema. En Miami en uno de los centros de rehabilitación están llegando gente del caribe desde jóvenes, adultos y gente mayores de edad, muchos de la clase media hombres y mujeres. Entre las islas del caribe se encuentra Santo Domingo que son consumidores de mariguana, cocaína y alcohol. La mayor parte de los usuarios usan más de una droga. Los jóvenes usan más la mariguana y la cocaína.

El tratamiento empieza con la desintoxicación química por varios días en un hospital, después van internados en un lugar residencial para continuar el tratamiento con las terapías individual, de grupos y familiar. Hay muchas clases de adicciones está el alcohol, drogas, el juego, las compras y la comida.

Los tratamientos son los siquientes:
1. Consejería individual
2. Terapía de familia
3. Educación a la familia
4. Educación al cliente
5. Grupos de terapía
6. El tratamiento médico
7. Los Al Anon
8. A.A.
9. Consejería vocacional
10. Consejería espiritual

La consejería individual incluye el tiempo, el sitio el espacio en que el resto del tratamiento es organizado y planiado. Durante la entrevista el consejero y el cliente trabajan juntos para definir el problema explorar posible soluciones al problema. La consejería individual lo más importante es cuándo el consejero hace las observaciones como el cliente se porta, como escucha y como reacciona, cual es la vida del cliente, la familia, el trabajo, la economía, la vida en la comunidad cómo se siente el cliente y cómo el alcohol y las drogas ha afectado a la persona. El consejero espera que el cliente asuma responsabilidad por sus actos.

Las terapías de grupos, son muy popular entre los alcohólicos. El cliente encuentran que pertenecen a un grupo, se sienten mejor porque hay otras personas con el mismo problema.

Los grupos enfocan mayormente en la educación sobre el alcoholismo y las drogas, el tratamiento cómo resolver el problema y la motivaciòn del cliente.

El tratamiento de la familia:

La familia juega un paper, muy importante en la rehabilitaciòn del cliente. La familia necesita educarse acerca de los efectos y las consecuencias de las drogas y el alcohol. Sabemos que el alcohol es una enfermedad progresiva.

Al Non:

Antes de que el alcoholismo fué aceptado cómo una enfemedad, las familias se dieron cuenta que la persona tenian desorden de comportamiento, problemas en vivir con una persona alcohólica auque no este bebiendo. Se reconoció el patrón de sufrimiento por culpa del alcohol y la manipulación de las bebidas alcohólicas, teniendo en cuenta que la única persona que puede cambiar éste patrón es el bebedor.

Al Teen:
Es especialmente para los jóvenes que usan drogas o alcohol o que los padres son alcohólicos.
A.A. Alcohólicos Anónimos es el programa más efectivo para los que tienen problemas con el alcohol. Usando los 12 pasos y las terapías llegan a entender el problema del alcohol.
Los A.A. empezó en el 1935 en Ohio, con Bill W. y un amigo que ayudándose unos a los otros podián rehabilitarse del alcohol.

LA CLINICA DEL ALMA

Médico Cirujano	Jesucristo
Grado Honorario	Hijos de Dios
Médico	El espíritu Santo
Campo de Estudio	El corazón
Resistencia y Oficinas	En Todas Partes
Su Poder	Limitado
Su Especialidad	Lo Imposible
Su instrumento	Poder
Su Obsequio	Gracia
Su libro de recetas	La biblia
Enfermedades para sanar	Todas
Precio de tratamiento	La fé
Garantia	Obsoluta
Salón de Operación	El altar
Hospital	La Iglesia
Dieta	Oración
Ejercicios	Buenas Obras
Experiencia	Infalible y eterna

GLOSARIO

Alcohol:	Líquido volátil, su nombre etenol, su acción va directamente al cerebro causando desorganización mental, afecta los riñones hígado.
Alucinógenos:	Drogas que midifican la percepción, afecta la capacidad mental
Analgésicos:	Drogas usadas para el dolor
Anfetaminas:	Estimulantes aceleran el ritmo cardíaco, dilata las pupilas, reduce el apetito.
Base Libre:	Cocaína sustancia purificada y alterada, convirtiéndola en clorhidrato.
Barbitúricos:	Sedantes del ácido barbitúrico actuan como depresivos al sistema.
Bufotenina:	Sustancia que se encuentran en el rape de la cahoba se extrae de algunos hongos y de la piel de los animales y el sapo.
Cafeína:	Sustancia blanca amarga que se encuentra en el café tes, cacao cola, aumenta el metabolismo del cuerpo.
Cirrosis:	Enfermedad del hígado por el abuso del alcohol.
Cocaína:	Polvo blanco que se extrae de la coca un alcaloide de la nicotina y la morfina.
Codeina:	Viene de la morfina, se encuentra en el opio, se usa para la tos.
Crack:	Una metanfetamina que acelera el sistema nervioso
Deprimentes:	Tranquilizantes, valium, libreiun.
Depresión:	Decaimiento, falta de interes, apatía, pérdida de apetito.
Drogas:	Sustancias químicas que afecta la memoria
Esteroides:	Una versión sintética de la hormona masculina produce cancer Acné, aumenta el colesterol, daña las células del cuerpo.
Fencyclidina:	Tranquilizante para los animales, tiene efectos violentos, confusión.
Hashis:	Es una planta cannabis que contiene una recina en las puntas de la planta que se extrae, es como una goma es más fuerte que la Mariguana.

Heroína: Sustancia derivada de la morfina, es un polvo blanco produce temblores, escalofríos, vómitos, calambre.

Mariguana: Una droga cruda fabricada del cannabis satira, el ingrediente principal es T.H.C, se fábrica con las partículas secas de la planta produce confusión pánico, altera el sentido.

Metadona: Es una droga sintética usada para el tratamiento de la adicción.

Miristicina: Sustancia psicoactiva se encuentra en la nuez moscada, tiene efectos fisiológicos.

Narcóticos: Drogas que alivian el dolor, grandes cantidades producen la muerte.

Nicotina: Es e ingrediente activo del tabaco, sustancia venenosa llamada alcaloide, la nicotina es tóxica.

TELÉFONOS DE INFORMACIÓN.

1. Sida Departamento de Salud New Jersey-1-800-624-2377.
2. Departamento de salud- oficinas parte Norte, Estado de New Jersey- 201- 266-1910.
3. Servicios de salud pública de los Estados Unidos- cuarto no 721-H. 200 Independence ave S.W. Washington, D.C. 20201.
4. Servicios de salud pública- de los Estados Unidos- 1-800-342-aids todas las llamadas Confidenciales.
5. Ayuda para el sida en New Jersey— 201 596-0767— Lunes a viernes de 7:pm. 11:pm.
6. Información de larga distancia: -1-800- 554-5437 federación de padres libre de drogas.
7. Información sobre las drogas (pride) 1-800-241-9746.

Instituto Nacional de Drogadición - 1-800-638-2045.

Linea sobre la Cocaína 800 cocaine.

EL FINAL DE ESTE LIBRO

Este es mi punto de partida de un gran esfuerzo de preparación para ejercer la misión de educar a los jóvenes, padres de familia, la comunidad y todas aquellas personas que lean este libro.

Las informaciones que he consignado en este libro no agota el tema, ofrece un conjunto de información relacionada con el problema de las drogas el alcohol y los cigarrillos, entre la juventud, y otras personas que tienen este problema.

Los factores que determinan el riesgo y las recomendaciones para prevenir el problema de sustancias ilegales. Comunicar la noticia que se pueda actuar para alejar a los jóvenes del abismo de las drogas y las adicciones por medio de una educación equilibrada en un hogar cálido sano y afectuoso.

Hay factores que entorpecen la labor de los padres contra los valores en que estos tratan de cultivar en los hijos. Los padres de esta nueva generación enfrentan dificultades y peligros que no existian en épocas pasadas.

Piensalo bién, si estas usando drogas o alcohol busca ayuda a tiempo, no esperes que sea muy tarde. No pierdas tu juventud y tu vida, todo a tiempo tiene remedio, haslo ahora, hay muchos programas de rehabilitación en la comunidad donde vives.

BIBLIOGRAFÍA

Administración de Servicios de Salud Mental Contra la Adicción (ASSMCA) Puerto Rico.

Climent E. Carlos, Guerrero C. María, Como Proteger a sus Hijos de las Drogas Bogotá, Colombia

Dornbiere Mour, La Otra Guerra de las Drogas, México, D.F.

Alegria E. Ricardo, Director de Centros de Estudios Avanzados de Puerto Rico y el Caribe

La Historia del Café y la cafeína

La cocaína en Bolivia, Cohamba, Bolivia, Editoral Los Amigos

Linón Garcia Carmen, Que son las Drogas y los Apiaceos, primera edición, 1990, México D.F.

Miller, Benjamin, John J. Burt M.D. Salud Individual y Colectiva, 3rd edición.

New Jersey Department of Health, Data Análisis and Epiomology Unit, Statistic Perspective 1992

United State Department of Education, Washington, D.C. Growing Up Drug Free Parents Guide and Prevention

U. S. Department of Health and Human Service, Alcohol, Drug Abuse Mental Health.

Secretaria de Educación de los Estados Unidos, Washington, D.C.

La Casa Cura pamphet, 1998, Newark, New Jersey.

Work Oriented Rehabilitation Inc 1999.

Integrity House, 1999.

REFERENCIAS

1. Dave Kerr, Executive Director, La Historia de la Casa Integrity
2. Departamento de Educación de los Estados Unidos, Washington, D. C.
3. Department of Health, National Instituted on Drugs, Rochville, Maryland
4. Departamento de Servicios contra la Adicción Secretaría Auxiliar de Prevención, P.R.
5. Donbiere Moouri, La Otra Guerra de las Drogas, Primera Edición, México, D.F.
6. Departmento de Servicios contra La Adicción Secretaría Auxiliar de Prevención, P.R.
7. Irvin Linares, El Coqui, Newspaper 1998
8. Linón Garcia Carmen, Que son las Drogas, Primera Edicción México, D. F.
9. Miller, Benjamin, John Burt M.D. Salud Intelectual y Colectivas 3rd edicción México, D.F.
10. National Council of Alcoholism North Jersey Area
11. Newark Target City phamplet 1998
12. Roberto Clemente, Little Leaque, phamplet 1998
13. Progamas de Prevención, ASSMCA, Puerto Rico
14. U.S. Department of Health and Human Service Alcohol Drug Abuse and Mental Health
15. Work Oriented Rehabilitation Instituted 1999
16. La Casa Cura, Osvaldo Fierro, Director Ejecutivo 1999

Matilde G. de Rosa

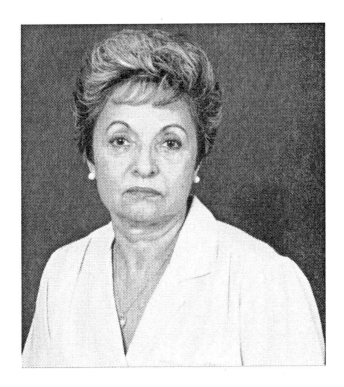

Matilde G. de Rosa, nació en San sebastián, Puerto Rico. Desde muy jovencita se traslado a vivir a la ciudad de la capital del mundo New York. Se intereso desde muy jóven ayudar a la juventud que tenían problemas. Organizó diferentes actividades y organizaciones. Más tarde se traslados a Newark, New Jersey donde actualmente vive. Matilde realizó estudios en la Universidad de Kean College con un Bachillerato en Psicología y Sociología. Se especializó en Envaluaciones en Drogas y Alcohol en las diferentes Universidades Rutgers University, Essex County College, Montclair State College Jersey City University, Trenton State College, I.C.D. Training Center New York.

Trabaje como especialista de Evaluaciones y trabajadora social por 25 años en Work Oriented Rehabilitation Instituted. Termino dos años en un internado en la Casa Cura trabajando con los adictos alcohólicos y presos.

RECONOCIMIENTOS:
Focus Inc, por trabajos sobresalientes y cooperación
Alcaldía de Newark, por esfuerzos y promover ideas en la comunidad
Alcaldía de Newark, por promover programas de entreanamientos
Desfile Estatal Puertorriqueño Newark, contribución y éxito del Vigésimo Desfile.
Cordinadora del Anuario 1983, Desfile Estatal de Newark.

Printed in the United States
31395LVS00002B/192

9 781403 399007